新邪馬台国建国50年史

上巻 宇佐の四バカ

新邪馬台国建設公団総裁
高橋宣宏（たかはしよしひろ）

新邪馬台国建国50年史（上巻）

宇佐の四バカ

高橋宣宏

梓書院

新邪馬台国建設公団 総裁　高橋宣宏の正装姿

まえがき

青年時代の一時期、私は何かに憑かれていたかのように過ごした経験を持っている。早いもので、あれから五十年近くが過ぎた。この五十年は私にとって「一睡の夢」のようでもあり、逆に「一身にして二生」を生きるがごとき永い道のりでもあった。

私は子どもの頃から、さまざまなものに興味を示してきた。そして本当に興味を持つと、持ち前の凝り性を発揮し、徹底してのめり込んだ。

私がのめり込んだものの一つに「ムラおこし運動」がある。過去、多くのものにのめり込んでは、ある時期を境に一気に熱のさめる傾向にあるこの私が、この運動にだけは今でも情熱を持ち続けている。

ムラおこしとは企業誘致など外からのインパクトではなく、住民が内発的に地域を振興させていくことであった。当時のリーダーたちも、行政に頼らずたからず自立自助でやっていくといった矜持（きょうじ）を持っており、私はそこに言い知れぬ魅力を感じていた。

ただこの五十年を回顧してみると、永年この運動に携わってきたわりには、宇佐がどれだけ変わったか、どれだけよくなったのかについてあまり自信はない。「地方の時代」とおだてられ、「宇佐から大分が、日本が変わる」と乗せられた頃もあるが、今の宇佐が他の自治体にくらべ、希望に満ちた地域であるといった気分は微塵もない。残念ながらその逆だろう。宇佐だけではない。日本の地方そのものが疲弊しており、今や航海中の船の前に覆い尽くす霧のように、閉そく感が漂っている。

ムラおこし運動が全国へ燎原の火のように広がっていった1970年代後半は、今の金融不安や経済不況と状況がよく似ている。あの頃も第一次、第二次オイルショック後の厳しい経済状況下であったからだ。が、当時の重苦しい日本の閉そく感を吹き飛ばしたエネルギーこそ、まさに大分から全国に発信した「ムラおこし運動」だったと私は考えている。五十年前にくらべ、地方の状況はさらに厳しさを増している。しかし経済的に大変厳しい今だからこそ、ムラおこしの復活が必要なのではないだろうか。

現在、町づくりやムラおこしを標榜するグループや団体は全国的に大変多くなった。石を投げればそうしたグループに当たるほどだ。この中には、毎年多額の予算を与えられ町づくりを行なっている恵まれた官製の御用団体もあるし、また行政から補助金を貰うテクニックを駆使し、補助金を獲得して初めて行動に移る合理主義派もいる。

いちいち小姑のように揚げ足を取る気はないが、残念ながら黎明期に私たちがプライド高く堅持してきた「ムラおこし」の理念は、今日、すっかり忘れ去られた感がする。

私たちが約五十年間戦ってきた〝ムラおこしの戦場〟には、よくも悪くも町づくりに関するさまざまな教訓が残されている。これを今書き留めなければ、永遠に忘れ去られてしまうだろう。そんな私の思いがこの本の出版の背景にはある。

宇佐の現代史を語る上でも、また全国で町づくりを現在行なっている人たちやこれから目指そうと思っている人たちにも、私たちの新邪馬台国建設運動は何らかの参考になると思う。

私たちの〝偉大なる失敗〟に学んでいただければこれにすぐる喜びはない。

新邪馬台国建設公団 総裁　高橋 宜宏

〔目次〕

新邪馬台国建国50年史（上巻）

宇佐の四バカ

第一章　帰りなんいざ

私の青春怒濤編

高校から大学時代の一時期は高木彬光氏の『検事霧島三郎』にあこがれ、検事か弁護士にと思ったこともある。そして笑える話だが、小学生時代に抱いたジョン・F・ケネディのような政治家になる夢も温存していた。

だから大学入学からの一年半は司法試験をめざし、くる日もくる日も大学の図書館通いだった。

でも、恋多き大学時代に恋愛一つせず、無味乾燥な六法全書を片手に司法試験にチャレンジするなんて、狂気の沙汰と思い、結局アホらしくなってやめた。これより以後の小生は糸の切れた凧のようにプッツンし、軟派路線に大きくシフトしていったような気がする。

渋谷ジァン・ジァンでライブを聞いたり、新宿アートビレッジで理解不能のドキュメンタリー映画を観たり。

また「何としても彼女がほしい」といったコケの一念で、雑誌の文通欄を見つけては、片っぱしから手紙を出したりした。当時は携帯メールも出会い系サイトもない時代である。ピーク時は約三十名ほどの女性と文通していたと思う。でも、この文通作戦は不成功に終わった。毎日数人の女性から次々と手紙がやってくるので、下宿のおばさんが私を白い目で見始めたことと、結局手紙を書くのが面倒くさくなり、そのうち市販の卓上印刷機で印刷したものを三十名の女の子へ送り始めて挫折した。

その後作戦を変え、あるときは読みもしないドストエフスキーの本を小脇に抱え、気難しい文学青年を、またあるときは当時流行っていたロンドンブーツにベルボトムのジーンズを身にまとい、用もないのにギターケースをかかえてフォークの旗手を気取ったりと、多羅尾伴内も真っ青の演技力で渋谷界隈を女を求めてうろついたこともある。

このとき身につけた変装技術や演技力は後にレギュラー出演することになるＴＯＳハロー大分の『高橋宜宏の血液型入門』や『クイズあんたどぅ知っちょ～ん』のかぶり物文化で開花することになる。いやあ、「芸は身を助く」なんていうが、人生何が役に立つかわからないもんである。

日本雑音会を結成（１９７６年４月）

１９７６（昭和51）年３月、こんな野放図な大学生活を送っていたツケがやってきた。

世はまさにオイルショックの余波で、空前絶後の就職難。私も思うところに就職できず、一単位をあえて落として自主留年。周囲には卒業したとのふれこみで帰郷した。家業の土産品店を手伝いながら、就職浪人をやろうという魂胆だった。

でも宇佐は、夜の7時ともなると人通りもなくなり、ゴーストタウンと化す。友だちもいなければ、恋人もいない殺伐とした生活だった。そのうち就職なんかどうでもよくなり、もっとワクワクする魅力ある宇佐にできないものかと考え始めた。しかし、何をやればいいのか皆目わからない。しばらくは無聊（ぶりょう）と焦燥感に苦しみながら、眠れない日々を過ごしていた。

まず私は、地元に残る数少ない同級生らに働きかけ、政治経済についての勉強会「井蛙（せいあ）会」というグループをつくってみた。地方に暮らしても「井の中の蛙」にはならないようにしよう、といった、至極まじめな命名だった。お茶とコーヒーに美味しいケーキも用意した。ときにはお酒まで用意し、知り合いの女性にも無理に頼み込んでこの会合に出てもらった。でも4～5回会合を持って、すぐに限界を感じた。お酒を飲んだり、異性とのよもやま談議は盛り上がるのだが、「じゃあ、皆さんそろそろ政治・経済の話を」と言ったとたんに、モロ迷惑そうな顔をするのだ。地元の議員を招いて、ミニ座談会やミニシンポジウムを試みたこともあるが、しぶしぶ三～四人が参加する程度でお話にならない。政治や経済を中心に据えて人集めをやっても、会の広がりを期待できないと知った。

次に考えたのは、音楽だった。若者を集めるのは音楽が手っ取り早い。そういえば、私も高校時代にはサイモンとガーファンクル、大学時代には吉田拓郎にあこがれ、うまくはないがフォークギターのコードくらいは演奏できる。昔履いていた例のロンドンブーツは、まだ下駄箱に取ってあるし、お腹まわりはきつくなったが、ベルボトムのジーンズもタンスの中に眠っている。「今度はうまくいく」と思って、計画を実行に移し始めた。

宇佐神宮勅使門

楽器店などの情報を収集したり、方々手を尽くして、音楽好きな若者にアタックすると、いるいる、面白いくらいに。やはり音楽の吸引力は凄いものがある。最初の会合でまず会の名称を決めた。前回の反省もあるし、あんまり肩ひじ張らない名称をということで、「日本雑音会」とした。私が初代会長。メンバーは最初から二十人程度はいたと思う。主要メンバーに高校の同級生の清永敦士君、溝口幸延君がいた。

この「日本雑音会」で一度、フォークとロックの野外コンサートを催したことがある。私にとって、人生

吹きさらしでめちゃ寒かった第一回イベント

元日コンサートのチケット売り場

で初めて主催するイベントだった。日時は翌1977（昭和52）年の1月1日、元日の正午からだった。場所は初詣客でごった返す宇佐神宮のはずれにある相撲場。大鉄傘で覆われており、テントを張ると雨露は何とかしのぐことができる。

でも、正月客を当て込んだのが間違いだった。天井にテントを張っているとはいえ、この日天気が大きく崩れ、粉雪が舞い、木枯らしが吹き荒れる最悪のコンディションとなったのだ。演奏者も観客も震え上がってしまい、あちこちでドラム缶に薪を焚く光景が見られるなど、とてもコンサートどころではなかったのだった。

残念ながら結果は成功とはいえなかったが、この失敗から多くのものを学んだことも事実だ。

仲間集めに広告等の資金調達、後援依頼、ポスターやチケットづくり、チケット販売等々、組織作りやイベントの立ち上げのイロハを経験し、これがその後の町づくり活動の基礎となった。

イベント自体は必ずしも盛況とはいえなかったけれども、あの寒空で約三百人ほどの観客動員だった。そしてスタッフは、無報酬でありながら、二十人も三十人も集まったのだ。そしてみんな甲斐甲斐しく働いた。井蛙会のときとは大違いだ。仲間づくりは、やはり理屈ではないということ。若者の求める魅力や楽しさが必要だ。音楽はそうした若者の連帯感を醸成するのに重要なツールであることを改めて知った。

四バカ大将の邂逅（1977年3月）

実はこのとき、正月に宇佐神宮で行なったコンサートの模様が、小さな小さな記事となって新聞に掲載された。この小さな記事がきっかけで、私の人生にとって掛け替えのない人たちに出会った。宇佐の観光をテーマに活動を展開していた「明日の宇佐観光を考える会」のメンバーである。

酒屋の西太一郎さん、ひょうたん屋の溝口栄治さん、それにちょうちん屋の谷川忠洋さんの三人だ。確か、記事を読んだ溝口さんから電話があり、溝口宅で開かれる考える会の会合に私が招かれる形で出会ったと記憶している。この三人も、その後はそれぞれ一角（ひとかど）の人物になって

四バカ（のちの「人おこし普段着集会」にて）
鍋の前に座るのが、ひょうたん屋の溝口栄治さん、右端がちょうちん屋の谷川忠洋さん。その隣が著者の髙橋宣宏。その隣が三和酒類の西太一郎さん。（文福の二階にて）撮影：石松健男氏

いくのだが、当時は30代の後半で、地方ではまだまだ青二才の部類に入っていた。

皆さん、私より10歳以上先輩なのだが、妙に優しい態度で私に接してくれた。話を聞くうちに宇佐の町づくりや観光に対する彼らの真摯な考え方に共鳴し、また私の若者主導の町づくりにも理解を示してくれ、双方ともだんだんうち解けていった。

「こんなリベラルな人が宇佐にいたとは…」

私の彼らに対する最初の印象である。今から考えると、この三人こそが後に出てくる私の新機軸に対する最初の理解者でもあった。「英雄また英雄を知る」というが、バカもまたバカを知り、互いに求め合うのかもしれない。いずれにせよ、後に巷間揶揄されるようになる宇佐の「四バカ大将」の邂逅であった。

「明日の宇佐観光を考える会」は、すでにいろいろ活動を実践していた。私が入会した頃は、ちょうど新民謡を創作しているときで、いっしょに歌詞募集をしたり、作曲をお願いするため、挾間町（現・由布市）まで民謡研究家の加藤正人さんを訪ねたりした。

ソウチコばやし

歌詞は応募13編の中から、宇佐市長洲町の入学正敏さんの「ソウチコばやし」に決まった。「ソウチコ」とは、豊前方言で「そうですね」の意味がある。

新しい宇佐の民謡「ソウチコばやし」

一、宇佐はよいとこ　人情もかおるコリャサ
　　古代文化のヤレ花も咲く　ソーチコナー　ソーチコナー
　宇佐はふるさとエー　ソリャ　ヨイトコナー

歌詞は十番まである。ただし、十番だけは宇佐商工会長だった矢口力さんが自分が作った歌詞を挿入した。

余談だが、あれから四十数年が経過した。残念ながら、この「ソウチコばやし」は、だんだん地元では踊られなくなっていった。

この原稿を書くに当たって、「ソウチコばやし」をネットで検索したところ、キングレコードから舞踏歌謡として、２００７年11月にＣＤとして新たに発売されていた。「大阪音頭」と対になっており、アーティストは平野まさると長瀬和子。価格は千二百円。視聴もできたので聞いたところ、ジーンとこみ上げるものがあり、不覚にも涙がこぼれてしまった。

今まで知らなかったのだが、この検索でヒットしたものを調べていたら、ソウチコばやしは県外では結構人気があるようで、第43回青森市民文化祭の「日本民踊の集い」や四万十市の「シルバー教室発表会」、大阪の歳末助け合い運動協賛チャリティーショー・産経舞踊まつり等々で、大分県を代表してみなさんに踊られていた。

新邪馬台国建設構想発表

話を若者主導の町づくりに戻そう。

「日本雑音会」を結成し、若者の連帯感に「音楽」が必要不可欠ということがわかった。ただ一方で、単に楽しさを作り出しながら仲間集めをやっても、魅力ある宇佐の町づくりをどう進めていくかといった最初の大命題はクリアーできないとも考えていた。音楽はあくまでも手段であり、目的ではない。次のステップへ高まっていくことが肝要ということを強く意識していた頃でもあった。ああ、何としても町づくりのテーマが欲しいと思い始めた。

当時、夜ともなると他にすることもないので、読書三昧の日々を送っていたのだが、そんなある日、一冊の本を再読した。高木彬光氏の長編推理小説『邪馬台国の秘密』である。

大学時代、アパートでふと付けたテレビに高木氏が出演していて、後に大ベストセラーとなった『邪馬台国の秘密』について語っていた。突然、ふるさとの宇佐神宮本殿が大写しになり、自説の邪馬台国宇佐説の解説を始めた。驚いた私はその番組が終わるやいなや、近くの書店へ駆けつけ、この本を購入したのだった。

以前読んだ、同氏の『成吉思汗の秘密』を彷彿とさせる奇想天外な発想で、一気呵成に読んだことを覚えている。

この本は、イギリスのジョセフィン・テイによる長編『時の娘』（１９５２年）のベッド・ディテクティブ（寝台探偵）の技法にならい、入院加療中の名探偵、神津恭介が病床のつれづれに、日本史最大の謎といわれる邪馬台国に挑戦し、解明しようとした一大野心作。高木氏はこの中で、邪馬台国宇佐説を合理的に展開しているのだ。

この中に、論理の仮定として次のような一文が出てくる。

「仮にこれを『第二の邪馬台国』とか、『新邪馬台国』と呼ぶことにしようか」

学生時代に読んだときには何とも思わなかったのだが、ちょうど町づくりのテーマを探していた頃だったからか、この箇所を読んでハッとした。

弥生後期、この宇佐に邪馬台国があったとするならば、現在の宇佐は取りも直さず「新邪馬台国」である。こりゃあ、新しい宇佐のユートピアづくりを進めるにはもってこいのテーマだ。誰もがまだやっていないパロディの手法を応用してやれば、全国発信も夢ではない。早速、新邪馬台国建設の素案作りに取りかかった。凝り性は自他ともに認めている小生だ。やりだしたら徹底する。

こうして出来上がったのが「新邪馬台国建設構想」だ。タイトルからすると、田中角栄の「日本列島改造論」（参照1）や小沢一郎の「日本改造計画」（参照2）に勝るとも劣らない。気宇壮大な革命ビジョンである。

宇佐市を日本国から独立させ、経済的にも文化的にも独立した国を建国する。国民は当時五万人の市民で市役所が政府となる。将来的には「豊国」（参照3）に拡大する野望を持っていた。象徴の女王卑弥呼がおり、日本と同じ議院内閣制だ。官民一体の国づくりということで、総総を分離させ、市長が総理、及ばずながら小生が与党・新邪馬台国建設公団の総裁を務めることとした。もちろん日本国から独立というのは、小生流の遊びで、独立の気概を持って地域づくりをやろうということなのだ。

（参照1）田中角栄が自由民主党総裁選挙を翌月に控えた1972（昭和47）年6月11日に発表した政策綱領、およびそれを著した同名の著書。

（参照2）小沢一郎が自民党を離党して、新生党を立ち上げ、細川連立内閣が成立するという政治の激動期において、中心人物の小沢の考えを知るための書として、ベストセラーになった。かつて、小沢の師の田中角栄が著してベストセラーになった『日本列島改造論』の1990年代版ともいわれる。

（参照3）かつて日本にあった律令制以前の国の一つ。九州の北東部に位置し、現在の福岡県東部および大分県全域に相当する。

（ウィキペディアより）

永岡光治宇佐市長を訪問（1976年10月）

早速、この建設構想を携えて宇佐市長を訪問した。確か1976（昭和51）年の10月頃だったと思う。日本雑音会を結成し、正月のコンサートの準備を進めていた時期だった。

時の市長は元参議で、1949（昭和24）年から四期にわたって全逓中央本部の委員長を務めたこともある永岡光治氏。この年の6月、全国に先駆けて文化財保護都市を宣言し、勇名を馳せておられた。

温厚だが、根はとてもまじめな方だ。案の定とりつく島もなく、一笑に付されてしまった。それでも収まらない小生は、その足で市役所の同じ階にある記者クラブを訪ねたのだが、ここでも結果は同様で、シラーッとした空気が流れ、惨憺たるものだった。

そりゃあ、そうだよね。どこの馬の骨かわかりゃあしないのに、いきなり「新邪馬台国を日本国から独立させる」だの首相になってくれだの言い出したら、普通の人なら「えーっ、頭は大丈夫？」と思うのは当然だ。

だが、みんなが無視すればするほど、燃えてしまうといった、わがアマノジャクの悲しい性を抑えきれず、翌77（昭和52）年3月にとうとう内外に新邪馬台国の建国をする旨を発表し、建国式典のプロデュースに取りかかった。

若い小生だけに、金は当然ない。こんな突拍子もない企画に賛同するスタッフも当時はいるはずもなかった。それでも金をかけずに賑々しく人を集め、みんなの度肝を抜く方法をあれこれ思案した。窮すれば通ずで、とうとう一つのアイデアが浮かんだ。

日時は宇佐神宮夏越し祭の中日、花火で賑わう8月1日の夜。会場は今年の正月に雪交じりの中、コンサートを挙行し、見事失敗した例の宇佐神宮の常設相撲場だ。この相撲場は当時、神宮境内の弥勒寺跡地の横にあり、ローマ帝政時代に作られたコロシアムを彷彿させるすり鉢状の観覧席。冬場はコンサート会場として厳しいが、夏の時期はもってこいの場所だった。

フォークとロックのコンサートを二部構成にし、建国式典を挟み込む。もちろんコンサート料金は当たり前にいただく。第一部には、地元のアマチュアフォークバンドに出てもらい、スタッフとして無償で手伝ってもらうといった一石三鳥方式である。コンサートのタイトルは「THE CONCERT made in USA」～花火の夜 何かが起こる⁉～ とちょっと思わせぶりなタイトルにした。

方向性が決まれば後は電光石火、フットワークの軽さを生かして、東奔西走の日々が続いた。家業の手伝いなんてそっちのけだった。

マスコミの反響

こんなある日、地元紙の高木孝太郎記者から取材に訪れたいとの電話があった。しかもスタッフと一緒の写真も欲しいという。これには正直困った。これほどのイベントを企画しながら、この段階でまだスタッフと呼べる者が、小生以外他には誰もいなかったからだ。

ドロ縄状態で、中学時代の同級生や仕事の卸業者の従業員を無理やりかき口説き、スタッフの一員として写真の被写体になってもらった。記者の質問には箝口令をしいていたが、これじゃあ全くイカサマもいいところで、取材の最中冷や汗の連続だった。

6月のある日、この取材記事が件(くだん)の写真入りで大きく報じられた。単に取材へのサービス精神で用意した、吹けないサックスと弾けないギターを小脇に抱えたみんなの姿が、妙に反体制めいていてカッコいい。音の出ない新聞という活字メディアがこれほどありがたいと思ったことはなかった。

見出しが「新邪馬台国を作ろう」「宇佐を文化のメッカに」「若者、でっかいロマン」と麗々しく躍っている。記事の内容を見てみると、「宇佐に樹立する国の名は新邪馬台国、または豊の国。女王をいただくが、その女王には宇佐神宮桜まつりのミス桜が就任、首相は宇佐市長、大分空港が新邪馬台国国際空港に。また市内にある官庁がすべて現在の中央官庁に昇格するという。こうしたアイデアは週一回の例会で会員のおしゃべりの間から出てきたもの。いってみればかつての文化都市宇佐の復興を夢見る若者らしい思いつき」とある。

そして最後に、「『古い体質に閉じこもっていては発展はない。失敗をおそれず、行動に移せるのは若者の特権。夢みたいな構想だが、その基本にあるのは新しい文化を創造したいということだ。抵抗もあるが、夢のあるグループづくりをしていきたい』と大張り切り」と私のコメントが載っている。

若いということの素晴らしさをこれほど感じたことはない。お遊びとはいえ、誰にも許可ももらわず、裏も取らずこんないい加減な思いつきをここまで言い放せるなんて。

ただ、実情を知らない人が見ると、凄い集団が宇佐に誕生したという印象を与えたらしく、方々からかなりの反響があった。

まずマスコミの反響である。この年の7月10日に参議院選挙があったのだが、その直前に地元紙の政治部記者から取材を受けた。どんな狙いの記事かは聞かされていなかったが、素直に取材に応じた。投票日の三日前、夕刊の一面に件（くだん）の吹けないサックスと弾けないギターの写真が、以前よりもひときわ大きく掲載されている。タイトルは「見えない標的」参院選、大分地方区とある。見出しは「権威ぎらい」「フィーリングで〝一票〟」「いまの政治には期待しないからね」と反体制の言葉が並んでいる。

第二章　新邪馬台国独立す

新邪馬台国、日本から独立す（1977年8月）

式典の日程が近づくにつれ、準備も大わらわとなる。一部に出演するアマチュアバンドのオーディションやプロのロックバンドとの出演交渉に始まり、後援依頼も各マスコミや宇佐市の教育委員会、文化協会等に掛け合い了承をもらった。肝心なチケットの販売も「考える会」や商工会青年部、連合青年団の皆さんに協力をお願いした。また建国式典には国旗と国歌が必要ということで、急きょその制作に取りかかった。

まず国旗だが、これはひょうたん屋の溝口さんと相談して制作した。いろいろアイデアはあったが、最終的に勾玉を右に大きく描き、左に卑弥呼が魏の明帝から与えられたという親魏倭王の金印をあしらったシンプルなデザインに決めた。このときは金をかけず白い布に溝口さんが手書きで国旗を作ることになった。溝口さんには申し訳なかったが、ついでに卑弥呼の戴冠式に使う冠も宇佐らしくひょうたんを利用して製作をお願いした。

国歌は、制作する時間も予算もなかったので、以前、「考える会」が中心となって創った新民謡の「ソウチコばやし」の歌詞の10番に決めさせていただいた。軽快な音頭調の曲に歌詞が妙にマッチして、聞いた方からは意外と評判がよかった。作詞は前述の商工会長の矢口力さん、作曲は同じく前述の加藤正人さんだ。

しのぶ卑弥呼よ　邪馬台国の　コリャサ
息吹く昔の　ヤレ　夢がわく　ソーチコナー　ソーチコナー
宇佐はふるさとエー　ソリャ　ヨイトコナ

ちなみに、新邪馬台国は今日に至るまで「国旗国歌法」は定めていないが、その後どの団体や組織からも何のクレームもない。

さていよいよ8月1日の夜がきた。第一部に予定していた地元のフォークバンドの6グループの演奏が終わり、いよいよ日本国から独立を宣言する歴史的なシーンがやってきた。「考える会」の三人も数少ないスタッフの中に加わっていただいた。司会は三和酒類の西太一郎さんだ。当時から西さんは御髪（おぐし）が薄くお顔は仏さまのようで、しかも大時代な羽織袴といった正装が絶妙な雰囲気を醸していた。その会場に集っているロッカーたちとのギャップはあまりにも大きく、みんな目を白黒させていた。

新邪馬台国建設公団総裁
（高橋宣宏）の挨拶。1977（昭和52）年8月1日

そしてまず、新邪馬台国建設公団総裁の小生が雅楽のＢＧＭに乗って登場した。宇佐神宮の神官さんに借りた衣冠束帯に身を包んで、しずしずと花道を歩く。はじめて履く浅沓（神職が履く木の靴。桐の木を彫って角張った舟形にし、外側を黒漆で塗ってある）に、何度も足を取られ、よろけそうになりながら、土俵の上に作った特設舞台に上がった。衣裳を作る金もなく、金をかけず総裁らしい衣裳といえばこれしか思い浮かばなかった。

そのあと初代首相の矢口力さんを先頭に、各省大臣が続く。最後に新邪馬台国の初代卑弥呼が古代衣裳をまとい、お付きの者に大傘をさしかけられてのお出ましだ。顔には歌舞伎役者が使用するドーランを塗っている。夜でも顔が目立つように、また卑弥呼の妖艶さを出すためだ。

「ただ今より、新邪馬台国の建国式典を開会致します。それでは、国歌斉唱！」

西さんがくそまじめな顔で、シーンとした会場いっぱいに聞こえる声で言った。するとドンドン、ドンドン、ピーヒャラ、ピーヒャラと国歌「ソウチコばやし」のイントロが会場に鳴り響いてきた。溝口さんが作ってくれた新邪馬台国の安っぽい手作りの国旗が掲揚された。宇佐の婦人会の皆さんがこの曲に乗って会場でソウチコばやしの踊りを披露してくれた。

総裁による「独立宣言」の後、女王卑弥呼の戴冠式。溝口さんが丹誠込めて作ってくれた王冠だ。中央前面にやや大きなひょうたんを据え、周囲には小さなひょうたんが十数個、いずれも逆さまに挿した状態で並んでいる。デザインもなかなかいい。ひょうたんもすべて金箔ぬりで豪華な仕上がりとなっている。「うむ、こりゃあ、ナポレオン皇帝が戴冠式で被った冠にも劣らない見事なものだ」。

続いて卑弥呼による首相以下各大臣の認証式。初代の卑弥呼には泣いて嫌がる知り合いの娘さんを口説き落とした。首相には永岡市長から断られたこともあって、急遽商工会長の矢口力さんになっていただいた。そのほか観光大臣、スポーツ大臣、建築大臣など数名の大臣ポストを作って任命したが、人事はその場しのぎの付け焼き刃で決め、何とか事なきを得た。本格的な組閣にはもうしばらく時間を要した。

初代卑弥呼

各省大臣の衣裳は特に気の利いたものもなく、スポーツ大臣は柔道着、建築大臣はツルハシを持った土木作業員の出で立ちといった安上がりなものだった。

式典の最後を締めくくるのは記念撮影。近所の写真屋さんに燕尾服に蝶ネクタイの出で立ちできていただき、ストロボの替わりに昔風にマグネシュームを焚いてもらった。「ボッ」というアナログな音と白い光が懐かしく、コントのギャグのようで、実に面白かった。

建国を祝う会場はロックで大盛り上がり

この建国式典が終わった後、式典を祝うかのような花火が会場周辺にヒュードン、ヒュードンと上がりはじめた。

実はこれも織り込み済みだ。この日はちょうど宇佐神宮の花火大会の夜で、午後8時を回った頃、さも打ち合わせをしたかのように上がりだした。恐らく、県外からきたロックファンたちはこの新邪馬台国の建国を祝っての花火と勘違いした人もいたことだろう。

花火の途中から会場では第二部が始まった。

会場には六百人ほどの若者がロックバンドのサンハウス、上田正樹、センチメンタル・シティロマンス観たさに集まっている。どこにこんな若者がいるのだろうと思うくらいの盛況ぶりだ。

祭の喧噪も手伝って、会場は異常な熱気であふれかえっていた。

サンハウス（参照1）がステージに上がった頃はその頂点に達していて、土俵の上は演奏に合わせて踊り出す若者たちでいっぱいになった。

実はこのサンハウスのメンバーの中にギター奏者の鮎川誠がいて、彼は後に「シーナ&ザ・ロケッツ」を結成し活躍したのだが、このときの「メイド・イン・USAコンサート」の印象がよほど強烈だったのだろう、後にある雑誌にこのコンサートのことを述懐していた。

左からボーカルの柴山俊之とギターの鮎川誠

邪馬台国建国式典の後、若者たち中心の建国祝賀パーティ　約600人の若者たちがのりにのった

　さて、大分県での野外コンサートとしては最も古くは別府市の「城島ジャズイ

ン」が有名だが、これは1972年から1981年の九年連続で開催されたジャズの祭典で、大分市のジャズ喫茶「ザドー」のオーナー得丸泰藏さんがプロデュースして催してきたイベントだった。

野外のコンサートは恐らくこの「城島ジャズイン」に次ぐ古さで、県北では最も初期の野外コンサートだったのではなかったかと思う。

ただ今だから明かせる話もある。実はこのロックコンサートのメインは「ガールズ」だったのだ。結成されてほやほやの女性だけのロックバンド。野良猫、パンキー・キッス　といったオリジナル曲のほか、ザ・ランナウェイズの「チェリー・ボンブ」やラモーンズの「シーナはパンク・ロッカー」をカバーしてちょっと話題になっていた。問題なのはガールズの五名全員がなまめかしい下着姿ということだ。私もそれを知ったのは、ポスターやチケットが刷り上がり、チケットを販売した後のことだった。

神聖な土俵の上にスキャンティ姿の女性が腰をふりふり絶叫する。しかも後援団体には宇佐市教育委員会と文化協会が名を連ねている。事前に打ち合わせにきたプロモーターから、「宇佐は進んでいますねえ」と嫌みを言われる始末。「こりゃあ、大変なことになる」と思いつつも、もうどうにでもなれといった、自暴自棄な気分もあったことは確かだ。

今から考えると、これも天佑神助、特に八幡様か比売大神様、あるいは卑弥呼のおかげと思うのだが、当日、何とガールズはメンバーが体調不良になり出演できないというのだ。ファンの皆様には申し訳なかったが、結果オーライ、地元でこれから末永く暮らしていこうと思う私にとっては、願ってもない幸運だった。

イベントが終わり、家に帰ってもこの夜のことが思い出され、なかなか寝付かれないでいた。そしていろいろ自問自答した。

「このコンサートに参加している人々の中で、フォークとロックコンサートに挟み込んだ、一見ハーフタイムショーのような建国式典の重要性を理解した人が何人いただろうか。それは知る由もない」。

それでもこのときの小生にとって、そんな反省はほんの少しであって、ロックの響きに陶酔して踊り出す若者たちを見て、生まれて初めてイベンターとしての興奮を味わい、小生自身もかすかに酔っていた。新しい宇佐の夜明けがくるような予感がした。

（参照1）柴山俊之（vo）と鮎川誠（g）を中心に結成された日本のブルース・ロック・バンド。バンド名は米ブルース歌手、サン・ハウスが由来。1975年に1stアルバム『有頂天』でメジャー・デビュー。日比谷野外音楽堂でのデビュー・ライヴ後は、ゴダイゴやCharとともに全国ツアーを開催。78年3月、3rdアルバム『ドライヴ・サンハウス』リリース同日に解散を発表。解散後は各自活動を続け、83年に再結成し、東京、福岡、仙台でライヴを開催。2010年にも再結成を果たし、結成35周年記念となる全国ツアーを行なった。

（「CDジャーナル」より）

四バカ、湯布院に研修へ（1977年11月）

1977（昭和52）年の11月頃だったろうか。ある日、ひょうたん屋の溝口さんから「明日の宇佐観光を考える会のメンバーで湯布院へ行こう」と話が持ちかけられた。メンバーといっても、実質は私を入れた例の四人、いわゆる四バカのことだった。

宇佐から車で50分くらいの距離だったが、当時の私は由布院温泉にほとんど行ったことがなかった。

着いて思わず「アッ！」と小さな声を上げたのを今でも覚えている。雑木が風にそよぐ庭に、しゃれたアプローチ。茅葺き屋根のレストランに入ると板の間に毛氈（もうせん）が敷かれ、金鱗湖が庭つづきのように見える。私はメニューの中から山家弁当とそばを注文したような気がする。食材は地元の農家と契約栽培をしており、今でいう地産地消だ。

土産品コーナーは、大分県産品や近在の民芸品や工芸品で商品構成がされており、統一感がある。もっと驚いたのは食事のあと別な建物の二階にある喫茶室『天井桟敷』へ行ったときのことだ。
周囲の書庫に芸術関係や建築関係、果ては哲学の本がぎっしり並んでいる。そして厳かに「グレゴリオ聖歌」が流れているではないか。カルチャーショックというのはこういうことをいうのだろう。言葉ではわかっていても初めての体験だった。

若き中谷健太郎さん（右）と筆者。湯ノ岳庵にて
撮影：宮地泰彦氏

この気持ちにとどめを刺したのが、レジの付近においてあった『花水樹』という湯布院の町づくり雑誌だった。発行が「明日の湯布院を考える会」となっている。数冊をぱらぱらめくると、「産業部会、湯布院の農業を考える」とか「東急レジャーセンターの進出を巡って『どうなるか？　湯布院』」などの座談会や「北ヨーロッパの旅の事情」と題した報告書が掲載されている。私たちが町づくりを目指し始めるはるか以前から、湯布院は町づくりを実践している大先輩なのだった。

スター登場は、このあとだった。ラフなジーンズ姿に、確か下駄履きだったと記憶している。旅館亀の井別荘の中谷健太郎さんが私たち四人の前に現れたときに、彼の背後にオーラとも、仏像の光背とも判別不可能なものが感じられた。志賀直哉の作品に「小僧の神様」があるが、当時の私にとってはまさに仰ぎ見るまばゆい神様のようであつた。

みんなも普段と違いなぜか神妙な面持ちだ。ははーん、「明日の宇佐観光を考える会」の名称は湯布院のパクリだったんだ。全てを斜に構える傾向にある溝口栄治さんのいつものジーンズファッションも、ひょっとすると中谷氏へのあこがれからだったのかも知れない。

中谷氏には、湯布院の町づくりについて、いろいろ話をお聞きした。風貌もさることながら、話し方から考え方まで、今まで私が出会った人の中にはいないタイプだった。「完膚無きまでの負け」「無条件降伏」に近い気持ちだった。

でも、この感動と敗北感はこのあと私が宇佐の町づくりを続けていく最も大きな原動力になった。

帰りの車の中は、くるときとは逆に、四人ともみんな無口だった。しかし、何もしゃべらなくてもみんなの気持ちは一緒だったと思う。

まじめに宇佐観光を考える

湯布院から帰って、まず私は足もとの家業をしっかりしなければならないと考えた。当時の私はまだまだ〝放蕩息子の帰還〟状態で、学生気分が抜けずに、親にパラサイトしていた。母が経営する文福の売り上げをくすねては、別府のバーやクラブをハシゴする日々だった。ほとんど遊びほうけて、まじめに仕事はしていなかったのだ。

まず、私が始めたのは湯布院の町づくりの機関誌『花水樹』に倣って宇佐の観光新聞を発行したり、「文福文庫」と称して大分県関係の書籍コーナーを作ったりした。店頭には「落書き帳」を置いて、観光客に宇佐観光の印象について書いていただいたりもした。うちの店でグレゴリオ聖歌とはいかないが、食堂の中ではＢＧＭとして、「関の鯛釣り歌」や「宇目の唄げんか」など大分県各地の民謡も流した。

商品構成もこれまた湯布院をまねて、日田の小鹿田焼きや日田下駄を置いたり、大分県内の民芸品や工芸品、別府の竹工芸品を置いたりした。

新しい民芸品として宇佐の放生会の神相撲にちなみ、「神相撲土鈴」「道鏡土鈴」などの創作土鈴も別府市の宝泉堂さんに依頼して作っていただいた。

また、神宮周辺を自転車で散策したい客に、時間で貸し出すレンタサイクル事業や、神宮の雰囲気にマッチさせようと、雨降りには日本情緒豊かな番傘と下駄の貸し出しも始めた。番傘は中津で当時生産していた千歳屋さんからの仕入れ、下駄は当然日田下駄である。

さらに文福自家製の商品開発も必要と思い、お客さんの待望久しかった〝もち米の宇佐ア

春の園遊会　宇佐飴を引き伸ばす平松知事

メ〟を手がけることにした。

伝承によると、宇佐アメの起源は古代にさかのぼるらしい。宇佐神宮の祭神である神功皇后が〝三韓征伐〟から凱旋し、応神天皇をお産みになった。このとき母乳が出なかったので、もち米のアメである宇佐アメを溶かしてお乳代わりに飲ませたというのだ。だから別名〝お乳アメ〟ともいう。ただこの宇佐アメが古代にあったかどうかは資料がなく、わからないが、幕末に宇佐地方を訪れた蓑虫山人（みのむしさんじん）こと土岐源吾の「蓑虫山人絵日記」には、絵入りで名産宇佐飴のことが紹介されており、「竹ノ皮ニテ包ム」と記されている。

だから少なくとも、江戸時代の末には宇佐アメはすでに参拝客の名物として販売されていたようだ。

ところでこの宇佐アメだが、もともとはもち米で水飴をつくっていた。その水飴を火で煮詰め、さらに何度も引き伸ばし空気を混ぜると飴色から白色に変わる。これを板状にしたのが板アメ、細かく食べやすいように切ったものを切りアメという。

この工程のうち、もち米を炊いて麦芽と混ぜ、温度管理しながら糖化させる水飴作りが大変だったようで、戦後はもっぱら出来合いの水飴を買うようになった。しかも、もち米から作る水飴より仕入れ値が半分以下の、芋から作った水飴を使用するようになったのだった。

「今の宇佐アメは偽物じゃ。ホントのアメを食いてえ」

昔の宇佐アメの味を知っているお年寄りから、いつも聞かされていた言葉だ。

そこで勇気を出して、このもち米１００％の宇佐アメを製造販売したところ、口コミで広がり、通常のアメの倍の値段だったにもかかわらず、あっという間に売り切れてしまった。

「やはり、お客は本物を求めている」と実感した。

ただ、これとてもち米の水飴を仕入れて作っただけで、もち米から水飴をつくる辛い工程は省いていた。いつかこの工程を復活させ、後世に残したいと今でも思っている。

名誉国民証の発行（１９７８年６月）

一方、新邪馬台国の方は、「私たちの国づくりに賛同する人に、名誉国民になってもらおう」と考え、名誉国民証の制作に取りかかった。誰もが目にするように、車のステッカータイプにした。

これとは別に、新邪馬台国を訪問した著名人で、私たちに感動を与えてくれた方に贈る「特別名誉国民証」というのも作った。

過去、この特別名誉国民証を差し上げた方は、作家の高木彬光氏、志茂田景樹氏、豊田有恒氏、漫画家の松本零士氏、シンガーソングライターのかまやつひろし氏や三上寛氏などがいる。取材の途中、ちょっと立ち寄っただけの女優の斉藤とも子さんにもむりやり差し上げた。

ところで、作家の松本清張氏は一度差し上げる予定だったが、いろいろあって、結局贈らなかった。この顛末は後で詳述する。

いずれにしても、湯布院の中谷健太郎氏と出会って以来、「観光」にめざめ、自分でも不思議なくらいがむしゃらに行動した。そしてこうした活動や商売を通じ、情報発信することの大切さと面白さがだんだんわかってきた時期でもあった。

宇佐史談会の模様替え

私が宇佐邪馬台国説を最初に知ったのは、中学二年生のときだった。歴史担当の先生が椛田美純先生といい、飾り気のない海辺の長洲(ながす)人で、少々口は悪いが博覧強記で話は豊富、話術も当然うまかった。先生の教える日本史は私の楽しみな教科の一つだった。

「郷土史クラブ」を作り、歴史の好きな生徒が三十人近く参加して、毎週土曜日には近くにある橋津の古墳へ出かけたり、たまに九州最古の前方後円墳といわれる、赤塚古墳や免ヶ平古墳のある、高森まで遠出をすることもあった。

ある日、春日山古墳の周辺の田んぼの畦をみんなで見て回っていると、あるわあるわ。石斧、石包丁、鏃などがごっそり見つかった。

この中の一つに銅鏡があった。恐らく昔、盗掘にあって捨てられたものだろうと思う。完品ではなく、鏡背にヒモを通す鈕（ちゅう）があるが、この部分を中心に全体として三分の一程度の大きさだった。これらは私たちの戦利品として、しばらく中学校の陳列台に納められていた。

この郷土史クラブの課外授業で、ある日、先生から「宇佐が邪馬台国だったかも知れない」と聞かされたのだ。弥生時代後期、ミステリアスな女王卑弥呼の治めていた「邪馬台国」は、歴史の授業で最初の頃に習う。誰もが興味を抱く日本民族発祥ともいえる年代だ。

子どもながらに皇室の二所宗廟とか八幡さまの総本社とか、宇佐に鎮座する神様に謎めいたものは感じていた。この宇佐説はあとで知ったのだが、この頃大分大学の助教授をなさっていた富来隆氏の「『邪馬臺』女王国」の内容だったようだ。

このときの興奮は今でも忘れない。このときのインパクトこそ、私の人生を通してさまざまな縁を引き寄せ、また、行動の原動力となってくれたと思う。

縁といえば、くだんの椛田先生は、宇佐八幡信仰史の泰斗ともいえる、中野幡能先生（参照1）が代表をなさっている「宇佐史談会」の事務局長としても活躍されていた。

「よっちゃん、おるか？」

1977（昭和52）年の年末だった。椛田先生が突然、拙宅を訪ねてきた。

「史談会は、大正10年に結成されて、その活動はよく知られた団体じゃ。じゃが、活動内容が専門的になるため、近頃、一般市民にはとっつきにくい存在になっち、会員は現在二十人程度の専門家ばかりになっちょる。これを何とかしてぇんじゃが」

先生の相談は、おおむねこのようなものだった。先生といろいろ話した結果、広く一般の人にも会員になってもらい、文化財保護の意識を高めることも重要だとの意見で一致した。そして各種文化団体のリーダーたちにも新しい宇佐史談会の理事になってもらおうということになった。

1978（昭和53）年1月8日、文福で開いた設立準備会には、史談会の中野幡能会長をはじめ、宇佐の文化財を守る会、明日の宇佐観光を考える会、放生会保存会、新邪馬台国建設公団などのメンバー約二十人が集まって史談会の模様替えについて話し合った。

私は椛田事務局長の下、教え子という弱みもあり局長を補佐する事務局員を務める羽目になった。

（参照1）中野幡能（なかの・はたよし）　１９４３年、東京帝国大学文学部宗教学科卒業。61年、大分短期大学教授。68年、『八幡信仰史の研究』で東京大学文學博士。『八幡信仰史の研究』吉川弘文館など、著書多数。

八幡文化の源流を探る旅（１９７９年５月30日～６月２日）

設立準備会に集まった人たちで史談会の会員の募集を始めた。あっという間に約二百人ほどが入会した。会員だけでいえば、これまでの十倍である。そこで、これを記念して何か事業をやろうということになり、また椛田先生といろいろ考えた。

そこで出てきたアイデアが、「宇佐の八幡文化のルーツを探る旅」はどうだろうというものだった。

宇佐地方は古代から朝鮮半島との交流が盛んで、そうした遺構も多い。

また、宇佐を含む豊前地域は秦氏の渡来拠点であったことがわかっている。そして原始ヤハタの神を奉戴していた辛島氏も秦一族といわれている。

七、八世紀ごろ建てられた宇佐の虚空蔵寺や法鏡寺などの白鳳寺院は、新羅系や百済系のカワラを使用しており、これも渡来人の技術だと思われる。

さらに、宇佐神宮の重要な宗教儀式である放生会には、福岡県田川市の香春岳神社から、宇佐神宮のご神体として銅鏡を奉納してきたが、この神社の祭神は新羅神であり、宇佐神宮と渡来人との関わりがうかがえる等々がその根拠だ。

こうしたつながりを韓国の遺跡見学で再確認し、今後の研究に生かそうというのが今回の研修旅行の目的だ。「宇佐文化のルーツは韓国」との仮説を立て、参加者がそれぞれ個別のテーマを持ち、その源流を探る旅にもしようということになった。ちなみに私のテーマは「宇佐アメのルーツを探すこと」にした。

アイデアが決まれば後は早い。

日程は5月30日から6月2日の三泊四日。

この手の企画に興味を持っていた読売新聞宇佐支局の中野全陽記者に話を持って行った。中野記者が大きな記事で募集してくれたおかげで、難なく参加者が集まり、総勢三十四人の研修団となった。

私がテーマに掲げた宇佐アメのルーツ探しは、時間が足りなすぎてうまくはいかなかったが、行く先々で宇佐文化の本源を感じる事象を目の当たりにした。

中でもそれを強く感じたのが二件あった。まず、慶州の吐含山の石窟庵と南山の山一面に散在する石仏群を見たときだ。文字通り〝仏の里〟だった。

八幡文化の源流を探る旅 1

八幡文化の源流を探る旅 2

「こりゃあ、国東六郷満山とうり二つじゃないか」

吐含山の麓の仏国寺境内には、国東塔にそっくりの丸い形の宝塔もあった。

もう一つ上げれば、金海貝塚に立ち寄ったときのこと。

みんながそこで釘付けになったのは、その貝塚ではなく、丘の頂上付近に高さ3m、周囲10mほどの巨石がいくつもあり、その一つ一つにしめ縄が張られていたことだ。後で知ったことだが、韓国ではクムジュル（禁縄）、ウェンセキ（左縄）などとよばれ、主に中部以南地方にみられる習俗という。

中央付近には、岩座（いわくら）の一つである小さなほこらもあった。また、その神様はそこから間近にある高さ150mほどの円錐状の山、亀旨峰（くじみね）からきたという。しかもこの山にはこの地を支配した王族の天孫降臨伝説が残っているのだ。

神体山とみられる霊峰と祠がセットになった信仰形態は、宇佐地方にも稲積山と六所神社、さらに御許山と宇佐八幡がある。そしてこちらも八幡神や三女神の降臨伝説を持っている。

これらは、帰国後、中野記者の手により、「ルーツ宇佐文化―韓国研修の旅―」のタイトルで7回連載で詳しく紹介された。

研修旅行の大きな成果

この研修旅行は、二つの大きな〝副産物〟をもたらした。

一つは研修に参加した皆さん方から、誰言うともなく、慶州と宇佐の姉妹都市締結の話が出てきたことだ。このときから十三年後の１９９２（平成４）年7月3日、宇佐市と慶州市は「友好親善都市」を締結した。

それからもう一つ。宇佐神宮境内に宝物殿を建てようという話が持ち上がったことだ。こちらは放生会保存会会長の秋吉太郎さんが推進役だったと思う。ちょうど宇佐神宮から若い神職さんが数名参加していたので、勅祭事業に組み入れる計画を上層部へ提案しようということになった。それまでは宝物館は上宮の地下にあったが、大変狭くしかも薄暗い。雨漏りはするし、セキュリティにも大きな問題があった。

余談だが、私たちは子どもの頃、雨が降り出すとよくこの地下の宝物館で遊んでいた。罰当たりな話だが、銅鐘（朝鮮鐘）を叩いたり、能面や舞楽面をかぶってチャンバラごっこをやった。

さて、この待望の宝物殿はこれから六年後の１９８５（昭和60）年10月6日、第二百五十三回の勅使奉幣大祭の記念事業として、参集殿と併設して建設された。

このとき以来、例の朝鮮鐘や能面・能衣装は、その中に大切に展示されている。しかも銅鐘と能衣装類はそれぞれ説明書きがついており、よく見ると「国指定重要文化財」・「県重要有形民俗文化財」となっていた。またチャンバラごっこでかぶっていた木造舞楽面は「県有形文化財」であることは後で知った。

このようにこのときの韓国研修旅行は、さまざまな分野にさまざまな影響を与えた企画だったと思う。

国東の盲僧琵琶法師招く（1979年8月1日）

さて、「新邪馬台国」の独立を果たしたものの、具体的にどのような国家建設を目指せばいいのか皆目わからないでいた。いろいろ思案したあげく、ある方向を見いだしたのが「ディスカバー・ジャパン」方式だ。

つまり宇佐の歴史を学びながら、その歴史のさまざまなキーワードを掘り起こし、現代風にアレンジする。そして具現化してみせることが重要だと考えた。

神仏習合を何かイベントにできないか。

実は二年前の77年にCBSソニー創立十周年記念企画盤として、「国東の琵琶法師」のタイトルで、一枚のLPレコードが発売されて私も購入していた。

恐らく「滅びゆく日本の芸能を求めて！　秘境国東半島琵琶法師の世界・現地録音盤！」と

いうサブタイトルが私の〝琴線〟に触れたのだろう。演奏者は高木清玄さんで、大分県国東町鶴川在住、明光院住職。最後の盲僧琵琶法師という。

演奏といっても、内容はすべてお経のたぐいである。「三礼・懺悔文・勧請文」に始まって、「かまどの御本地」「荒神和讃」など生活や地域に密着したものだ。

神仏習合のイベントを考えたとき、すぐに思い浮かべたのが〝最後の琵琶法師〟こと高木清玄さんのことだった。

夏越し祭が催される8月1日の花火の晩に、本殿のある勅使門前で高木さんに奉納読誦をしてもらおう。「神仏習合の再現」となる。それだけじゃもったいないので、このあと辻説法のかたちで境内でも参拝客に演奏を楽しんでもらいたい。

「よし、高木さんに会ってみよう」

思い立ったが吉日で、宇佐史談会の中国旅行に同行取材をしてくれた読売新聞の中野全陽記者に声をかけ、国東まで一緒に出かけることとなった。

お会いしたのは高木さんのご自宅だった。

高木さんは小学校六年生のときに左目を眼底萎縮で失明、さらに十七歳のときに同じ症状で右目も失明、以後決意して盲僧橋本清光師の門を叩き、苦行修練を積んだ苦労人だ。話は早かった。

「わかりました。行きましょう」

奉納読誦も参拝客への琵琶の演奏もいずれも快諾してくれた。そしてその場で私と中野記者のために琵琶を奏でてくれた。

そして最後に一言、

「これまでは郷土芸能として招かれることが多かったが、今回は本来の布教活動の一つとして取り組みたいと思います」

どこまでもまじめな方なのだ。

神域に響く、琵琶の音（1979年8月1日）

当日の夕刻、琵琶を背負った高木さんを神宮の勅使門へお連れした。まず私を感激させたのは、宇佐神宮の対応だった。高木さんの奉納を新聞で詳しく知った禰宜の元永正豊さんの計らいだったのだが、高木さんが奉納するところには畳が敷かれており、周囲には床几を並べている。私たちの到着するのを見計らって、祈祷殿の方から正服を着た元永さんがやってきた。高木さんの読誦（とくしょう）に立ち会おうというのだ。若手の神職にも指示を出していたのだろう、袴に白衣を着た数名の神職もこのイベントに参加してくれた。

元永さんは後に宇佐神宮の権宮司になられたが、侠気のある方で、若い頃の私の活動に本当に協力して下さった。この日も、ただ「国東の琵琶法師が勅使門の前で奉納するのでよろしくお願いします」と電話でお伝えしていただけだったのに。

「よっちゃん、やれやれ。ワシが責任取っちゃるから」

国東の最後の琵琶法師（高木清玄氏）による、宇佐神宮勅使門前での奉納読誦

勅使門前での奉納読誦を終え、境内の特設会場にて観衆の前で琵琶を演奏する高木清玄氏

　これがこの人の口癖だったが、この言葉の背後には、宇佐神宮という権威に甘んじるのではなく、何かをやらなければといった危機感も感じられた。

　盲僧の高木さんはまず神職のおはらいを受け、静かに座って宇佐の三殿を拝み、「般若心経」を奉納読誦した。神様の前で時ならぬ経が上がりだしたので、驚いたように見ている参拝客もいたが、幽玄の音に乗った経文に皆さん聞き入っていた。

　このあと境内の広場に設けた特設会場で、「懺悔文」「勧請文」「荒神和讃」などの経文も披露した。

　この夜はソウチコばやしなどの民謡大会や花火大会も行なわれ、集まった群衆がこの高木さんの琵琶の音と読誦に聞き惚れていた。

　感動した人たちが、私の作った手製のお布施箱の中にめいめいにお金を投げ込んでくれて、総額一万数千円にもなった。ボランティアで参加してくれた高木さんだが、せめてものお礼として全額差し上げた。

　史談会の椛田先生によると天慶三（９４０）年宇佐宮において、「その国の盲僧等寄り合い、天長地久、国家安全の御祈祷を仕り候」の記録があるほか、仁安３（１１６８）年には「盲僧心戒、勅許を得て、八幡宮奉幣勅使祭の翌日、神前に荘厳を整え、地神陀羅尼経を誦して法施を行い、太平を祈祷す」の記録もあるとか。

　こうした歴史は私も寡聞にして知らなかったけれども、その意味では永い年月を経て、再び由緒ある読誦が再現された歴史的な日になったわけだ。

宇佐神宮謎の石棺の目撃者

ディスカバー宇佐の第二弾は、宇佐神宮本殿の下に埋葬されているといわれる「謎の石棺を追う！」というもので、目撃者を捜し出し、証言を聴こうという企画だった。

謎の石棺の存在を初めて知ったのは高木彬光氏の『邪馬台国推理行』である。『邪馬台国の秘密』の一年半後（昭和50年5月）に出版された小説形式を採らない研究書なのだが、この本の巻末に「謎の石棺の目撃者」の話が出てくる。

「いやあ、知らなかったなあ。宇佐神宮本殿の下に石棺があるなんて」

私は直に山本さんに会って、謎の石棺の話を聞きたいと、無性に思った。まだお元気だろうか。そう思うと、もう矢も楯もたまらず電話をかけてしまった。ありがたい。まだご壮健でいるらしい。彼にアポイントを取り、その指定された日時に中津の山本邸へお邪魔した。

その当時、氏はちょうど八十歳ということだったが、思ったよりお元気そうだった。高木氏の本にも山本さんのことを「そのお人柄といい、キャリアーといい、この人のお話だったら、十分の信憑性があるなと私は確信した」とあるが、私もまったく同感で、氏には誠実で知性的な印象を受けた。

一通り目撃談をお聞きし、記録に書きとめたが、せっかくの貴重な証言なのでできれば広く皆さんにも聞いていただきたいと思い、12月8日、「謎の石棺の目撃者、山本聴治氏の証言を聴く会」を開きたいとご本人に相談した。

山本さんは昭和の造営のとき、横山宮司から「この石棺のことは死ぬまで口外しないでくれ」と言われていたが、「この事実は歴史の証言として残しておかなければ、闇の中に葬られてしまうと思い、作家の高木彬光さんにも話したのです」と語った。そして「8日は喜んでお伺いします」と決意を新たにしてくれた。

石棺の目撃者、山本聴治氏の証言を聴く会（1979年12月8日）

1979（昭和54）年12月8日、山本さんはお孫さんの車でいらっしゃるということだったので、宇佐神宮参集殿前の駐車場で落ち合うことにした。高齢のため足が少し不自由で、石段は一人で歩けないとのこと。だから、私とそのとき手伝いにきてくれていた永松郁さん（現在私と同じ宇佐市議会議員）とで交互に背負って宇佐神宮本殿まで上った。

上宮の本殿には新聞各社が山本さんの証言を聴こうと待ちかまえていた。

祈祷殿から漆塗りの荘厳な回廊に出ると、向かって左から第一、第二、第三と神殿が並んでいる。この回廊の入り口付近で山本さんは最初に石棺を見た明治40年のときの貴重な経験を語り始めた。

明治40年の式年造営のときで、まだ十歳弱だった山本さんは父に連れられてお参りしたが、御殿は修理中ということで囲いをし、見られなかった。本殿裏手の囲いのすき間から中に入ったところ、三之御殿の斜め左前約5m弱の地点が大きく掘られ、その穴の中に、立派な石棺があったという。

「恐らく角閃石と思われるが、巨大な石を長さ1・5mから2m、幅1m弱、高さ1m弱の箱型に削ってあった。まるで鉋でもかけたような綺麗な平面になっていた。上から厚さ15㎝ほどの一枚石をフタにしてあり、黒く変色した朱がにじみ出ていた。そのときは石棺と知らなかったが、あとになってわかった」

とも語った。

「三之御殿は明治40年の式年造営のとき建物が傾いていたらしい。この原因を調べるため、御殿の横を掘ったところ、三之御殿の向かって右側の楠の巨木と祈祷殿前の広場にある楠の大木が根を張り、土台を持ち上げていた。しかも楠の根はこの石棺を抱きしめるように両側から数本、上下左右にのびていた」

石棺の目撃者、山本聴治さんはここにあったと東中門の場所を指さした

という。それを取り除き建物を修理した。石棺は手をつけずに再び埋められたという。

こう語ったあと、山本さんは私に東中門まで背負っていくよう促した。東中門は第三神殿の向かって斜め前にあるのだが、ここに降り立った山本さんはこの場所を指さした。

「ここです。石棺はここに埋まっています」

取材陣や証言に立ち会った人たちも一様に「おーっ」と驚嘆の声を上げた。静寂の中にシャッター音が鳴り響いた。山本さんはさらに続けて、

「私も数多くの石棺を見てきたが、いずれも薄い石を羽重ねにしたもので、宇佐八幡のような一石づくりの石棺はほかに例がない。外側もきれいに磨いた感じで、三世紀ごろ、これだけの技術を持っていたのは、中国か朝鮮からの渡来人しかない」と力説した。

また彼は、昭和7年から50年頃まで県の史跡名所天然記念物調査委員を務め、この間宇佐八幡の宝物館建設で、亀山の土を掘る工事を見たが「亀山には自然の山のような地層がなく、いろいろな土が混じっていた。これは、人が土を運んで造った古墳である証拠。私は卑弥呼の墓だと信じている」とも述べた。

宇佐神宮の石棺を見た最後の生き残りの目撃証言ということで、この内容は、翌日の各新聞社の朝刊にセンセーショナルに扱われていた。山本さんは残念ながらその後亡くなられた。でも、この時の証言は、私のノートに記録されてもいるし、新聞記事や8ミリの中にも保存されて

いる。その後さまざまな書籍にもこのときの証言の内容が引用されている。今となっては、実に貴重な資料になったと思っている。

今だったら「文化財保護法違反」⁉（1979年12月）

「山本聴治さんの証言を聴く会」を終えた頃からだったと思うが、私はいろんな新聞や月刊誌の取材、そしてテレビの出演依頼をたびたび受けるようになった。

こうした中、師走のあわただしさの中で、ある取材依頼の電話があった。

地元紙の大分合同新聞本社の記者からだった。

「正月の特集記事の取材に行きたい」という。記者の名前は得丸清さん。

あとで知ったのだが、彼は私が若い頃あこがれていたジャズ喫茶「ザドー」のオーナー、日本のジャズ界で名前を知られた得丸泰蔵氏の弟さんだった。世の中は狭いなあと感じた。

その得丸記者の記事は翌１９８０（昭和55）年の元日の特集記事『青春ばっちり』で、ムラおこし運動への私の思いが語られている。

この取材のとき、得丸記者はどこかで新邪馬台国総裁の私に新邪馬台国国旗を持たせ、写真を撮ろうと考えていたようで、宇佐邪馬台国説ゆかりの場所をいろいろロケハンした。最終的に彼が「ここがいい！」と言ったのは何と凶首塚（きょうしゅづか）古墳の上だった。

この凶首塚古墳は1971（昭和46）年、県指定史跡に指定されており、奈良時代に、大和朝廷が南九州のまつろわぬ民である隼人を討伐する際に宇佐の八幡神が加勢し、持ち帰った隼人の首を葬ったとされている。

得丸記者は宇佐邪馬台国を信じて疑わないであろう新邪馬台国総裁であるこの私をどうしても凶首塚古墳の上に登らせて写真を撮りたかったのだろう。ためらっていた私に「総裁、やっぱり上に登ったほうが絵になるよ」とおだての一押し。

私も若気の至りでその気になり、簡単に応じてしまった。今だったら文化財保護法違反で私も得丸記者も大変なことになっていただろう。まあ、大らかないい時代だった。

卑弥呼の祟りか謎の湿疹が…（1980年1月1日）

この正月特集『青春ばっちり』の写真説明は、「われこそは『新邪馬台国』の総裁なるぞ！（高橋宜宏さん＝宇佐市・凶首塚古墳の上で）」となっている。

ところがである。この正月の特集記事が出て以降、私はしばらく原因不明の謎の湿疹に一か月以上悩まされ続けることになる。

謎の湿疹を見た友人たちは、勝手な診断でアドバイスをしてくれた。肝機能障害説、食物アレルギー説、果てはダニ蔓延説等々で、言われるたびに病院へ行き診察を受けたがなかなか理由がわからず完治しなかった。結局、友人たちは「そりゃ卑弥呼の祟りじゃ」と無責任な結論を出したのである。

凶首塚の上に登るように指示した得丸記者はどうだったのか。その後聞いてみると彼は何も影響がなかったそうだ。もしこれが卑弥呼の祟りだったとしたら、卑弥呼は「共謀共同正犯」（参照1）をどうも知らないようだ。私に言わせれば罪は得丸記者のほうが重いように思えるのだが。いずれにしてもこの取材がきっかけで得丸記者とは長い付き合いとなった。

（参照1）共同実行の意思の形成過程にのみ参加し、共同実行には参加しなかった者も「共同して犯罪を実行した」といえるのかについて議論がある。日本の最高裁判所はこれを肯定する。

「ミス桜」を強引に「ミス卑弥呼」に変更

新邪馬台国を建国して以来、さまざまな試行錯誤が続くことになる。〝文化大国〟を目指すという基本的な理念は持っていたものの、具体的な国づくりのプランは持っていなかった。まず国の象徴である女王卑弥呼をどうするか、四バカで議論をした。建国式典には、泣いて嫌がる女性に三拝九拝してお願いしたけれども、これから先のイベントに参加してもらえる保証はなかった。

従来「宇佐神宮桜まつり」の中で、ミス桜と準ミス桜二名の合計三名が選ばれるのだが、ミス桜コンテストを「ミス卑弥呼」コンテストに変更すれば桜祭りで賑わう商工会のイベントで注目してもらえるし、それ以上に私たちとすれば卑弥呼を選ぶエネルギーが相当軽減されることとなると考えた。

また商工会としても話題性がありお互い持ちつ持たれつのはずなのだ。

この新しい企画にフレキシブルな思考の三バカは即座に賛同してくれた。次はやっかいだが商工会役員会の承認をもらわなければならない。当時四バカは宇佐商工会の理事をやっていたが、急進派の私たちと守旧派の理事とで少し溝があったようだ。

それでも正面から反対する理由が見つからなかったのか、このミスの名称変更案は〝消極的満場一致〟で可決された。ついでに電光石火の早業で、準ミス一名を「ミス台与(とよ)（参照1）に変更してもらった。

さて桜祭りの当日。

ミス卑弥呼を選ぶ選考委員さんが十数人。そしてミス桜の候補が十名会場にいる。

いろんな質問が発せられ、やがて審査結果が出た。

建国式典にいやいや拉致してなっていただいた卑弥呼を初代にカウントすれば第二代だが、公選になって初めての卑弥呼だ。名前は奥田みつ子さん。当時十九歳。

奥田さんは誰の目にも文句のつけようがなかった。可愛いだけではなく、凛とした気品も漂っている。おまけに堂々としておしゃべりもうまい。タレント性も抜群だった。

かくして新邪馬台国の女王卑弥呼は毎年、桜まつりに衆目の集まる中選ばれることとなった。現在は私たちの手を離れ、宇佐神宮夏越祭りの中のイベント会場でミス卑弥呼コンテストが開催されており、通算すると四十数代の卑弥呼が誕生したことになる。

初代から一堂に集まる「卑弥呼大集合」のイベントがあると楽しいだろうなと想像をしていることの頃だ。

（参照1）邪馬台国の女王卑弥呼の死後、男王が立ったが国中服せず、卑弥呼の一族の娘、13歳の台与が女王となって治まったという。卑弥呼同様、魏に使者を派遣した。「臺（台）」は「壹（壱）」の誤写として、壱与と読む説もある。ミス卑弥呼と並んで準ミスに台与の名前を冠したのはこうした理由による。

『明治・大正・昭和　宇佐のふるさと写真展』（1980年5月10日〜16日）

町づくりを目指すなら、宇佐のことをもっと多方面から知らなければならない。そんな気持

明治・大正・昭和「宇佐のふるさと写真展」

ちから企画したイベントが「明治・大正・昭和　宇佐のふるさと写真展」だった。

　当時としてはこのような写真展はまだ珍しく、さまざまな方から古い写真や絵はがきの情報を寄せていただいた。運が良かったのはシナリオ作家の今戸公徳氏（参照1）が図書刊行会から『ふるさと写真集』の原稿依頼を受けていて、古い写真を集めている最中だったことだ。お互いタイアップし、一気に収集活動も加速していった。

　この写真展で、はじめて宇佐神宮に明治から戦後にかけての秘蔵写真があることを知ったし、バラエティに富む貴重な絵はがきが多種多様に存在することを知った。また、元宇佐市長の山口馬城次氏宅では、氏自ら家に伝わる貴重な画帳を見せていただいた。

　この画帳は、勤皇の志士・土岐源吾（雅号・蓑虫山人（参照2））が生野の戦いに敗れ、逃亡して山口家に身を寄せ、幕末における宇佐地方の風物や世相を絵巻にしたためたものだ。特に私が興味を抱いたのは、宇佐神宮の上宮や弥勒寺、御許山の鳥瞰図だ。宇佐神宮の近世を知る上で貴重な資料であることが、素人の私にも理解できた。

　以来、古い写真や絵はがき、古画や古文書に魅せられ、病膏肓に入り、今日に至っている。

このときの写真展がきっかけで、後に「古美術八幡船」という古美術店を開館したり、「ニッポン屋根裏考古学会」を設立主宰し、さまざまな企画展を行なったり、宇佐市の文化財の発掘・保存にこれ努めている。

語り部となってくれた元宇佐市長　山口馬城次氏

同じく語り部になったシナリオ作家の今戸公徳氏

（参照２）今戸公徳（いまど・きみのり）　１９２５年、大分県宇佐市生まれ。明治大学商学部卒。毎日新聞東京本社を経てシナリオ作家に。『ダイヤル１１０番』でデビュー。日活、ＮＴＶ、ＴＢＳに多くの作品を発表。１９６３年、帰郷して家業の酒造業『民潮酒舗』を継いだ。

（ウィキペディアより）

（参照１）蓑虫山人（みのむし・さんじん）　本名・土岐源吾。１８３６年〜１９００年。美濃（岐阜県）出身の絵師、考古学者、また造園家でもあった。日本各地の名勝や民俗を記録し、青森の亀ヶ岡遺跡の発掘調査を行ない、岩手県水沢の水沢公園を造園した。

第三章　新邪馬台国〝承認〟さる

宮殿「卑弥呼の家」建設

私が帰郷して実家の文福の本格的な建て替え計画が持ち上がった。徐々に増え続けている宇佐神宮の観光客に対応することと、私たち「建設公団」の活動拠点が欲しかったからだ。でも最初はすんなりといかなかった。比較的私の行動には寛大だった母、フミ子が、抵抗を始めたのだ。

私の父、高橋敏美は宇佐参宮線の八幡駅構内の一部を借りて、材木商を営んでいた。私が高二のときに山の現場で心筋梗塞になり、帰らぬ人となった。父の材木店はトラックを2、3台所有し、住み込みの運転手が何人かいた。しかし、正直すぎて商売はあまり得意な方ではなかったようだ。また頼まれると断れないタイプで、保証人倒れにも何度か遭い、順風満帆とはとてもいえる状況ではなかった。そして母からはいつも厳しい口調でなじられてもいた。

父とは正反対なタイプの母は、負けず嫌いでしっかり者だった。当時の女性としては、考え方もポジティブで、父の向こうを張り、宇佐神宮の参道の一角に小さな食堂だった文福を構え、自分で営業を始めた。昼間だけでは経営が成り立たないので、夜は若い女の子を雇って、一杯飲み屋もやっていた。

そういう意味では文福の創業者は父ではなく、母であった。小さい店舗から商売を始め、苦労しながらこつこつとやってきた母にとって、大きな借金までして新規に店舗を建てるなんて無謀に思えたのかも知れない。しかも苦労人の母から見ると、私なんてどうしようもない甘チャンに見えたのだろう。

しかし、私も一度言い出したら後へは引かない。強情と強情のぶつかり合いがしばらく続いたが、結局、折れたのは母だった。

計画はその後ズムースに行った。店舗一階の前方はみやげコーナー、後方は一般客用の食堂、二階は団体用の食事スペースとした。そして一階の一番奥には、新邪馬台国の活動拠点として喫茶室を設けた。喫茶室の名称はズバリ「卑弥呼の家」だ。工事完成の期限は１９８０年の７月中旬と設定した。これには大きな理由があった。

柳の下のドジョウ

私たちの記憶に残るミステリー列車といえば、何といっても「銀河鉄道９９９」だ。１９７９年７月22、23日に松本零士の漫画にちなんだ「銀河鉄道９９９号」というミステリー列車が上野駅から烏山駅（烏山線）まで運行された。話題が話題を呼び、同列車の切符の競争率は何と70～80倍になったといわれる。

この銀河鉄道にヒントを得て出てきたアイデアが、「ミステリー列車卑弥呼号」だった。

そもそも新邪馬台国の建国運動を思いついたのは、高木彬光氏の『邪馬台国の秘密』だったことは前にも述べた。この高木説の面白い点は対馬国と一支国は当然今の対馬と壱岐に比定しているが、次の末盧国を定説とされている佐賀県松浦地方の、玄界灘に面した唐津周辺ではなく、魏の使節団は「海北道中」という古代航路に乗って神湊（こうのみなと）に上陸したと推理している。近くに宗像大社があり、赤間駅がある。当然ながらこの付近を末盧国としている。そして伊都国を北九州市（南小倉）付近、奴国を中津市、不弥国を豊前長洲、そして、邪馬台国を宇佐に比定しているのだが、ありがたいことにこの高木説は邪馬台国に至る古代国家がすべて国鉄（のちのＪＲ）の沿線沿いにあるのだ。

そこからいろいろな発想が出てきた。まず計画では「謎の邪馬台国へ旅立とう！」「ミステリー列車卑弥呼号走る」といったキャッチコピーで参加者を募集する。ミステリー列車だから私たちが表に出ては元も子もないわけだ。当然、管轄の門司鉄道管理局（以下、門鉄局）にこその方面はお願いしなければならない。九州で最も大きい博多駅を出発駅にし、車内では乗客に邪馬台国がどこかを推理させる。最初の末盧国は赤間駅、伊都国は東小倉駅、奴国は中津駅、不弥国は豊前長洲駅、そして最終目的地である邪馬台国は当然ながら宇佐駅である。

まず宇佐神宮の仲見世で食事をしていただき、その後卑弥呼の宮殿である宇佐神宮で一行の出迎え行事を行なう。邪馬台国宇佐の一日を楽しんでいただくために、できれば宇佐神宮の夏越し祭の時期に合わせたら一石二鳥になる。

門司鉄道管理局へ接触

まず例の三バカに相談して、実行委員会をつくる計画を立てた。同時進行でやらなければならないことは山ほどあるが、その中で最も重要なのは門鉄局旅客課への折衝である。

まだワープロもパソコンも普及していない時代で、私が西洋紙に拙い手書きの企画書を作成して門鉄へ乗り込んだ。四バカの一人、ちょうちん屋の谷川さんも同行してくれた。事前に電話でアポイントを取っているとはいえ、風采の上がらない田舎の兄ちゃん二人が一風変わった企画書を持参してやってきて、なにやら懸命に訴える。

「ちょっとうさん臭い」そんな印象を与えたかも知れない。対応してくれたのは三、四人だったと記憶しているが、優しい物腰の割には、あまり熱が入っているとは感じられない反応だった。私も少しイラついて大きな声を上げそうになったが、ぐっと飲み込んだ。

結局、彼らも商売なのでリスクをどうするかが一番大きな問題だったのだろうと思う。要するに、もし募集して参加者が集まらなかった場合は、この企画を持ってきた宇佐市のほうで六両編成分の料金を負担していただけないかというのだ。

彼らの言うことも当然理解できる。が、リスク負担までこちらが背負うほどには、私たちは財政的な裏付けも予算もない。それに私としてはこんな面白い企画を持ち込んだ上に、リスク負担までしなければならないことに対しては、間尺に合わないしプライドが許さないといった気分もあった。

形勢を変えるために、私はここで一か八かのホラを吹いた。

「地元も永岡宇佐市長をはじめ皆さん大乗り気で、大変盛り上がっています。実は、高木彬光先生も参加してくれると言っております」

市長は新邪馬台国の建国話のときに一度お会いしたが、ケンモホロロだったし、この時期は地元工作などできておらず、実行委員会も手つかずの状態だった。また学生時代以来、高木氏はあこがれの作家の一人だったが、面識どころか電話で言葉を交わしたこともない。当然真っ赤なウソである。ただこうでも言わなけりゃあ、この企画は単なる企画倒れで、あそこですべては終わっていただろう。

腹はくくっていた。もし門鉄局がこの企画に乗り、ゴーサインを出したにもかかわらず、地元で一行を受け入れる実行委員会が作れなかったり、高木氏を招へいできなければ自分自身で何がしかの責任をとろうと考えていた。最悪な場合、借金をしてでも六両編成分のリスクを負担しようと覚悟を決めていたのだ。

効果はてき面で、門鉄局の職員に変化が見られた。少し検討させてほしいと言い出したのだ。とりあえず門鉄側に下駄を預ける形で、その場はひとまず矛を収めることにした。

西日本新聞の一面トップに「卑弥呼号」「秘中の秘」（1980年2月2日）

この当時、私は暇さえあれば、ひょうたん屋の溝口さんを訪ねて談笑するのが楽しみの一つだった。彼は岡山大学の哲学科の出身で、言行一致の学生運動家でもあった。

1968年1月、アメリカの原子力空母エンタープライズ寄港反対で、全学連の学生たちが全国から大挙、佐世保に集結していた。いわゆるエンプラ闘争だが、これにも参加したツワモノだ。表現力も豊かで人を引き付ける魅力にも長けた人だ。この人の周りにはユニークな人も大勢集まってくる。「英雄また英雄を知る」というが、ここに集まってくるのは「変人もまた変人を知る」の類かもしれない。当然ながら私もこの中に入っている。

こんなある日、おそらく80年の1月中旬のことだったと思うが、溝口宅を訪れたら先客がきていた。上背があり浅黒く、髪はウエーブがかかっている。声もドスが利いており、言葉は悪いが一見、インテリやくざというか、賭場の代貸し風な雰囲気の人であった。

名刺をいただいて驚いた。西日本新聞大分総局次長　松永年生となっている。名前は何度か溝口さんや谷川さんから聞いていた。彼も私の名前は知っていたらしく、すぐに意気投合した。いろいろ私たちのこれまでの活動や世間話をしているうちに、私たちが夏に行なおうとしている「ミステリー列車卑弥呼号」の話題になった。行き先不明なので、私たちが発表するわけにはいかないが、ある程度企画が固まったら、門鉄からプレス発表を行ないますので、そのときはお願いしますと彼に依頼した。

2022年の暮れ、溝口栄治邸にて。右より元西日本新聞大分総局の松永年生さん、溝口保子夫人、溝口栄治さん、あとがきを書いていただいた同じく元大分総局記者の山浦修さん。左端が筆者。

それから十日ほど経っただろうか。私のこの企画を知っている人から「えらいこっちゃ、西日本新聞を見たかい」と電話があった。何のことだかわからなかったが、取り急ぎ西日本新聞を開いてみると、一面に「ＳＬ使い邪馬台国へ」「その名も卑弥呼号」「国鉄が推理の旅企画」「ルート、行先は秘中の秘」「８月某日、博多駅を出発」という見出しが躍っている。そしてリード文にはこう書いている。

「『ＳＬに乗って邪馬台国へ行こう』というユニークな

企画がこのほど、邪馬台国〝候補地〟の青年たちと国鉄当局の間でほぼまとまった。行き先不明のSL旅行で全国的な人気を集めた『銀河鉄道999』の〝邪馬台国版〟で、今回も列車のスタートは博多駅と決まっているだけ。あとはどんなコースをたどって、どの邪馬台国に着くのかは全くのナゾになっている。全国で二百カ所を超えるといわれる候補地のうち、どこの青年たちが企画するのかも、当日列車が目的地に着くまでは知らされていない仕掛け。この奇抜なSL推理行は、邪馬台国論争にもホットな話題を投げかけそうだ」

本文では当然ながら、もっと詳細な内容について書かれていた。そして最後に、「まぼろしの邪馬台国を目指して、行き先不明のナゾを秘めたまま九州路を走るSL列車―古代史ファンにとってはこたえられない〝水行陸行〟の旅になりそうだ」と踏み込んでいる。

「こりゃあ、大変だ」

さすがの私もこのフライングには頭を抱えた。SLの話は確か松永さんにはした。でもSLどころか門鉄とは協議が始まったばかりで、卑弥呼号そのものの企画にもゴーサインは出ていない段階だった。しかもSLの可能性としては、現実的に考えて限りなくゼロに近い提案だった。その上まだ地元対策は手つかずの状態だった。門鉄はこの記事を見て何と言ってくるか。しばらく眠れない日が続いた。

実行委員会立ち上げ

「災いを転じて福となす」。もうこれしかないと思った。最初に始めたのは地元の対策である。地元対策は主にひょうたん屋の溝口さんと一緒に根回しを行なった。まず実行委員会づくりを宇佐市にある各種団体に働き掛けて進めていった。

持ち掛け方には技術も要した。

「いやあ、大変なことになった。実はこれは極秘で他言はできんのじゃが、国鉄がミステリー列車卑弥呼号というのを企画していて、邪馬台国の宇佐にくると言うんじゃあ。名誉なことじゃが、六両編成で四百八十人ほど全国から邪馬台国ファンが宇佐にくるらしい。この歓迎行事をしてくれんかと地元に依頼がきちょるらしい」

自分たちがこの企画の仕掛け人だということを避けるため、すべて伝聞体で語った。そしてくだんの西日本新聞の記事のコピーをおもむろに渡すのだ。これは効果てきめんだった。

「へえー、そりゃあすごい」

「わかった、協力するで」

このときほどマスコミの威力を感じたことはなかった。

〝極秘に〟何度か準備会を重ね、地元の実行委員会を立ち上げた。名称は「邪馬台国推理行実行委員会」、委員長には後に宇佐市観光協会長に就任することになる秋吉太郎さんに決まった。

秋吉さんは鬼籍に入られてすでに十数年が経っている。明治大学出身で、戦後の一時期はアメリカ憎しの一心で共産党にも属していたユニークな経歴を持つ。その後土建業を開業し、あっさり自民党に〝転向〟している。親分肌で、飲むほどに酔うほどに楽しい人だった。私の人生でかけがえのない方のひとりだった。

後に詳述するが、実はこの秋吉さんを観光協会長に推薦したのは私たちだった。

当時観光協会長は宇佐市長が兼務していたのだが、市長の掛け持ちではなく、もっと仕事をしていただくためには観光先進地に学び、民間出身の観光協会長を誕生させようと考えたのだ。その民間第一号の観光協会長に秋吉太郎さんが就任した。

邪馬台国推理行実行委員会は秋吉委員長のもと、その後頻繁に開催された。開くたびに委員の皆さんのやる気はさらに大きくなり、沸騰寸前の、収拾がつかない状態にまでなっていた。

このようなときだった。例の門鉄局から電話があり、次の実行委員会のときにお邪魔したいという。

ほどなくして門鉄局から三名ほどの関係者が宇佐市へやってきた。その日も大勢の実行委員が会議に出席していて、熱気むんむんの雰囲気だった。そして具体的な受け入れ態勢についていろんな意見が出て、いつものように大変な盛り上がりのなか会議は終了した。門鉄の関係者も最後にひとこと「よろしくお願いします」と言って帰っていった。

後で聞いた話だが、彼らはこの日、地元の私たちに対し、卑弥呼号はやらないと断わりの説明にきたというのだ。ところが地元の人たちの熱意に触れて、断われなくなってしまったというのが真相らしい。それから西日本新聞の例の記事も彼らに心理的プレッシャーになったという。後日談で彼らが語っていたので、本当だろう。

西日本新聞のフライング記事は私にとってけがの功名となったが、まだまだきわどい綱渡りの状態であることは間違いない。これからも沢山の障害が待っているだろう。この日、私は決意を新たにした。

高木彬光氏宅訪問

卑弥呼号でもう一つ大事なことは、この推理行のもとになっている『邪馬台国の秘密』の作家、高木彬光氏をどう口説き、特別ゲストとしてこの列車に乗っていただくかである。ギャランティどころか交通費を差し上げるゆとりとてもちろんない。

ＮＨＫ本社のある友人を通じ、高木氏の住所と電話を聞き出し、まず卑弥呼号のことが紹介された西日本新聞の記事のコピーと、卑弥呼号に対するこれまでの取り組みの経緯を簡単に記したメモを郵送した。そしてその郵送物が届くのを見計らって、電話で上京する旨を奥様に伝え、アポをとった。

当日、指定された代々木のマンションへ行った。ドアのチャイムを押すときの緊張は今でもはっきり覚えている。学生時代からのあこがれの作家との対面である。

「はーい、どうぞ」明るい女性の声がした。

高木氏の奥様、むつさんである。この方の出身は知らないが、ちゃきちゃきの江戸っ子のような大変歯切れのいい方で、高木氏の秘書兼マネージャーのような存在に見えた。座敷に通されて、自己紹介もそこそこにミステリー列車卑弥呼号の企画について説明を始めた。高木氏は好々爺のように、やさしい穏やかなまなざしで私の話を聞いている。ときどき二言三言、ぼそぼそっと質問されることはあったが、ほとんどは奥様と私との会話だった。

左端が高木彬光氏（文福の喫茶室「卑弥呼の家」で）

氏はもともとシャイな性格のようで、普段でもお酒が入らないと、言葉数は多いほうではないということは聞いていた。しかしさらに寡黙に見えたのは、この当時、脳梗塞で倒れ、九死に一生を得て退院された直後だったからだ。言葉も思うようにしゃべれず、当然執筆活動も休止されていた。

それでも卑弥呼号のことは大変興味を持っておられて、私が事前に送っていた資料や新たに持参した資料に興味津々であった。そして体が許すなら是非参加したいと言っていただいた。

後日奥様から明るい声で
「主治医に相談したところ、『あまり無理をさせず、付き添いとの同行なら許可する』と言われたわ」と電話をいただき、高木氏の参加の件は何とかクリアできた。

最終的には高木氏と奥様、それに介添え役として二人の甥御さんの計四人で参加してくれることとなった。体調不良を押して、高木氏がこのイベントにかける意気込みが感じられた。

参加者と歌詞を募集

6月10日、門鉄局がマスコミ向けにミステリー列車「卑弥呼号」の計画について正式に発表した。新聞各社はこのニュースを全国版で報じた。申し込みの受け付けは15日から博多駅旅行センターで開始となっている。

このニュースは思わぬ広がりを見せた。前年の旅の話題が「銀河鉄道９９９号」なら、この夏の話題は「卑弥呼号」となったのだ。ＮＨＫの鈴木健二アナウンサーによる「歴史への招待」でも取り上げられたし、いろんなところへ波及していった。そして、発表から四日後にチケットは札止めとなった。

次に私が考えたのは、卑弥呼号の中で流す「邪馬台国の歌」の歌詞募集だった。作曲はひょんなことから知り合いになった針尾豊州さんに頼んだ。彼は元チューリップのマネージャーで、当時は北九州を中心にバンド活動を行なう「飛べない飛行船」の代表をされていた。気安く無報酬で引き受けてくれた。

この歌詞募集も門鉄局を通じ発表され、新聞各紙に紹介された。「国鉄には珍しいヒットアイデア」などと絶賛している新聞もあった。卑弥呼号のイベントは否が応でも盛り上がってきたが、私たちにとってもどかしいのは、行き先不明なるがゆえにマスコミを含め、対外的に自分たちの思うように行動できなかったことだった。

しばらくして門鉄局から小包が届いた。開いてみると、中にはがきや手紙がたくさん入っていた。歌詞の応募作品だった。総計九十二名の応募があり、私と溝口さんらで事前にめぼしい作品をピックアップし、最終的に実行委員会で二作品を選んでいただいた。そしてそれを門鉄局と針尾さんへ転送した。

卑弥呼神社建立、入魂式（１９８０年８月１日）

わが〝文福〟の建て替え工事は、卑弥呼号の計画の進捗と同時進行で進んでいた。７月の中旬を工期としていたが、何とか間に合いそうだ。せっかくなら、ここでもう一つ話題を提供したい。そんな思いで出てきたアイデアが「卑弥呼神社」の建立だった。

卑弥呼神社といっても、そこはお遊び。通常の大きさではなくて、文福の玄関の隅っこに収まる程度のミニチュア版だ。これを西国東郡香々地町（現 豊後高田市）の指物大工、榎本安幸さんにお願いした。

卑弥呼神社

卑弥呼神社お魂込め
権禰宜（当時）の後藤吉雄氏

卑弥呼神社は、卑弥呼号が邪馬台国宇佐にやってくる二日前の7月31日に完成した。

榎本さんの軽トラに積まれて〝文福〟に横付けされたのだが、校倉（あぜくら）風造り、杉皮ぶきで、横1・5m、高さ、奥行き各1mのかわいい神社だ。賽銭箱もちゃんとついている。

この日、宇佐神宮から後藤吉雄権禰宜をお招きし、ごく内々にこの神社の入魂式を執り行なった。ご神体は私が学生時代に骨董屋から買い求めた翡翠の勾玉である。

卑弥呼号走る（1980年8月2日）

「すみません。総裁が今、この列車に乗ろうとしているのですが、2、3分遅れます。ちょっと待っていただけませんか」。

1980年8月2日早朝、博多駅から出発する卑弥呼号のオープン行事に立ち会うため、私と谷川忠洋さんは宇佐駅から特急「にちりん号」に乗り込む予定にしていた。

ところがよりによって、その朝寝過ごしてしまった私は定刻に間に合わず、谷川さんがとっさの判断で宇佐駅の職員にこう言った。もうにちりん号は宇佐駅のホームに到着しており、出発時間がすでに過ぎていた。

「そ、総裁ですか？　ハ、ハイわかりました」

事実は知らないが、谷川さんの後日談によると、職員は国鉄総裁と勘違いしたらしく、緊張した面持ちで国鉄総裁の乗り込むのを待ったという。谷川さん一流のジョークと思うが、たしかにあのときのにちりん号は、遅れた私を3分ほど待ってくれていた。

おかげで、博多駅四番ホームでの卑弥呼号出発前のセレモニーに間に合ったのだった。

セレモニーを終えて、卑弥呼号は出発。

参加者たちは車内放送で流される椛田先生の「魏志倭人伝」の説明を聞き、あちこちで歓声を上げながら推理に花を咲かせた。列車は打ち合わせ通り末盧（まつろ）国＝赤間駅、伊都国＝南小倉駅を経て日豊本線を南下し、一路邪馬台国へ向かってひた走る。

1980年8月2日　博多駅でミステリー列車「卑弥呼号」の出発セレモニー。テープカットは中央の台与役と右は卑弥呼号のテーマの作詞をした山田正文さん

たくさんのテレビ局のカメラマンや報道関係者が車内を忙しそうに走り回る。いたる所でインタビューや取材を行なうものだから、否が応でも乗客の気持ちを高ぶらせる。

この推理行の参加者は、わずか三日間で定員（四百七十五人）に達するほどの爆発的人気を呼び、関東や北陸などからも申し込みが相次いで、抽選になったほどだ。

博多駅を出発して停車する古代駅ごとに、行き先の邪馬台国を推理させるキーワードを一文字ずつ掲げて

邪馬台国駅（宇佐駅）へ到着した卑弥呼号の一行

いる。最初の末盧国では「高」の文字、次の伊都国では「木」の文字という具合に。次の奴国＝中津駅は「彬」の文字、そして不弥国＝豊前長洲駅は「光」の文字で完結する。すべて通して読むと「高木彬光」という名前が浮かび上がってくる寸法だ。

私たちの座席の斜め前にいた高木彬光氏の一行四人も、車内でのさまざまな催しを楽しんで

邪馬台国駅（宇佐駅）で一行を出迎えた巫女姿のミス邪馬台国たち

一行を国賓バスに乗せて卑弥呼の待つ邪馬台国の宮殿（宇佐神宮）へ

一行をジープで先導する邪馬台国の台与と従者

おられる様子だった。

古代衣裳を着た台与役の相良さんも、同じく弥生人の格好をした門鉄局の男性二人と車内で愛嬌を振りまいている。方々から記念撮影に引っ張りだこだ。

午前11時半、夢を乗せて走ってきた卑弥呼号は邪馬台国の宇佐駅に到着した。当然ながら構

邪馬台国の宮殿（宇佐神宮）へ案内する台与と二人の従者（従者は国鉄の人）

一行を宇佐神宮参道で歓迎する宇佐小学校の鼓笛隊

取材で忙しい報道機関

内に書かれている駅名はすべて「邪馬台国駅」に変えられている。ＢＧＭに雅楽の越天楽が流れる中、巫女姿のミス邪馬台国十二人が出迎えている。

駅前では市民が約二百人ほど、新邪馬台国の小旗を振って歓迎している。待機するバスは十二台。バスのフロントには大きな布に卑弥呼のイラスト入りで、「国賓バス」と書かれている。

宇佐警察署の協力で白バイとパトカーの先導があり、〝国賓一行〟を卑弥呼の待つ宇佐神宮へと案内した。バスが向かう途中の沿道には、これまたいたる所で邪馬台国国旗をみなさんが振ってくれている。

この企画を立てた張本人の私がこれには驚いた。別にお願いしているわけでもないのに大勢の市民のみなさんが嬉々としてこのイベントに参加してくれている。それだけで何か熱くこみ上げてくるものを感じた。

ようこそ、邪馬台国へ

宇佐神宮に着くと、まず歓迎の花火が打ち上げられた。そして宇佐小学校の鼓笛隊が出迎えてくれた。歓迎演奏が終わると昼食のために、〝国賓〟のみなさん方は四か所に設けられた〝迎賓館〟（食堂）で昼食である。迎賓館の名前はそれぞれ「どうたく」「まがたま」「ひみこの

一行の歓迎挨拶をする永岡新邪馬台国首相（宇佐市長）

家」「とよ」となっていた。参道にある食堂の屋号をそれぞれ邪馬台国風に変名している。メニューは特製の「邪馬台国弁当」。

12時40分、打ち上げ花火を合図に仲見世近くの広場に全員集合。宇佐に古くから伝わる和間小学校おはやしクラブの道ばやしを先頭に、輿にのった女王卑弥呼の登場だ。卑弥呼は二代目の奥田みつ子さん。いよいよクライマックスである。

卑弥呼の行列に続いて一行も参道を行進。卑弥呼の墓だともいわれている菱形山の階段入り口、祓所前の広場でまず秋吉実行委員長のあいさつがあった。

驚いたのは私が四年前、市長室で新邪馬台国の首相就任のお願いに行ったとき、とりつく島のなかった永岡市長が、自ら古代衣裳を身にまとい、このイベントに主催者を代表して参加されている光景だった。

続いて本日のスターである卑弥呼が厳かに現れて、「みなさん、邪馬台国へようこそ。ただ今よりわが宮殿へ御案内致します」とかしこくもお言葉を述べられ、一行を宇佐神宮本殿へ先導した。

上宮では特別に昇殿参拝をしていただいたり、宇佐神宮の神官や巫女による蘭陵王の舞や浦安の舞をみなさんに観ていただいた。

この日、8月2日は宇佐神宮の夏の大祭である夏越し祭の最終日。ケンカ祭の異名もある三基の御輿がそれぞれ四十人ほどの屈強な舁き手たちに担がれて境内を勇壮に練り歩く。みなさんすっかり御輿に見とれて集合時間に遅れてくる人もいたほどだ。

とどこおりなく行事を終えた卑弥呼号の〝国賓〟一行は、邪馬台国国旗を手に別れを惜しむ市民に見送られて、博多駅に戻るため邪馬台国駅をあとにした。午後4時30分であった。ちなみに、この行き先不明のミステリー列車に宇佐から応募した人が三〜四人いたことは、門司鉄道管理局の方から後で聞いた。

最高機密の情報を公開！

ここで私は過去の罪過をあがなうために、ある懺悔をしなければいけない。本当は墓場まで持っていこうと固く決意していたのだが、もう時効だから許してもらえるのではないかと自分勝手に考えた。

それは卑弥呼号がやってくる二、三日前のことだ。ひょうたん屋の溝口さんと最終打ち合わ

厳かに輿に乗って登場する第二代女王卑弥呼の奥田みつ子さん

せを行なっていたとき、二人とも、卑弥呼が乗る輿がないことに気がついた。宇佐神宮の宮司さんの乗る輿はあるけれども、卑弥呼とはいえ女性を乗せることにはまだまだ抵抗のある時代で、借りるわけにはいかない。だからといって今から作る時間的余裕も予算もない。どうしよう、となったとき溝口さんにいいアイデアがあるという。

前日の夜、心配になって溝口邸を訪問した。

「シューッ、シューッ」

溝口さんが汗だくになって何やらある物体にラッカーのようなものを吹き付けている。暗がりだったのでよく見えないが、欄干に擬宝珠付きの見事な輿が出来上がっていた。

「おお、素晴らしい。見事な輿ですね」

溝口さんは振り返りざまニヤリと笑い、そっとこう教えてくれた。

それは明治頃の天蓋付きの〝霊柩車〟で、車はなく、四人ほどの人間が棺桶を乗せて担いでいたらしい。だから上の天蓋をはずし、黒漆を朱色に塗装をかけ直したという。それにしても見事なものだ。誰もまさか死体を運ぶものだったとは夢にも思うまい。

実は溝口ひょうたん本舗は創業百年を迎える老舗なのだが、手広く葬儀具の販売もしており、その中に棺桶を担いで行くための台座もあったという。その在庫品が、倉庫の奥深くに保管されていたというのだ。

ただこれはあまりにもやばいので新邪馬台国の〝最高機密〟にしようということになったが、世界的には三十年経てば秘密文書は通常公開されることが常識。すでに１９６８年ＩＣＡマドリッド大会で決議が採択されている。あれからちょうど四十年以上経ったわけで、新邪馬台国の国家機密もそろそろ公開するのが公益にかなうとの判断で、溝口さんの了解を得てこの機密を明かすことにした。

この場をお借りし、あの輿に乗った多くの歴代卑弥呼の方々や、担いだみなさんに深くお詫びを申し上げたい。

高木彬光氏の闘病記『甦える』のこと

また、私は高木彬光氏のことを書かなければならない。卑弥呼号当時、氏の健康状態を詳しくは知らなかった。

卑弥呼号のイベントが成功裡に終わって、二年後のことだったと思う。高木氏から小包が届き、一冊の本が入っていた。氏の著書で光文社発行。タイトルは『甦える』。副題は「脳梗塞・右半身麻痺と闘った900日」となっていた。

この本によると、私が卑弥呼号の企画を持って、氏の自宅を訪ねた少し前の1979年10月10日に、広島のホテルに滞在中、脳梗塞で倒れた。取材旅行中だったが、即入院。そこから闘病生活の九百日が始まるわけだが、卑弥呼号に参加した頃はまさにこの戦いの真っ最中だったのだ。

私たち宇佐人が総力を挙げて取り組んだ「卑弥呼号」の一日を、氏は『甦る』に詳しく書いておられる。少しだけ抜粋させていただいた。

「間もなく汽車は宇佐についた。駅頭はいっぱいの歓迎である。次いでわれわれはバスで宇佐神宮に向かったが、そこでも学童諸氏が小旗をふり大勢出迎えてくれた。

私はほっとしてしまった。よくやった。これで私がわざわざ病躯をおかしてやって来ただけのことはあると思ったものだ。

それから後は大女王卑弥呼のお出迎えである。何人かの人間がかつぐみこしに乗って登場、それも古代衣裳に身をつつみ、化粧を完全にしての登場である。

私はすっかり楽しくなった。卑弥呼にどうやら会うことが出来たのだ。正直なところ、彼女はどこかに眠っていてその模造品という格好だが、そういえば私にしたってずいぶん年は離れている。これで満足するしか方法がないのである。

参拝を終わって、私はお土産屋の一室へおちついた。何しろひどい疲れである。もう倒れそうでしかたがないから早く休みたいと思っても、向こうはなかなか許してくれはしない。とうとうサインさせられる羽目になってしまった。その際ことわりぬいたのに、どうしてもということで私はやむを得ず『力』という字を書き残した。これが痛む指をふんばりながらの私の精一杯のところだった。

その日の午後、私はあちらこちらと付近を案内された。健康ならまだ足りないと思うはずなのだが、その時の私にはいささかしんどかった。

とうとう私もグロッキーになって、お気持ちは有難いが今日はこれで勘弁してくれと音を上げる始末だった。結局私はグッタリして自動車のソファに身を沈め、別府温泉へ行ってそこで二日をついやし、ようやく帰って来たのである。

私は病後でこんな旅行に参加することは、とうてい無理だと思ったのだが、幸い無事に帰りついてやれやれという気持ちだった。自信がついたのは大分後のことだったが、とりあえず宇佐市の諸君には厚くお礼を申しあげておきたい。

聞くところによると宇佐神宮では毎年春に合同園遊会が新邪馬台国の主催で催されるらしい。今年はちょっと都合が悪かったが、来年はぜひ行って見たいと思っている」。

この高木氏の闘病記で当時の氏の病状がことのほか悪かったことがわかる。こういう状況にもかかわらず「卑弥呼号」のイベントに自費で参加してくれたことは、ある意味奇跡といっても過言ではない。

ところで「参拝を終えておちついた土産屋」とは文福のことだが、困ったことに私が制止したにもかかわらず、高木氏にサインをおねだりした不届き者がいたのは事実だ。

ただ救われたのは、氏がこの卑弥呼号のイベントを大変喜んでいただいたことである。

その後もご夫妻には御親交をいただいた。高木家のルーツ探しで福岡県朝倉市秋月へいらっしゃったときにも、ご夫妻はわざわざ足を延ばし私を訪ねてきてくださった。

残念ながら1995（平成7）年、氏は不帰の人となった。心からご冥福をお祈りしたい。

第四章　ムラおこし運動と一村一品運動

第一回　豊の国ムラおこし研究集会（１９８０年１月16日）

新邪馬台国の運動は、この「卑弥呼号」の成功をきっかけに市民権を獲得した。周囲の私たちに対する見方や態度は一変したといってもいい。ただ新邪馬台国の運動がその後も全国に発信され、共感されて急成長していったのは、単なる若者の跳ねっ返りやお遊びでない、それなりの哲学や理念があったからだろう。

その基本ベースになったものは、やはり「ムラおこし運動」だった。ここで80年代に大分県から全国に伝播した「ムラおこし運動」について、触れておきたい。

ムラおこし運動の淵源は沖縄の「シマおこし」だ。沖縄復帰前後、西表島の祖納地区で行なっていた運動を、法政大学の清成忠男教授らが中心となって１９７９年から展開した地域づくり運動だ。

青県協、正式名称は大分県青年経営者自主研修活動連絡協議会という、やたら長ったらしい名前なので、縮めてこう呼んでいる。読んで字のごとしで、青年経営者が自分たちで金を出

「豊の国ムラおこし研究集会」　左から一人置いて溝口栄治氏、宇留島虎太郎氏、清成忠男法政大教授、地域総合研究所長の森戸哲氏

し合い、自主的に研修活動を行ない経営能力を高めていこうという組織で、安心院町の〝ウルトラマンタロウ〟こと宇留島虎太郎さんが会長、ひょうたん屋の溝口さんが副会長だった。

１９７９年１月、この青県協の研修会に講師として清成教授を招聘している。湯布院町の湯布院ハイツで一泊二日で行なわれたこの研修会に私も参加したが、この日はある意味、歴史的な日でもあった。研修も終わり、清成教授を囲んで懇親会を開いていたとき、遅れて参加した三和酒類の西太一郎さんが、息を切らして部屋に入ってきた。

「できましたよ。ようやく」

満面に笑みを浮かべた〝西スマイル〟でこう言った。

みんな最初は何のことだかわからなかった。

新聞紙に包まれたそれは、三和酒類が長年、二階堂酒造の後塵を拝しながら開発できなかった１００％麦焼酎の試作品だった。

清成先生やその場に居合わせた人たちは、西さんが持参したその試作品をストレートで飲みながら、一様に「おおっ」と歓声をあげた。「こりゃあ、うまい」。でも、このときの試作品がのちに「いいちこ」と命名され本格焼酎（乙類）の全国売り上げトップになると、誰が予想しただろう。

話が少し横道にそれた。このときの清成教授と青県協とのつながりが、翌年の「ムラおこし研究集会」へと進展していったのだった。

「シマおこし」は「ムラおこし」と名を変え、翌年の１９８０年1月16日、大分県安心院町で「豊の国ムラおこし研究集会」が開催された。

実行委員会のメンバーは、安心院の宇留島虎太郎さん（安心院経営研究会）をはじめ、宇佐のひょうたん屋・溝口栄治さん（宇佐経営研究会）、長洲の漁網製造業・長浦善英さん（宇佐九人会）、豊後高田の文具店主・内田哲次さん（高田産業経済研究会）などほとんど「青県協」の所属会員である。

当日午後1時に始まった集会は五時間に及び、地域づくりをめぐり熱っぽく議論が続いた。基調講演で清成教授は「ムラおこしは沖縄で『自立を図ろう』という意味で使われている。ムラは地域のこと。そして外からの開発ではなく、内発的に地域振興をはかることであり、下からの自立が重要」とムラおこしの定義を話した。

また地域総合研究所長の森戸哲氏は地域に密着した産業を〝地縁産業〟と呼び、「この地縁産業を中心とする独自の地域ビジョンを作っていくことがムラおこしには必要だ」と述べた。そして「物づくりも供給の側の論理だけでなく、もっと需要の側の論理を取り込まないと運動は前進しない」とも語った。

このあと県下の農林漁業、加工業、伝統工芸、地域文化などの県内実践グループによる問題提起があり、地域内の経済循環の促進や地域文化の向上について話し合われた。いろいろムラおこしの課題も話し合われたが、総括で跡見学園短期大学教授の下河辺千穂子氏が「みなさんがエリートにならず、地域の中で底辺を広げていくような努力を」とコメントしていたが、この〝底辺拡大〟こそが、この集会に参加したリーダーたちの共通の問題であり、最大の課題であったと思う。

地元紙である大分合同新聞は社説に「ビバ！大分の青年たち」のタイトルでこの集会を取り上げ、次のように論評している。

「最も印象的だったのは、ムラおこし活動を実践している青年たちが自立の精神にあふれているることである。『行政におんぶしてもらうのはやめよう。自前でいこう』という精神にあふれている」

「仕掛け人として、独自の町づくりに成果を挙げ、最近東京で開かれた地域振興シンポジウムにも招かれた矢幡大山農協長は、自らをシーダー（種まく人）であったと自覚している。十六日の集会はシーダーたちの集まりでもあった。それが盛り上がったことは、大分県の明日のふるさとづくりに、明るさを与えたといえる」

「平松知事も出席した。この種の集会では、知事はあいさつを述べると、すぐ席を立つのが通例であるが、この日は知事は約四時間傍聴していた。知事にとっても、得るところは大きかったと思うし、すばらしい若者たちが県下に散在していることに、力強さを感じたことであろう」

次回の開催は、大田村で開くことが決まった。この集会で「毎朝、出稼ぎの送迎バスのエンジン音が、村崩壊の音に聞こえる」と村の実情を訴えた大田村教委社会教育主事・吉弘清さんの希望があってのことだ。大田村は県下で第一次産業比率が最も高く、平均個人所得が最も低い地域でもある。だからここで集会を開く意味は大きい。

私がこの集会で深く感銘を受けたのは、地域づくりは外からのインパクトではなく、地域の内側からの地域振興、つまり「内発的地域振興」が大切だということ、行政に頼らず自前でいこうといった「自立自助の精神」の重要性だ。そしてもう一つ挙げるとすれば、「ムラおこしに教科書はない」と語った清成教授の言葉だった。

ムラおこし湯布院炉端討論会（1980年2月16日）

「豊の国ムラおこし研究集会」が開かれて一と月後、安心院での論戦をもう一歩進めながら、次の大田村での開催につないでいこうという趣旨で、湯布院で「ムラおこし湯布院炉端討論会」が開催された。

実行委員を中心に、参加者を約二十人に絞った。また酒を酌み交わしながら、建前論議ではなく、本音をぶつけ合おうというねらいもあった。

1980年2月15日の夕刻に始まったこの会の前半は平松知事を加えて、炉端を囲んで行なわれた。引き続き夜半過ぎから各部屋に分散して、その後も個別に議論が戦わされた。そして終わったのが何と翌日の午前3時過ぎだったという。

残念ながら私はこの討論会には参加しておらず、また適当な資料もないので、議論の中身を西日本新聞の当時の連載記事から引用することにする。

今回もメンバーの一員として参加した平松大分県知事は「どんな地域運動でも行政に背を向

けるところからスタートする。行政におんぶせずにやる必要がある。私が唱える『一村一品運動』も官製になったらおしまいで、担い手は県民だ」と、ムラおこしの自立自助と一村一品運動の担い手論をぶち挙げた。

宇佐市から参加した私の同志であるちょうちん屋の谷川忠洋さんは地域社会における生活文化が消えていこうとしているのを嘆き「新しい〝匠ある〟町づくりを」と訴えた。

また湯布院の論客である中谷健太郎さんはこの討論会で「一村一品運動には危なっかしいものを感じる。むしろ一人一品運動ではないか。自分が作るもの、自分が持っているものをどう磨き抜いていくかが重要。一村一品はとかく外に目が向きがちになる」と「一村一品運動」についで問題提起を行なっている。中谷氏が唱えた「一人一品運動」はその後、同氏によって、「一人〝逸〟品」と名前を進化させた。昔、私がふざけてつくった「ムラおこし語録」の中にも入るほど、この言葉はその後人口に膾炙している。

さて、討論会も終盤へと進み、次の大田村での研究集会をどういう形で開くかに話が集中した。吉弘清さんの心配はまず経費の問題と大田村の今後の方向付けや何らかの成果を見いだしたいというものだった。

経費については資金面で行政がバックアップすべきとの意見がでたが、平松知事がすかさずこう言った。

「困ったからすぐ行政というのでは、ムラおこしにならない」

なるほど行政依存からの脱却はムラおこし精神の大きな柱だ。この議論は機先を制した知事に軍配が上がり、その後はいつものように「カネは使わずに手作りでいこう」とか「小屋がけの集会もいい」といったムラおこし本来の「自立自助」の前向きな意見が相次いだという。

第三回　ムラおこし大田村研究集会（1981年7月26日）

第一回の研究集会のとき、「次は大田村で」が合い言葉だったが、この間に大野郡三重町で第二回の集会が行なわれた。だから1981年7月26日に西国東郡大田村で開催された研究集会は、大分県では第三回目となった。四時間半のシンポだったが、これまで同様、終始熱い議論が展開されている。

この研究集会には私も参加したが、当時のことは残念ながらうろ覚え。だからこれも「大田村研究集会」を報じた当時の西日本新聞から抜粋することにする。

まず、「過疎からの脱却」をテーマに、地元からの次の三つの問題提起がなされた。一つは子どもを村に引きとめるための教育の問題、二つ目は働く場をつくるための産業振興、そして三つ目は豊かな観光資源の活かし方である。

大田村より辺地といわれる岩手県下閉伊郡田野畑村から武田精一教育長が参加していた。この村は、集落が分かれてなかなか村の連帯感が育たず、視野が狭い傾向にある子どもたちのために、村内に6校ある中学校を一つに統合した。しかも二百九十人のうち百九十人が寮に入っているという。そして村の産業や福祉、文化を知るための特別活動の研究指導校を指定し、実際に現場を訪れながら学ぶシステムを導入しているそうだ。

さらにユニークなのは、教師と生徒を村費で一か月アメリカへ留学させて視野を広げているという。このように大田村より過酷な条件ともいえる田野畑村はあの手この手の取り組みをすでに実践している。大田村村民をはじめ、この集会の参加者たちは、たとえ過疎であったとしても大事なのはあきらめずにチャレンジすることだと学んだはずだ。

二点目の産業振興については、法政大学の清成教授が「大田村は地方交付税など外部の財政に依存しており、行政改革などが進むとまた格差が開くおそれがある。所得を増すには一品を二品、三品と増やすように地域の側から産物を作り出すべきだ」とまず基本的な方向を示していたが、ここでも田野畑村の武田さんが行政の役割の重要性を説いている。

「所得や進学率は岩手県下でも最低だった。低生産性と村民の貧しい心の悪循環があった昭和50年まで、農協は農産物を売ったことがない状態だったので、まず役場の産業課でやろうと取り組んだ。基幹産業の酪農でも、若者の研究会をつくり牛の乳量を増やすことに成功した。田野畑村は全国一働く役場の職員だと思う」と強い自信をのぞかせた。

冷房もない暑い体育館に約四時間半、熱っぽい論議でさらにヒートアップしたこの日の大田村だった。結論は当然ながら出ない。出ないけれども、一定の方向性は見いだした。この手のシンポや集会では方向性こそ重要なのだ。大田村のムラおこしは緒についたばかり。同村の挑戦は今後の動きにかかっていた。

商業ムラおこし研究集会（１９８２年２月７日）

ムラおこし、一村一品運動が地域に根を下ろす間にも、地域の小売業は大規模小売資本の攻勢にさらされ、乱れ、変貌し、その対抗策として大型店出店反対闘争を展開するしか打つ手がなく、まさに青息吐息の状態に陥っていた。

そこで次の研究集会をどうするかの会議が、１９８１（昭和56）年暮れに四バカの一人、西太一郎さん宅であった。

シンポジウムのコンセプトは、無政府状態となっている今の小売業を地域形成や町づくりとの関連で考え、このシンポを契機に県下での商業ムラおこしが住民ぐるみで行なわれることを期待するものだった。

タイトルは、「現代版『士農工商』考〝商人（あきないびと）は生き残れるか？〟」。

商人に「あきないびと」とふりがなを打った理由は、売らんかなのあくどい商売人のイメージではなく、文化の伝道者であり継承者としての誇り高い商人像を「あきないびと」と呼びたかったからだ。

翌82（昭和57）年2月7日、「商人（あきないびと）は生き残れるか」をテーマにした、商業ムラおこし研究集会が豊後高田市の商工会議所で開かれた。

大型店の相次ぐ進出の中で、窮地に立たされている地元小売業のあり方を探ろうというもので、法政大学の清成忠男教授や山口大学の安部一成教授の基調報告のあと、県下各地の商店街の代表や長崎県大村市、熊本市や沖縄県嘉手納町の代表などのムラおこしグループ二百数十人が参加し、悩み多き地元商店街の姿を浮き彫りにした。

商業ムラおこし研究集会の報告書。この報告書のイラストは拙いながら私の書いたものだ

このシンポジウムの結論として、大型店の出店攻勢に翻弄されている地域小売店だが、他力本願ではなく自力更生で、大型店がやれない隙間を充実させるということだった。

安部一成教授の「商業のスペシャリストをめざせ」「若者をねらえばいいというワ

ンパターンの発想を捨て中高年齢者のニーズにあった取り組みも必要だ」といったアドバイスは、今から考えれば実に先見の明があったと思う。実はこのアイデアを私は宇佐市四日市商店街のリーダーのみなさんに何度か伝えたことがあるが、ついに理解してもらえなかった。

後に〝おじいちゃん、おばあちゃんの原宿〟を目指した東京都豊島区の「巣鴨地蔵通り商店街」の成功はまさにこの中高年齢者に焦点を当てた商店街づくりとして花開いている。

「ムラおこし運動」の広がり

第一回豊の国ムラおこし研究集会の大成功により、ムラおこしは大分県の各地でも大きなうねりを起こした。清成忠男教授がいみじくも語った通り「小さな町の大きな実験」であり、そのインパクトは大分県のみならず熊本県、福岡県、長崎県など隣県に波及し、燎原の火のように全国に伝播していった。清成教授の指導はあったものの、当時の「ムラおこし運動」をリードしてきた中心人物は、やはり四バカの一人、ひょうたん屋の溝口栄治さんだろう。

彼は岡山大学法文学部卒。学生時代に培われた筋金入りのマルキストで、独文科の哲学専攻ときている。何でもアウフヘーベン（止揚）したがる理論家だった。ただ、それだけでなく面倒見のいい親分肌で、町や地域や自分の商売を何とかしたいと考えていた若手経営者のよき兄貴分的な存在であり、また精神的支柱でもあった。

この溝口さんが主宰する「宇佐経営研究会」には若手経営者や後継者たちが集まってさまざまな勉強をしていた。あめ玉製造業、陶器販売業、ガソリンスタンド経営、電気工事業、着物販売業、酒屋、ちょうちん屋、ひょうたん屋、それに私の食堂兼土産物販売業と、さまざまな職種の経営者がいた。

宇佐の祭りに「宇佐物産館」を出店して実践活動を行なったり、文化人類学者の川喜田二郎（東京工業大学名誉教授）がデータをまとめるために考案した「ＫＪ法」という手法を勉強したり、大型店の出店計画が持ち上がるや地域小売業と大型店問題など自分の経営に関するさまざまな勉強をしていた。

そして観光に特化したグループがここからまた枝分かれし、例の宇佐の四バカが中心となって活動していた「明日の宇佐観光を考える会」が誕生した。

この「宇佐経営研究会」で、特に私にとって印象的だったのは「納屋産業論」の提唱と実践だった。

納屋産業論とはいわゆる1・5次産業だが、地域の産物をどこの農家にもある納屋や小屋を利用して加工し、付加価値をつければ収入も増えるし、雇用や働く場の提供にもなる。地域に広がっていけば大きな産業にもなる。安易な工業誘致といった外からのインパクトではなく、小さなパイが少しずつ増えていけばトータルで大きな産業になるといった「内発的地域振興」

を目指しており、ひょうたんづくりの溝口さんやちょうちん屋の谷川忠洋さんはこの納屋産業論を実践してきた人たちだった。

そしてこれは、清成教授の考えるムラおこし理念と合致した。

このようにして溝口さんは時代の寵児となり、町づくりをめざす全国のさまざまな地域から講演依頼があり全国を飛び回ることになる。

さて私がこのように大分県で興ったムラおこし研究集会の詳しい内容にまで言及したのは、当時のムラおこしの熱気や黎明期の雰囲気をみなさん方にぜひ知っていただきたいからだ。ことほど左様にあの頃の大分県はエネルギーに充ち満ちており、ネアカで前向きだった。今から思えば、大分県の「坂の上の雲」の時代だったと言えるのではなかろうか。

第五章　新邪馬台国の勃興期

新邪馬台国の叙勲

さて話を新邪馬台国に戻そう。

「卑弥呼号」の成功で市民権を獲得した新邪馬台国はこれまでのように日陰の存在ではなくなった。新聞やテレビでもいろいろと紹介され、総裁の私もちょっとした有名人になった。卑弥呼が一日宇佐警察署長となって交通安全のキャンペーンに駆り出されたり、卑弥呼と総裁の私が一日宇佐税務署署長と総務課長となって税を知る週間のイベントに参加したりもした。

こうなればこっちのもんだ。いろんな構想を次々に実現化できる。

私が次に仕掛けたイベントは「新邪馬台国春の叙勲式」だった。

勲章名は政治勲章、産業経済勲章、文化勲章、スポーツ勲章、ボランティア勲章、婦人勲章の6部門。日本国のように七十歳以上といった年齢の不文律はなく、若くても活躍していればさらに頑張っていただくべく積極的に授与するという考え方だった。

春の叙勲者選考

県民に推薦者を公募し、応募してきた推薦名簿を参考にして、厳正かつ公平に選考したとしてとりあえず発表したのが、まず一村一品に功績があったとして政治勲章が平松守彦大分県知事、産業経済勲章はムラおこし運動の推進役として活躍した安心院町の〝ウルトラマンタロウ〟こと宇留島虎太郎さんを選んだ。まあ、文句の出ないところだろう。

また文化勲章は国東町の坂本達美さんと小柳義光さんの二人を選出した。国東町で古くから継承されている「豊後万歳」を国立劇場の小劇場で上演した功績による。大分県らしい民俗芸能だし、もしきていただければ「豊後万歳」のライブ公演で会場は大いに盛り上がりそうだとの計算もあった。

それから婦人勲章は地元宇佐市の連合婦人会会長、高橋ツイさんだった。高橋さんは「卑弥呼号」以来、いろいろ新邪馬台国の活動に協力的だったし、これからもサポートをいただきたいといった私たちのお家の事情もあったからだ。

最後にもう一つ、ボランティア勲章だが、これは宇佐市で「みんなの家」を建て、心身に障害を持つ人たちのために先駆的活動をしている「歩みの会」代表の寄村仁子さんへ授与することにした。

スポーツ勲章は第一回の叙勲式では該当者なしだった。

各勲章は金色のネックレスの先に金箔で覆った小ぶりのひょうたんがついている。なかなかおしゃれでみんなの評判はよかった。もちろん製作者は溝口さんだ。

副賞も大きめのひょうたんだったような気がする。理由はただ一つ。溝口さんのご好意でタダで提供していただけるからだ。あまり予算のない当時の活動状況を表わしている。

表彰状は私が書いた文章を宇佐神宮の後藤吉雄権禰宜や高津修権禰宜にお願いし毛筆で格調高く書いていただいた。当時の宇佐神宮は今とは違い地元と一体感があり、到津公齊（きみなり）宮司をはじめ、神宮の神職の人たちも新邪馬台国の活動には大変協力的だった。

この表彰状の清書もありがたいことにもちろん無報酬だった。だが、お二人とも仕事の合間に書くものだから何回目かの叙勲式のときなどは間に合わず、式の直前になってようやく書いていただいた表彰状を取りに行った私が団扇であおぎながら乾かして事なきを得たこともある。

第一回　新邪馬台国春の叙勲式（1981年4月5日）

選考した受章者は誰一人断わらなかった。叙勲の栄を告げるとむしろ大喜びしていただいた。だんだん新邪馬台国の知名度が上がってきていた時期でもあり、ありがたいことであった。

当日、受章者は早くから会場入りをされていた。宇佐神宮の境内を散策したり、お抹茶を飲んだり。そして叙勲式の始まる前には、神宮庁の貴賓室で式典を待っていただいた。シチュエーションは最高で、いやが上でも格好がつく。

ただ残念なことに平松知事は公用のため叙勲式には立ち会えず、当時大分県宇佐福祉事務所長をされていた四井正昭氏が代理で見えた。

春の叙勲に先立ち、ミス桜十人の選奨式があり、その中の一人、宇佐市正覚寺の短大生江藤さゆりさん（当時十九歳）が三代目のミス卑弥呼に選ばれた。

政治勲章、産業経済勲章、文化勲章…の順で一通り叙勲が終わると、最後にアトラクションで国東から駆けつけて下さった坂本さんと小柳さんに豊後万歳をご披露いただいた。

右手に日の丸の扇を持った太夫格である舞い手の坂本さんと、締め太鼓を携えた才蔵役の囃し手の小柳さんのコンビネーションで、万歳が始まった。囃し手が締め太鼓を軽快なリズムに乗せて打ち始めると舞い手もぱっと扇を広げ、軽やかに舞い始める。舞いことばの要所要所に、囃し手が威勢よく「マンザイ」と合の手を入れるから、浮き浮きする景気のいい万歳舞いとなる。

会場での台詞回し(せりふ)は残念ながら覚えていないが、ネットで拾った豊後万歳の舞ことばの一節をここに記しておく。採録者はなんと挾間町の民謡研究家・加藤正人さんである。明日の宇佐観光で新民謡の「ソウチコばやし」を作ったときに作曲を担当していただいた方だ。

〽浮世の宝をあらあら申さば、一にはお命　二には福徳　三には幸い
四に又お家の御繁昌の宝をあらあら申さば（万才）
祖先が宝よ　爺ちゃん宝よ　婆ちゃん宝よ　坊こそ宝よ　嬢こそ宝よ
中でも宝はカカこそいっちの宝よ　（万才万才マママラノ万才）

叙勲といったこうした晴れの舞台には申し分ない出し物で、会場に詰めかけているみなさんも初めて観る二人の豊後万歳に大いに魅了されていた。

「政治勲章」、押しかけ授与（1981年4月8日）

受章式に平松知事がこられなかったのは、私たちの大きな誤算だった。

当日の反省会で「知事が公務多忙なら、こちらから押しかけていこう」ということになり、県の秘書課の方へ知事のスケジュールを聞いてみた。こうして「政治勲章」の押しかけ親授式の日取りは3日後の4月8日、知事室で行なうことが決まった。

さて4月8日当日。卑弥呼の江藤さゆりさんや初代首相であり現商工大臣の矢口力さんたちと車に乗りあって県庁へ向かった。

大分県の比較的新しい方言で一張羅の服のことを「県庁行き」と呼ぶが、その日の私の「県

押しかけ授与式。知事室で平松知事へ政治勲章を授与した

庁行き」は総裁の衣裳だった。

授与式の会場が知事室ということもあり、また私は平松知事と初対面ということもあり、しかも知事室の前には新聞記者やテレビメディアも大勢駆けつけており、さすがの私も緊張感でいっぱいだった。

そうこうするうち知事が部屋へ入ってきて、いよいよ親授式の始まりとなった。

「ただ今より、一村一品運動で功績大である平松守彦大分県知事へ新邪馬台国の栄えある第一回政治勲章を授与いたします」。

私が開会の挨拶をした。

帰りの車の中で「総裁の開会の挨拶は堂に入っていて素晴らしかった」とみなさんからお褒めのことばをいただいたが、正直に告白するが、全く記憶になく、演技というより緊張のあまり素っ頓狂な声を発しただけのような気がする。

当時、西日本新聞が卑弥呼役の江藤さゆりさんに取材した政治勲章親授式のやりとりが載っている。

江藤さんは「わたし、すごく真面目な事をやっているのか、それとも、ぜんぜんふざけた事をやっているのか、よくわからないんです。おかしいですね」と切り出し、知事へ政治勲章を授与したことに対して「もう恥ずかしくて、恥ずかしくて……」。

まあ十九歳の娘さんの偽らざる本音だろう。

ただこの記事を書いた記者は続いてこうコメントしている。

「知事を前にした女王・卑弥呼は、どうしてどうして堂々たるもの。ジッと相手の目を見つめて、ゆったりとした口調で語る。知事の方が途中で視線をそらしてしまった」。

お恥ずかしい話だが、確かに私より江藤さんの方が堂々としていたことは事実だった。

参加資格はアマチュアであること！（１９８１年４月12日）

それから四日後が「全日本邪馬台国論争大会」だった。

当時の私たちはイベントの〝自転車操業〟の状態だった。

私自身もいろんな催しの根回し等で家業の仕事は二の次だった。

そんな私を見て「商売そっちのけで、あっちこっち一銭にもならんことで走り回ってから」とブツブツ言いながら母も半分諦めていた。この頃のことを振り返ると海援隊の「母に捧げるバラード」の一節を思い出す。

「こら、テツヤ、ほんとおまえもう、近所の人からあんた、いつも何て言われおっかわかっとっとね。武田のバカ息子、バカ息子ってあんた噂されおっとよ」

数十年経った今、改めて母にわびたい気持ちになる。

さてこの邪馬台国論争大会だが、最初に発想を思いついたのは77年、新邪馬台国を建国する数か月前だった。

実はこの年の1月15日から三日間、博多全日空ホテルで朝日新聞社主催の「邪馬台国シンポジウム」ツアーがあった。

構成・司会は作家の松本清張氏。出席者は騎馬民族説で有名な江上波夫氏、東大文学部教授の井上光貞氏、民俗学者で東大教授の大林太良氏、九州大学考古学教授の岡崎敬氏、同志社大学教授の森浩一氏、そして大阪市立大学教授の直木孝次郎氏とそうそうたる顔ぶれである。全国から六百人以上の聴講者が集まったという。

ちなみにこのシンポジウムの内容は『論争邪馬台国』（平凡社刊、１９８０年）に収められているので興味のある方は是非お読みいただきたい。

古代史ファンの私にとってこのシンポジウムは当然関心はあったが、いくらなんでも1月半ばで初詣客でごった返す繁忙期に家業をほったらかして聴講に行けるわけはない。

ただ後日、このシンポジウムのことが大きく載っていた新聞記事を横目に見ながら考えた。

江戸時代から続く邪馬台国論争だが、こうしたプロの学者先生のさまざまな思考方法や着眼点はもはや限界にきている。閉塞状況にある邪馬台国論争にもっとアマチュアの奇想天外な発想やフレキシブルなアイデアを導入できないか、と。

例えば聖職者として、また医師として多忙な日々を送っていたニコラウス・コペルニクスが、趣味の天体観測を行ない、「地動説」の着想を得たように、プロの能力を持ったアマチュア、いわゆるプロフェッショナル・アマチュアこそがこの邪馬台国論争に「コペルニクス的転回」をもたらすとの持説に確信を持っていた。だから私たちの主催する論争大会は参加できる唯一の資格を「アマチュアであること」としたわけだ。

具体的にいえば、論者もコーディネーターも古代史や邪馬台国の専門的な研究家ではなく、他の専門を持ちながら趣味でやっている人ということだ。

それから「論争大会」の上に「全日本」と銘打ったのは「新邪馬台国建設公団」の前身「日本雑音会」を結成したときと同じ理由だが、つまり活動を一地域の活動だけに終わらせるのではなく、全国に影響を波及させよう、全国に情報を発信させようとの意気込みからだった。

そこで最終的にタイトルを「全日本邪馬台国論争大会」、サブタイトルを「～民間論者大集合～」とし、趣旨を「アマチュアの　アマチュアによる　アマチュアのための邪馬台国論争大会」とした。

そのうち新邪馬台国のもう一つの目玉イベントとして全国に発信しようともくろんでいたが、意外に早くこのイベントを実行するチャンスが訪れた。

実行委員会の立ち上げ

まず例の三バカにこの論争大会の意義や構想について相談した。よく覚えていないがこのイベントについては「叙勲式」よりもっと前に彼らに打ち明けたと思う。いつものように彼らは一も二もなく賛成してくれた。

当時宇佐のムラおこしは「納屋産業論」と「文化による地域振興」の二枚看板を標榜していたので、この宇佐邪馬台国説に基づく邪馬台国論争大会もその理念の具現化の一つとして面白いと思ってくれたのだと思う。

そして前年行なった「卑弥呼号」の実行委員会を基本にしながら、新たに「全日本邪馬台国論争大会」の実行委員会を立ち上げようということになった。

その初会合が１９８１（昭和56）年の２月26日午後、市役所の会議室で行なわれた。大会の趣旨をまず私が説明し、このイベントを行なうことを満場一致で可決した。そして実行委員長は卑弥呼号のときと同じ秋吉太郎宇佐市議会議長に決まった。

大会期日は４月４日午前11時から、場所は宇佐神宮庁会議室で開催することにし、司会はある人と交渉中と発表した。

大会の日程は桜祭りの日程と重なり、後に4月12日に変更している。

民間の論者（自説発表者）は計六名で、以前から宇佐説を唱えており、人口に膾炙していた現役の国東町長伊勢久信氏と、他一名は論文を送っていただくことを条件に論者として内定していた。

後の四名を公募とし、四百字詰め原稿用紙10枚に自説の要旨をまとめ、送っていただくこととした。

入場料はお弁当込みで一人二千円。神宮庁会議室のキャパシティの問題もあり、百五十人限定とした。

以下は論争大会の概要だが、採用された論者には当日、最初に自説を二十分の持ち時間で発表していただき、その後は会場に参加している聴講者も論争に参戦できるようにした。論者と会場の邪馬台国ファンの聴講者が丁々発止とやり合う、まさに手に汗握る邪馬台国論争大会になればしめたもんだ。おそらく全日空ビルで開かれた高名な学者先生たちによる「邪馬台国シンポジウム」にはない白熱した論戦が期待できた。

ただ論者（自説発表者）に過酷だったのは、全国どこからお越しになっても交通費と宿泊費とお礼込みで一万円ポッキリだった。すべて手弁当で参加していただくといった、今から考えると誠に申し訳ない条件だった。

実行委員会の中には、最初、こんな悪条件で遠くから論者がきてくれるのかと懐疑的な見方をしていた委員もたくさんいた。

ところが毎日新聞をはじめ、各紙に全国版でこの論争大会の論者募集の記事が紹介されると、全国の在野の研究家からの応募が殺到した。

この理由は、思うに１９６７（昭和42）年に、宮崎康平氏が『まぼろしの邪馬台国』（講談社）を出版されベストセラーとなったこと。このことがそれまで学者のレベルにとどまっていた邪馬台国論争を一般にまで広めたとされる。そしてちょっとした邪馬台国ブームが起こり、自称邪馬台国研究家が全国に増殖され、自説の発表の場を渇望していたのではと思った。

それともう一つ。論者に選考されると事前に提出した論文は『季刊・邪馬台国』（梓書院）に掲載するという条件を付けていた。在野の研究家にとっては自説の発表の場と自説が活字になって専門書に載るというのはうれしいことだったようだ。

私もアマチュアの邪馬台国ファンとして、この条件は論文を応募する人たちにとってのモチベーションになるだろうと事前に福岡の『季刊邪馬台国』を発行している梓書院へ直接行って交渉し、了解を得ていた。

あるＳＦ作家に白羽の矢

まず決めなければならなかったのはコーディネーター役を誰にするか、だった。

私は学生時代に難解な哲学書からエロ雑誌まで手当たり次第に本を読んでいた。ＳＦ小説も大好きで、豊田有恒氏（参照1）の『退魔戦記』を読んでファンとなり、その後上梓された『倭の女王・卑弥呼』や『親魏倭王・卑弥呼　小説邪馬台国第2部』、『邪馬台国作戦』もお気に入りの本となっていた。私が子どもの頃熱心に見ていたアニメのシナリオを豊田有恒氏が書いていたことも氏に親近感を抱くきっかけになった。

女学生がアイドルに抱くような憧れもあり、古代史のプロではないが古代史に造詣の深いＳＦ作家の豊田氏が、このイベントのコーディネーターにぴったりだという思いがあった。

（参照1）豊田有恒（とよた・ありつね）　群馬県前橋市の医家の生まれで文学青年だったが、父親の急死と兄の病気で急きょ家業を継ぐため医学部を受けたところ、１９５７年、現役で東京大学理科二類（医学科進学課程を含む）に合格したという頭の持ち主。が、東大が気に入らなかったため慶應義塾大学医学部に進学。しかし入学直後に兄が回復したので、医者の勉強はやめて遊び呆け、のちに武蔵大学経済学部に進学し直したという変わり種だ。

武蔵大学在学中から、アニメ『エイトマン』の脚本を書き始め１９６３年末に脚本家デビューを果たした。武蔵大学卒業後、手塚治虫に『エイトマン』での手腕を買われて、1964年、嘱託社員として虫プロダクションに入り、『鉄腕アトム』を初めとしてアニメのシナリオを手がけている。

虫プロダクションでは続けて『ジャングル大帝』などの脚本を手がけたが、その後TBSの通称漫画ルームに移り、『スーパージェッター』『宇宙少年ソラン』のシナリオを書いた。

（ウィキペディアより）

SF作家の豊田有恒氏を訪問

早速東京のNHK本社のディレクターをしていた私の友人、M氏に豊田氏の連絡先を調べてもらった。彼には卑弥呼号のときにも高木彬光氏の住所や電話番号を教えてもらったことがあり、大変ありがたい存在だった。

余談だが2003（平成15）年5月23日、個人情報保護関連5法が成立し、同月30日公布されて以後、こうした個人情報の扱いについてはより厳しくなった。

しかし信じられない話だが、この頃の本の奥付にはまだ作者の住所や電話番号を載せているものもあったし、作家の住所や電話番号を掲載した〝作家名鑑〟なるものも売っていたのだ。

さて当時豊田氏は新進気鋭のSF作家として多忙を極めていたようで、執筆活動は主に真夜

第一回　全日本邪馬台国論争大会のコーディネーター、SF作家の豊田有恒氏（右）
文福の卑弥呼の家にて（写真：石松建男氏）

中であるらしく「昼間は寝ているので夜にお願いしたい」ということでご自宅へお邪魔したのは午後の7時頃だったと思う。

客間に通されて、早速「論争大会」の話になった。

交通費と宿泊込みの少額のギャランティを提示するのははばかられたが、最後に思い切って伝えたところ論争大会のコーディネーター役を快諾してくれた。多忙の豊田氏の食指が動いたのはやはり開催する私たちの熱意と企画だったと思う。

特に「アマチュアの　アマチュアによる　アマチュアのための邪馬台国論争大会」といったイベントの趣旨がこれまでの邪馬台国シンポジウムの発想にはなかったこと。そして、手前みそだが、「新邪馬台国建設公団総裁」の名刺を持った田舎の青年がやってきたことが、ＳＦやユーモア小説を書いている作家にとって「面白い」と感じていただいたのかもしれない。

民間の論者決まる

論文は最終的に全国から二十三編の応募があった。そして八十八歳のお年寄りから十二歳の小学生まで年齢の幅が広い。邪馬台国が国民的関心事である証左だろう。

驚くことに二十三編の応募のうち県内在住者は二人だけ。十四編が東京を中心とした関東地方、二編が関西、そして残り五編が県外の九州・山口在住者だった。

送られてきた論文二十三編をコーディネーター役の豊田有恒氏、宇佐史談会長の中野幡能氏、事務局長の椛田美純氏の三氏に選考してもらった。

そして最終的に次の四名が公募で決まった。

「宮崎県南部説」　中学教諭、斉藤正憲さん（当時五十七歳）＝千葉県印旛郡

「四国松山説（墓所は宇佐神宮）」　経営コンサルタント、浜田秀雄さん（当時七十四歳）＝栃木県宇都宮市

「九州東部説」　気象学者、山本武夫さん（当時六十九歳）＝山口県徳山市

「宇佐説」　無職、森正己さん（当時七十四歳）＝大阪府寝屋川市

招待論者が二名決まっていたことは前述したが、一人は現役の国東町長の伊勢久信さん（当時六十六歳）。もう一人は福岡県山門郡瀬高町の村山健治さん（当時六十六歳）だった。

伊勢さんは当時すでに宇佐説を発表しており、前年の80（昭和55）年に『季刊邪馬台国』の創刊記念懸賞論文で優秀作をとり、「韓国古代史より邪馬台国に迫る」のテーマで書いた論文が同年10月に発行された『季刊邪馬台国』6号に紹介されていた。実はこの論文が高木彬光氏『邪馬台国の秘密』にも影響を与えていると言う人もいる。

伊勢久信さんは1955（昭和30）年、木下郁知事が就任したときに秘書課長で県に就職し、厚生、農政部長を歴任。退職後は県信用保証協会専務理事を経て国東町長になられた方で、私もよく存じ上げていた。県職時代から執筆活動をなさっており、『邪馬台国　そのベールをはぐ』以外にも『それからの忠直卿』、『国東武将物語上・下』、『二豊関ヶ原前後』など著書多数。

もう一人の村山さんは自営業を営みながらコツコツと邪馬台国を研究し一冊の本を著している在野の研究家だ。本のタイトルは『誰にも書けなかった邪馬台国』（佼成出版社）で「筑後山門説」だ。

福岡RKB制作で『私の好きな卑弥呼』というタイトルのドラマがあった。サブタイトルが「邪馬台国に賭ける男のペーソスあふれるコメディ」とあり、私も母も興味深く観た。

主演は初老の郷土史家役に牟田悌三、その娘役が木村理恵だったと思う。

実はこのドラマのモデルこそが村山さんだった。だから村山さんは在野の研究家としてはすでにちょっとした有名人だった。

記念すべき第一回の「全日本邪馬台国論争大会」には村山さんに是非出場していただきたいということで、連絡をつけお願いした。

邪馬台国を愛する人を私は昔から「ヤマタイキスト」と呼ぶことにしているが、村山さんのようなヤマタイキストは三度の飯より邪馬台国が好きで、親の死に目ならいざ知らず、少々のことなら駆けつけてくれるだろうと踏んでいたが、ありがたいことに案の定だった。

もう一人、十二歳の最年少応募者が、千葉県市川市の学習院初等科六年生で、名前は田中浩二君といった。

論文はとても小学生とは思えない力作で、実行委員会では是非特別招待したいと連絡したが、結局学校の都合で参加がかなわなかった。

第一回　全日本邪馬台国論争大会（１９８１年4月12日）

いよいよ当日がやってきた。

三度の飯より邪馬台国が好きなファンが全国から宇佐神宮庁の会議室に詰めかけた。

入場者は百五十人で締め切ったが、会場は関係者を入れると二百人近くおり、まさにすし詰め状態だ。

論者になった六名は二十分の持ち時間で自説を述べた。

論者の具体的な邪馬台国比定地およびその根拠について、残念ながら資料が散逸していて詳しく書けないので、このイベントを詳報してくれた毎日新聞から引用することにする。

まず「豊前説」を主張する大阪府寝屋川市の無職・森正己さんは「豊葦原の瑞穂の国は豊前平野である。つまり邪馬台国はここにあった。それは地名や方言、神社、遺跡等から証明される」という。

次に「四国松山説」の栃木県宇都宮市、経営コンサルタントの浜田秀雄さんは、「行幸会の神事は卑弥呼が海より北九州に進入し、宇佐、国東を経て豊予海峡を渡り、四国と瀬戸内海、松山平野を支配して邪馬台国と称した」と唱える。

第一回　全日本邪馬台国論争大会
石松旅館にて　右から筆者、宇佐市観光協会事務局長原田正巳氏、豊田有恒氏、今戸公徳氏

つづいて福岡県山門郡の自営業村山健治さんが発表。「不弥国は宇美町、投馬国は久留米付近、邪馬台国は瀬高町、山門郷はオオミワ郷」と山門説を主張した。

この三名の発表が終わると昼食のため暫時休憩。

会場に配布されたのは特製「邪馬台国弁当」だ。上に邪馬台国弁当と書かれたかけ

第一回 全日本邪馬台国論争大会～民間論者大集合～ 宇佐神宮会議室にて
コーディネーターはSF作家の豊田有恒氏

紙がかかっていて、その下には邪馬台国時代の食事について説明したちょっと大きめのしおりが入っている。弁当のかけ紙やこのしおりを記念として大事にしまい込む人もいた。

さあここで本日の主役、新邪馬台国の卑弥呼の御登場となる。

「皆様、本日は遠くからはるばるこの新邪馬台国へ御来邪いただき、まことにありがとうございます。私は新邪馬台国第三代の女王卑弥呼と申します。どうか白熱した議論を戦わせ有意義な時間をお過ごし下さい。また皆様方にお配りいたしました『邪馬台国弁当』は新邪馬台国の海の幸・山の幸をたくさん使って真心込めて作りました。どうぞご賞味ください」

弁当を食べ終わった参加者はめいめい卑弥

呼とツーショットで写真を撮ったりしては引っ張りだこだった。

午後からは「宮崎県南部説」の千葉県印旛郡の中学教諭・斉藤正憲さんだ。彼は「投馬国は津間（つま）国のことで、大分市津守付近、そこから水行十日は宮崎県美々津港で陸行一月は都城市東諸県郡一帯となる」と力説する。

また、山口県徳山市の気象学者山本武夫さんは「三世紀は小氷期の気候で北九州にあった国が南下した。唐津湾にあった伊都国からは東回りの航路は対馬海流に逆行するので不可能であり、西回りの航路で南下すると大分県南部が邪馬台国になる」と「九州東部説」を強調した。

最後の国東町長伊勢久信さんは「邪馬台国の研究は韓国古代史の研究から証明しないといけない。朝鮮半島を水行し陸行して〝はじめて一海を渡る〟のが朝鮮海峡で、末盧国は福岡県の玄海町である。伊都国は飯塚市付近であり、邪馬台国は豊の国である」と「宇佐説」を発表した。

二十分の持ち時間は厳格に守っていただいた。「三分前」、「一分前」と大きく書いた注意書きを論者の視界に入る位置に立って注意をうながした。そしてさらに一分経つとチーンと鐘が鳴り持ち時間終了となる。

会場からの質問や意見にも、これまた三分といった時間制限も敷いていた。

この主宰側の時間裁きはテキパキとした運営となり、会場の聴講者やマスコミの人には評価された。

ユニークな自説、譲らず大論争（1981年4月13日）

翌日、地元紙の大分合同新聞には次のように紹介された。

「邪馬台国はわが町だった」「〝ユニークな自説〟譲らず大論争」「アマ研究家が宇佐市に集合」との見出しがあり、

「六人とも『魏志倭人伝』の中の距離や方向、あるいはそれぞれの場所に残る遺跡や地名、神事や文献などから独自の論理を組み立てている。中国の気候から邪馬台国を推理していった山本さんなど、いずれも地道な研究をうかがわせるものばかり。

論者の発表の後、豊田さんを司会役に全員で討論会。参加者は自説の研究資料を手に各論者につめ寄るなど議論は白熱した。また、いささか我田引水的な説もあり、参加者たちの間から笑いが起きる場面も。最後に司会役の豊田さんが講評した。

豊田さんは『それぞれが違う立場でよく研究しており、まじめな議論になった。それぞれの意見は大変面白かった』と感想。大会後、参加者たちは宇佐神宮に参拝、夕方から近くの観光土産品店で豊田さんを囲んで炉端討論会を開き、言い足りなかった点を中心に遅くまで議論した」とある。

ちなみに豊田さんを囲んで炉端討論会を行なったのは当然ながらうちの文福だった。

次に西日本新聞の記事をちょっと長いが見てみよう。

「わが町こそ邪馬台国!?」「アマチュア研究家　大激論　宇佐で全国大会」「大まじめ　珍説、奇説」「150人　名誉教授から船乗りまで」と見出しだけ読んでも面白い。

西日本新聞は論争の詳しい内容まで切り込んで紹介している。

「【一里は何メートル】魏志倭人伝に記述がある『陸行五百里』この一里が何メートルにあたるかで、邪馬台国の位置が変わってくる。豊田氏が『一里が八十メートルから四百メートルまで大きく見方が違っているが、正確にはどうなのか』と、問題提起。山本氏は四百メートルをとなえた。シルクロードを書いた西域伝では、砂漠のオアシスの位置を正確につかむ必要から、距離に対しては、しっかりした感覚を持っている。そこでは一里は約四百メートル。これがそのまま倭人伝にもあてはまる、との説。これに対して、伊勢氏が反論。一支国（壱岐）が方三百里とある。一里四百メートルだと壱岐が四国の大きさになる。やはり八十メートルと考えるのが妥当だというわけ。村山氏は七十五メートル説。中国の一里の塔を実際に見てきた人が、計ったのだから『まちげぇねえ』。浜田氏は百八十メートルをとなえる。『論拠は』と聞かれて『邪馬台国が松山にあるためには、これがちょうどいいんです』。ユニークな〝逆算方式〟に、満場爆笑」とある。

さらに論点となった魏の一行がどこに入港したかについても「伊勢氏が『船は今の福岡県・

第一回 全日本邪馬台国論争大会。宇佐説の伊勢久信氏（国東町長）

神湊に着いた』ととなえたことから議論がふっとう。『オレは一日前まで船乗りだった』というアマチュア論者が猛然と反論した。『あそこは港にはならんですよ。しかも魏人たちの滞在中、船をつないでおくのも難しい所だ。専門家が言うのだから間違いない』。豊田氏も対馬からいきなり神湊は、無理だろうと〝野生号〟に乗った体験から、伊勢説に反対した。一方、村山氏は『水行十日』は、久留米市から船を出し、筑後川を下って、いったん有明海に出て、矢部川をさかのぼったと主張。これに対しても、船乗りが反論」。

　結論が出ないことは百も承知だが、この第一回の論争大会について西日本新聞はこのように論争の中身を書いていた。

　また西日本新聞はまとめとして「開催地が宇

佐市とあって、この日の論争では宇佐説が圧倒的優勢。伊勢氏の発言に場内から拍手もわくほどで、豊田氏などは『今日は宇佐説をとらないと、生きて帰れないみたいですな』と苦笑い。昼食時には〝卑弥呼〟のお茶のサービスなどもあって、宇佐色は強まるばかり。もっとも、論者の中に、邪馬台国畿内説が一人もいなかったのも、一つの要因になっている。そこで主催者側が『来年は一つ、畿内説も参加してもらって宇佐説とがっぷり四つに組んでもらう』と予告して締めくくり」とある。

確かに主催者としては宇佐説にこだわらないといった立場はあるものの、邪馬台国論争は一種地域ナショナリズムの形をとることが多い。

聴講者も地元の人の比率が多いはずだから自然と宇佐説をとる伊勢さんの主張に拍手が起こるのも仕方のないことだ。がしかし主催者としてはやはり公平な立場で論争大会を開催しなければならないといった反省はある。

また畿内説が一人もいなかったのはバランスを欠いていた。これは論者の論文選考段階から議論があったが、なかなか畿内説で説得力のある応募者がいなかったことによる。

これも次回以降の課題だった。

しかし全国で初めて開いたアマチュアによる邪馬台国論争大会の反響は大きかった。

ＮＨＫの教育テレビを見て仰天

大会から間もないある日、ＮＨＫ教育テレビを見ていたときのことだ。「気候の語る日本の歴史」がテーマだったと思うが、なんだか見たような顔をした方が番組で日本の歴史と気候の関係について講義をしている。

「あっ！」思わず声が出た。

論争大会に山口県徳山市からお越しの気象学者・山本武夫さんではないか！　私が観たのはこの番組がシリーズもので、何回目かのときだった。山本さんがレギュラー出演されていることもそのとき初めて知った。

私は急いで山本さんの資料を集めてみた。

山口県生まれで、１９３７年大阪帝国大学理学部物理学科卒。宇部高等専門学校教授、48年山口大学教育学部助教授、52年「日本における気候永年変化に関する研究」で東大理学博士、同年西日本文化賞（西日本新聞）受賞。そして山口大教授を経て75年定年退官。その後名誉教授、徳山大学教授になり79年『日本書紀の新年代解読』で、日本気象学会から天気予報の父と呼ばれる藤原咲平にちなんだ「藤原賞」を受賞している。

論争大会に応募して宇佐へきていただいたのはこの二年後ということになる。

その後山本さんの著書のうち『気候の語る日本の歴史』と鈴木秀夫・山本武夫共著『気候と

文明・気候と歴史』を購入し読んだ記憶がある。

こんな高名な、気象学の泰斗とも言うべき人に、知らないとはいえ、交通費、宿泊費、謝礼込みで一万円ポッキリの待遇であったこと、しかも当日は私たちスタッフも忙しくてほとんど山本さんをはじめ論者の方たちの接待も市長や議長に任せっきりで、失礼した。

今から振り返っても恥多き人生だが、このことも未だに忘れられない論争大会の思い出だ。

一度、改めて山本さんを宇佐へお招きし、きちんとした講演会を開催したいと思っていたが、ついに実現することができなかった。

謎の「サングラスの男」、来訪（1981年4月17日）

第一回全日本邪馬台国論争大会が成功裏に終わって、まだ熱が冷めやらぬ頃だった。具体的に言えば、たしか五日後の4月17日のことだった。

文福の玄関のドアが突然開き、三人の男性が入ってきた。最初の方は杵築市の郷土史家で県文化財保護審査会委員の入江英親さんで、何度か文福に私を訪ねてくれて談笑したことがある。

その入江さんが、もう一人の男性に向かって「こちらが新邪馬台国建設公団総裁の高橋さんです。先日、全日本邪馬台国論争大会を終えたばかりです」と私を紹介してくれた。その男性はごま塩のオールバックで、濃い目のサングラスをかけていたが、個性的なその風貌から誰で

文福で珈琲を飲む松本清張氏（左）と斎藤忠東大名誉教授（右）

あるか一目でわかった。

それは〝文学界の巨人〟ともいうべき「生・松本清張」だった。

「松本です。ちょっとお話を」。

私は大慌てで三人をプライベートルームである〝総裁執務室〟へご案内した。

先日行なったアマチュアの論争大会には興味があったらしく少しやり取りをしたが、緊張のあまり何を話したかほとんど覚えていない。ただ「私たちが行なったアマチュアの論争大会はそもそも先生（清張氏のこと）が四年前司会をなさった、博多の全日空ビルでのシンポジウムにヒントを得たんですよ」と正直に伝えたことだけは覚えている。

その後松本氏からコーヒーを飲みたいと所望があり、運んで行って、写真を撮らせていただいた。

本当はミーハーのように松本清張氏とツーショット写真を撮りたかったが、恐れ多くて最後まで言い出せなかった。

ところでもう一人の男性は、総裁執務室では正体を明かさず、この時点では誰だかわからなかった。

実はこの日、宇佐神宮庁会議室で松本氏を囲んで座談会が企画されていた。私は呼ばれていないので行かない予定だったが、天下の〝清張先生〟が、わざわざ私を訪ねてきてくださったという恩義に報いるため、三人が神宮へ向かった後、カメラを引っさげて神宮へ車を走らせた。会場に着くともう座談会は始まっていた。その会場でわかったのは文福にきた〝第三の男〟は東大教授を経て、当時大正大学で教鞭を執っていたあの伝説の斎藤忠教授（参照1）だった。

座談会の内容は、後に地元紙に掲載された記事によって知ったのだが、座談会前日に行なった真玉町の猪群山の巨石調査の話だったと思う。

（参照1）斎藤　忠（さいとう・ただし）　北海道生まれ。生後ほどなく仙台市に移る。1929（昭和4）年4月東京帝国大学文学部国史学科入学、卒業論文題名は「本邦古代に於ける葬制の研究」。1932年、同大学卒業。1955年、「新羅文化の考古学的研究」により東京大学から文学博士の学位を授与される。1965年東京大学教授、1970年大正大学教授、

1983年退任。財団法人静岡県埋蔵文化財調査研究所長を務めた。著書多数。2013年7月21日没。享年百四歳。考古学会の最長老だった。（ウィキペディアより）

松本氏の作品は芥川賞を受賞した『或る「小倉日記」伝』をはじめ、社会派推理小説ブームを起こした『点と線』『眼の壁』、その他にもベストセラーになった『ゼロの焦点』『砂の器』など、すべて私自身も読んで感銘を受けている。彼は戦後の日本を代表する作家であり、仰ぎ見るような存在である。

しかし私は松本氏に対して、何となくキライという印象を持っていた。

私がまだ学生時代だったが、こんな事件があった。

高木彬光氏の『邪馬台国の秘密』が上梓されベストセラーになった1974（昭和49）年、雑誌『小説推理』7月号の中で松本清張氏は「学術論文」としての側面から痛烈に高木氏の批判を展開した。

高木氏が、「この作品（『邪馬台国の秘密』）は、小説だが学術論文に近いもの」と語っていたからだが、松本氏はこれにかみついた。

とくに松本氏が指摘したのは、邪馬台国宇佐説には市村其三郎氏らの先行説があることと行程の解釈においても「水行十日　陸行一月」について古田武彦氏に先行論文があるというのだ。それを伏せてあたかも神津恭助の独自の説として扱うことは、推理小説としては、新味もなにもないと酷評した。

その後雑誌社も公平を期すためだろうが、9月号は松本氏の批判に高木氏が応戦。10月号は再び松本氏が再批判し、そして11月号に高木氏が再び応戦…と4回にわたって論争を繰り広げている。世に言う「松本清張VS高木彬光の邪馬台国論争」（参照1）だ。

残念ながら私はこの雑誌の具体的な「論争内容」は知らなかったが、この「論争」を週刊誌が野次馬的に掲載していたのを読んで、この〝事件〟のあらましは知っていた。松本氏の執拗な高木氏攻撃に対し、高木氏に同情的な気持ちになっていたのである。

私の性格上、判官びいきもあり、さらに後年、卑弥呼号のときに高木氏夫妻には大変お世話になったこともあって、松本氏に対し少し〝偏見〟を持っていたと思う。

（参照1）この論争については郷原宏著『日本推理小説論争史』に詳しい経緯が載っている。

「松本清張・斎藤忠　巨石調査同行記」

この『新邪馬台国建国50年史』は自分史といった要素だけではなく、私の目で見た宇佐および大分県の近現代史という側面もある。また大げさに言えば、当時の日本の時代や世相も描くことができればより良いと考えている。

右から杵築市の郷土史家・入江英親氏、松本清張氏、斉藤忠氏、藤延晟氏、中野幡能氏。宇佐神宮大会議室での座談会（座談会前に文福へ来られた）

だから周辺情報でも大事なことは載せておきたいと思う。

その意味で4月23日付の大分合同新聞「松本清張・斎藤忠　巨石調査同行記」に少し触れておきたい。

読み終わって氷解した点が何点かあった。

実は、なぜ突然降ってわいたように、宇佐神宮で松本氏の座談会が企画されたのかと不思議に思っていたが、大分県豊後高田市にある猪群山（いのむれさん）の巨石調査が行なわれ、その「報告会」としてどなたかが企画したらしい。

もう一つ、会場にいた五人のうちの一人がどうしてもわからなかったが、その人は東京進学研究会長の藤延晟氏だったということだ。

猪群山の巨石調査そのものが、真玉町横山出身の藤延氏の尽力で実現したと記事にはあるからだ。そして松本氏一行が現地に赴いたとき、横山地区民約三百人が拍手で出迎え熱烈歓迎したことも伝えている。

さらに午前11時45分に登山開始したが、松本、斎藤両氏は消防団員のかつぐカゴに乗って山頂まで登っている。純朴な田舎の人たちによる心づくしのおもてなしだったのだろう。

さてこの調査で注目すべきは、猪群山の巨石についての松本、斎藤両氏のコメントだ。私も登ったことがあるが、猪群山の頂上には直径50メートルの円形に大小53の石が散らばり、中央にしめ縄をした高さ4・35メートルの巨石が約60度の角度で天を向いて立っている。

では二人の調査状況についてこの「同行記」から抜粋してみよう。

「松本、斎藤両氏は無言で岩質や巨石の向いた方角などを調べ始める。岩質は安山岩らしい。巨石の向いた方向はほぼ東。

『東向きとなると太陽と関係があるな』と松本氏がぽつり。報道陣に感想を聞かれ松本氏は『自然にあった巨石を人工的に配置し直したと考えられる。巨石を動かす技術を持った人たちはだれかだ。宇佐神宮は鉱山の神で、朝鮮からの渡来者が伝えたとみられる。巨石を動かす技術も朝鮮の土木技術と思われ、宇佐神宮との関連が考えられる』と語った。

しかし、巨石群がどういう性質のものかについては『もう少し考えたい』と結論は出さなかった。

斎藤氏は巨石の周辺（約300メートル）を何回もまわり、土塁が築かれている点に強い興味を示した。

斎藤氏は『巨石が人工のものとすれば、一つの仮説として、悪魔をしりぞけるタブー的なものとも考えられる。古代七世紀中ごろは、朝鮮（新羅）に対して国土防衛の備えがなされ、瀬戸内海沿岸には山上の遺跡が点々と残っている。巨石群は案外それに関連した山城跡かもしれない。中央の巨石はあるいは敵国降伏の願いを込めた遺跡ではないか。神の力で国を守る信仰がなかっただろうか。他にこういう例がないので、日本古代史上重要なものとなる』と語った」とある。

その後一行は、豊後高田市の時安地区の妙見社裏にある巨石群調査にも訪れている。

ここでも「同行記」から二人のコメントを拾ってみる。まず斎藤氏は「これは確かに環状列石だが、ただ年代が問題」と言っている

これについて松本氏も「北海道にあるストーンサークル（環状列石）は、ほとんど縄文時代の墓だが、大分県のストーンサークルといわれるものは性質が違う。ストーンサークルというい方はやめるべきだ。神籬（ひもろぎ）（＝神霊が宿ると考えられる山など）、磐境（いわさか）（＝神を祭るため岩石で囲んだ神域）といった祭祀遺跡といえばよい」と指摘。

翌日一行は午前中に宇佐神宮庁で調査報告を行ない、午後安心院町へ向かっている。途中、

佐田地区の京石を視察したもようだ。

京石についても「同行記」に次のような斎藤氏のコメントが残っている。「京石の名は一字一石からきたのではないか。一字一石は江戸時代に多いので、江戸時代に建てられたのでは」。

そして松本、斎藤両氏の出した結論は、猪群山の巨石群をはじめ大分県の巨石遺跡はストーンサークルではなく、歴史時代の新しい遺跡ということだった。

従来、この猪群山の巨石群はストーンサークル（環状列石）と言われていた。私もそう信じていたが、この調査でストーンサークルではないことがわかったことはある意味で重要だ。だから松本氏の文福への来訪の一件もあり、あえてここに記すことにした。

友情も時には裏切られる!?（1981年11月8日）

松本清張氏との思い出はいくつもある。

この半年後にも松本清張氏は宇佐へやってきた。大分県立宇佐風土記の丘歴史民俗資料館での開館記念講演だった。

初代館長は藤原正教さん（参照1）だった。

藤原館長は「ウサノピアを考えよう会」（西太一郎会長）の主催で、彼を囲んで一杯飲みながら文福の囲炉裏の間で談笑したことがある。

藤原さんの著書『愛と感動と性格の教育』が出版されたばかりのころで、話題は教育問題がほとんどだった。彼をお招きすることになったのは、当時、西さんが宇佐市の教育委員をしていたことに関係があったのかもしれない。

藤原さんがラフカディオ・ハーンの研究者だったこともあり、私にとってはハーンの話が大変面白かったと記憶している。

この藤原館長が10月末頃だったと思うが、ひょっこり運転手付きの黒塗り公用車で文福へおいでになり、真剣な顔で「ひとつ高橋さんにお願いがあるんです」という。

「お願いって、な、なんでしょうか？」と、ちょっと焦り気味に聞いた私。

館長からのお願いというのが、皆目想像がつかなかったからだ。

「実は11月8日に資料館で松本清張さんをお招きし、講演会を行ないます。そこで講演が終わった後、会場から質問者がいなかったらいけないんで、高橋さんに是非質問をお願いします。高橋さんなら的確な質問ができると思いお願いに上がりました」。

頼まれるとイヤとはいえない性格でもあり、また「人生意気に感ず」を信条にしている私でもあり、「私でよければ」と即答した。

ただ即答したものの後悔ほぞをかむのも私の悪いクセで、しばらく「困った、困った」を連発していた。もうあまり時間がない。

早速中津の書店で松本清張の古代史に関するめぼしい著書を探すことにした。

そして清張のコーナーで目に入ったのが『私説古風土記』だった。

風土記の丘での講演だから、ひょっとしてこんな話をするのかナなどと想像しながら購入し、仕事の合間に二、三日徹夜状態で読み上げた。

そして10数項目ほど質問事項を箇条書きでノートに書き上げ、11月8日の講演会に臨んだ。

当日、資料館の講堂は県内外の古代史ファン、清張ファンでいっぱいだった。私は中央最後列に陣取り、質問内容の最終チェックを行なった。

藤原館長の司会で講演会は始まった。

講演の内容はなんと私が熟読玩味した『私説古風土記』そのものではないか！

「ああ、神様仏様」。

まさに天佑神助、よーし、藤原館長が大喜びしてくれるようないい質問をしてやろうと意気込んだ。

一時間半ほどの講演だったが、いよいよ待望の質問時間だ。

館長が「それでは先ほどの松本先生の講演に対して質問のある方がございましたら…」。

「ハイ！」と元気よく手をあげた私。でも会場には数人が手をあげていて、その1人に当たってしまった。

二回目の質問も「ハイ!」と手を上げたが、また他の人が指名された。

私の場所が館長の死角にあることに気づき、列の中ごろへ移動し、三回目の質問に「ハイ!ハイ!」と手をあげるも、またまた他の質問者が指されてしまった。

かくなるうえはと考え、今度は一番最前列まで移動し、藤原館長の目をじっと見て質問を待った。

「エー、質問なさりたい方もまだまだおありのようですが、松本先生のお時間もございますので、このあたりで終わりにしたいと思います。みなさん、長時間ありがとうございました」。

この話は当時刊行されていた月刊『アドバンス大分』（参照2）の「風の噂」にも登場し、「高橋さんの無念」のタイトルで紹介されている。書いたのはアドバンス大分の編集長をしていた三浦祥子さん。

内容はもちろんほぼ同じなのだが、最後に三浦さんが付け足したのは「友情も時には裏切られる。無念の高橋、その夜一升酒を飲んだとか」。

一升酒は飲んでいないが私の気分をよく代弁してくれたと思った。

（参照1）藤原正教（ふじわら・まさのり　1922年―1993年2月）は、日本の教育者、民俗学者。大分県生まれ。１９４４年東京高等師範学校卒。熊本県、大分県下の高校教師をへて、大分大学附属中学校教諭、１９５８年大分県教育委員会指導主事。１９７２年大分県立別府青山高等学校校長、１９７３年大分県立大分雄城台高等学校初代校長。１９７９年大分県教育センター所長。１９８１年大分県立宇佐風土記の丘歴史民俗資料館初代館長。著書に『愛と感動と性格の教育』（第一法規出版　１９８１年）、『鬼と仏のおどる里　くにさき歴史物語』（山口書店　１９８４年）などがある。

（参照2）月刊『アドバンス大分』大分県大分市に本社を置く株式会社アドバンス大分がかつて発行していた月刊の地域情報誌である。創刊は１９７１（昭和46）年8月号で、１９９７（平成9）年に同年8月号をもって休刊するまで二十六年間にわたって発行された。１９９６年に開催された第12回ＮＴＴタウン誌フェスティバルでは、参加した７１４誌の中から大賞を受賞しており、全国的にも高い評価を受けた地域誌であった。（ウィキペディアより）

第六章　国家像は文化立国

あるプロモーターの来訪

卑弥呼号や春の叙勲式、全日本邪馬台国論争大会といろんなイベントを立て続けに開催してきた私は、新聞、テレビ、ラジオ、雑誌といろんなメディアに登場するようになった。

この頃から私に対して売名行為だと批判する人たちがいた。心が傷つくこともあったが、自分が有名になることは目的ではなく、あくまでも手段なんだと自分に言い聞かせ、活動を進めていた。〝文化立国〟をめざす新邪馬台国づくりの一環であり、ネットワークを広げ、宇佐を中心にもっともっと情報発信をしなければと考えていたからだ。

そんなある日、ミステリー列車卑弥呼号のテーマ曲を作曲してくれた飛べない飛行船のリーダー針尾清さんから電話があった。

話の内容は、東京都板橋区の稲荷台小学校のジャズバンド「ニイニイゼミポップスオーケストラ」の九州公演のことだった。

後で知ったのだが、実はこの年（１９８１年）３月21日、針尾さんがリーダーをしていたフォークバンド「飛べない飛行船」は、小倉市民会館のさよならコンサートで解散しており、彼がプロモーターとして再起を図った頃だったようだ。

ジャズと雅楽を結び付けた!!

「ニイニイゼミポップスオーケストラ」は、すでにその頃ＮＨＫテレビ「こちら情報部」やＮＴＶの「スター誕生」、「ルックルックこんにちは」などでも全国に紹介されており、私もたまたま見て知っていた。

確かに話題性は抜群に高いバンドだった。

だが、私が針尾さんから提案されたこの小学生ジャズバンドのイベントに食指が動いたのは、単に彼らが物珍しいからだけではなかった。

一つは指導者の駒形祐和教諭（当時五十三歳）の素晴らしさだった。

駒形先生は、元東京キューバンボーイズ（参照1）の一員で、のち音楽教師となり、１９７９（昭和54）年12月にこの「ニイニイゼミポップスオーケストラ」を結成している。

そして毎日四時間の練習を行ない、わずか一年半でプロ顔負けの演奏技術を身に付けさせている。この実力は遠く海外にも鳴り響き、この年のクリスマスにはアメリカのカルフォルニア大学バークレイ校（ＵＣバークレイ）の招きで渡米するとの話もあったほどだ。

もう一つの理由は近在の小学校に宇佐神宮にゆかりのある伝統音楽を伝えている団体が三つあることだった。

宇佐小学校の雅楽クラブ（二十三人）と北馬城小学校の楽打保存会（二十三人）、それに和間小学校の放生会お囃子クラブ（百四十三人）だ。そしてこの三つの団体とも小学生がその伝統音楽を継承しており、文化財愛護少年団にも入っていた。

せっかく宇佐に東京の小学生ジャズバンドがくるのだから、地元の音楽教師や保護者のみなさんと駒形先生との交流の場を作ることができたら有意義だと考えた。

また単に小学生のジャズコンサートというのではなく、地元の伝統音楽（和楽）を守っている子どもたちと競演することができたら、もっと東京と地方との交流も生まれ素晴らしくなると思った。

早速針尾さんとその場で8月21日（金）と日程を決めた。

場所も宇佐神宮の能舞台がこの競演の場にふさわしい。まず宇佐神宮の了解を取り、三つの小学校の団体やＰＴＡなどに働きかけることにした。

北馬城小学校の楽打保存会へは地元の西太一郎さんから、和間小学校の放生会お囃子クラブには放生会保存会長の秋吉太郎さんから話してもらうよう段取りをお願いした。

また溝口栄治さんご夫妻も双子の娘さんが宇佐小学校で雅楽クラブに所属しており、このイベントでもいろいろ協力していただいた。

（参照１）東京キューバンボーイズは、１９４９年に見砂直照によって結成された日本を代表するラテンバンド。略称はＴＣＢ。ラテン音楽のみならず、映画音楽やクラシック音楽、ポップ・ミュージックのラテンアレンジなども数多く演奏し、マンボなどのラテン音楽を日本に広く紹介した。発表したアルバムは、オリジナルアルバムだけで二百枚を超える。１９８０年に解散。２００５年に、直照の息子である見砂和照が中心となって再結成。

（ウィキペディアより）

おっちょこちょいのB型

それにしても東京の小学生ジャズバンドと宇佐の小学生の和洋楽の競演は予想をはるかに超えて反響が大きかった。

ありがたいことに三つの小学校でも競演に快諾してくれたし、東京の子どもたちの分宿もすぐに決まった。さらに新聞各社も大きく取り上げてくれた。

思うにパブリシティーはニュースバリュー（ニュース価値）とマテリアルバリュー（素材価値）で決まるとの理論があるが、今回もその両方を備え持つことができたようで、イベントの成功が期待できた。

さてニイニイゼミのコンサートを行なうことが決まってしばらくしてまた針尾さんがやってきた。彼らが演奏活動のデモ・テープを私に見せるため持ってきたのだ。律儀にビデオ再生機まで持参している。遅くまでこのビデオを見ながらコンサートの打ち合わせを綿密に行ない、針尾さんは小倉へ帰っていった。

ところが、帰ったあとで気づいたのだが、そのビデオの機械を忘れているではないか。

「今ならまだ間に合う」と叫ぶやいなや、私は取るものも取りあえず車に乗り込み、国道10号線を小倉方面にビュンビュンすっ飛ばして追いかけた。

途中、それらしい車を見かけたのでパッシングをして止めた。

ああ、間に合ったと思ったが、暗がりでよく顔が見えない。

「な、何でしょうか？」と言われ、私も「あ、すいません。間違えました」と平謝りに謝って、またスピードを上げて針尾さんを追っかけたが、とうとう追いつけず、あきらめて家へ帰った。

明くる日、針尾さんから電話があった。

「昨日、変な人に車を止められましてね。人違いでしたけど」。

私は「あっ」と言いかけたが、ぐっと飲み込み、忘れていたビデオ再生機に話題を変えた。

針尾さんも私と同じく血液型がB型。

この話はくだんの『月刊アドバンス大分』の「ある日あるとき」で紹介され、最後に「これを血液型Bどおしのおっちょこちょいというのだそうだ」となっている。

お後がよろしいようで。

小学生の和洋楽の競演（1981年8月21日）

8月21日の当日がやってきた。

開演に先立ち、駒形祐和先生を囲んで宇佐市郡音楽教育研究会員との懇談会を開いた。場所は宇佐神宮庁の会議室。

新聞の記事によれば駒形先生のコメントとして「基礎訓練が大切。タンギング（くちびると

第四回 うさ音楽祭で挨拶をする新邪馬台国建設公団総裁の高橋（筆者）

舌を滑らかにする運動）と腹式呼吸法が基本。熱心さが上達の第一です。地方でも、このようなバンドが出来るよう努力してほしい。全面協力しますと語った」とある。

楽器のことはよく分からないが、音楽教師には恐らく有意義な話だったろうと推察する。

午後6時30分からいよいよ開演だ。

会場は七百人の観衆でいっぱい。実はこの夜、あまりに多すぎて池に落ちた人もいたくらいだ。まるで冗談みたいだが、本当の話だ。幸いにも事なきを得たが、それほど超満員だった。

さあ、いよいよ競演の始まりだ。

トップバッターは宇佐小学校の雅楽クラブの二十二人が宇佐神宮に伝わる雅楽「越天楽（えてんらく）」などを演奏した。

次に北馬城小学校の楽打保存会の二十人が「神楽念仏楽打」、それから和間小学校の放生会お囃子クラブの六年生三十七人が「放生会道行きばやし」を披露した。

このあといよいよ東京・板橋区稲荷台小学校六年生の「ニイニイゼミ・ポップス・オーケストラ」の十八人によるジャズ演奏が始まった。

オープニングはグレン・ミラーの「ムーンライトセレナーデ」。次に演奏したのは熊本民謡の「おてもやん」。九州公演ということもあり、九州入りの前日から練習を始めたという。そのあと「A列車で行こう」「真珠の首飾り」などジャズのヒットナンバー9曲を披露した。

北馬城小学校の楽打保存会が神楽念仏楽打を披露

宇佐小学校の雅楽クラブ　雅楽「越天楽」等を演奏

会場は700人ほどの観衆で埋め尽くされた

東京ニイニイゼミポップスオーケストラの演奏

甘い曲あり、ビートのきいた曲ありで、私も大学時代からジャズを聴いているが、とても小学生のバンドとは思えない完成度の高い演奏だった。生のジャズバンド演奏などを聞いたことのない地元の小学生や観客も大勢いたと思うが、ニイニイゼミは彼らを大いに魅了した。

この競演の終了後、稲荷台小の子供たち十八人は、地元宇佐小の子どもたちの家へホームステイし、さらに交流を深めた。今でも手紙のやりとりなど交流があると聞く。

このころ新邪馬台国建設公団は、さまざまなイベントを行なってきた。お金のことも大事なのでここに記すが、基本的にはイベントで収支を図ることが重要だ。いわゆる〝ロス・オリンピック方式〟だ。

また私が企画をし、商工会や観光協会のイベントとして開催することもある。このときはその団体の予算で行なうことになる。だが、建設公団が主催で今回のように子どもたちに出演してもらい、金を取るわけにはいかないケースはもちろん無料で、私の預金からギャランティは支払うことになる。

小さなイベントはほとんど手出し状態だった。こうしたイベントはその後もさまざまに形を変えながら活動を進めていったが、ニイニイゼミはもっとも達成感の大きいイベントの一つだった。

実はこのニイニイゼミポップスオーケストラはみなさんに好評で、是非もう一度呼んでほしいとの要望が強く、翌年の宇佐商工会主催の桜祭りにもメインのゲストとして招致した。このときも分宿した地元の子どもたちとの交流もあり、みなさんに喜んでいただいた。

ところで最初のニイニイゼミのコンサートに、駒形先生と友人関係にあった中村二大さん（中村八大さんの長兄）も同行してきたことをここに記しておく。針尾さんの情報によれば、彼はニイニイゼミのよき理解者で、彼らが九州公演で演奏した「おてもやん」は、この二大さんが編曲されたとのことだ。

ディスカバーUSA

「文化立国」という新邪馬台国の国づくりの大方針が決まり、目指す方向が見えてきた。

これまでも宇佐市の価値ある素材を発見し、それに磨きをかけ光らせることを考えてきたが、この考え方に間違いはなかったと確信した時期だったと思う。

日本国有鉄道（国鉄）が個人旅行客の増大を目的に1970年から始めた「ディスカバー・ジャパン」というキャンペーンがあったが、私にとってまさに「ディスカバー・USA（宇佐の再発見）」を〝発見〟した頃だった。宇佐市は地元の人も、もう忘れかけている一級の人物が大変多い。

不滅の69連勝を果たした大横綱・双葉山、日本三大疏水の父・南一郎平、大審院院長・横田国臣、日本三大本草学者・賀来飛霞などなど。

1976（昭和51）年の帰郷当時、私は漫画家・麻生豊の名前は知ってはいたが、詳しいことまでは知らなかった。

ある日ぶらりと立ち寄った書店で、たまたま雑誌を立ち読みしていたところ、宇佐市出身の漫画家・麻生豊のことが載っていた。それには次のようなことが書いてあったと思う。

「北沢楽天に師事し、報知新聞に漫画記者として入社。1922（大正11）年から報知新聞夕刊で『ノンキナトウサン』を連載し一世を風靡した。のちに朝日新聞社に入り、夕刊で『只野凡児・人生勉強』の連載を開始し、これまた人気を博した。どちらも映画化されたほどである。「いわゆる四コマ漫画の草分け的存在の一人」となっていた。

『ノンキナトウサン』は国民的漫画で、知名度は『サザエさん』並みだったそうだ。こんなすごい人が宇佐市の出身だったなんて驚きだった。

いつか郷土の誇りである麻生豊にスポットを当てたい、そんな気持ちを持っていた。

それから少しずつではあるが、麻生豊の資料を集めだした。

ある日、シナリオ作家の今戸公徳先生が、文福を訪ねてきた折りのことだ。いつか麻生豊の遺徳を偲ぶ催しを考えていると話したら、「それなら是非、写真家の石松健男さんに相談するといい」とのアドバイスをいただいた。

国民的キャラクターだった
ノンキナトウサン
麻生浩一氏提供

国民的キャラクターだった
ノンキナトウサン
麻生浩一氏提供

石松さんは、昭和29年に日大芸術学部へ入学する際、紹介状を持って麻生豊の事務所を訪ねた。その後も麻生家へ書生のように出入りをし、麻生豊のポートレートも撮っているという。

こりゃあ、すごい。まさに麻生豊を間近で知る生き証人みたいな方だ。

早速、石松さんを訪ねた。１９７９年か８０年の頃だったと思う。

いつか麻生豊の遺徳を偲ぶ会を開きたい。そしてマンガをテーマに、シンポジウムも開催したい旨伝えると、石松さんは二つのいい情報を教えてくれた。

一つは麻生豊の甥御さんが宇佐市の台の原に住んでいるということ、もう一つは「漫画集団」の活動を主導していた、佐伯市出身の漫画家・富永一朗さんの電話番号を教えてくれたのだ。

チンコロ姐ちゃんの富永一朗さんと会見

まず台の原の麻生豊の甥御さんを訪ねてみた。

名前は麻生浩一さん。麻生豊の愛用の机やペン、戦後の代表作である『銀座復興絵巻』もあった。またその他の肉筆漫画をはじめ、四コマ漫画の原画やノンキナトウサンの人形など、麻生豊ファンにとっては、垂涎の的というべき遺品がたくさんあった。

次に勇気を出して富永一朗氏へ電話を入れてみた。石松さんの紹介だということと、麻生豊の話を持ち出し、宇佐で漫画に関するイベントについて相談したいと打ち明けると、それじゃ東京にくることがあれば是非電話をくれということになって、その場で日程を決めた。

場所は新宿区役所通りの大分の郷土料理の店「とど」だった。経営者は手島恵子さんといって「久しいなーえ」と、ネイティブな大分弁を駆使するおおいたっ子。姉御肌で、のちに知ったのだが、東京の大分県人会でも大変有名な女性だった。

富永さんはテレビでおなじみだったし、「チンコロ姐ちゃん」は、知らぬ人のないくらい有名なキャラクターで、そのイメージのせいかあまり緊張せずにお話ができた。

私が富永さんに伝えた構想のモデルは玖珠町の「日本童話祭」だった。

「童話祭」は日本のアンデルセン・久留島武彦を顕彰しつつ、「童話のまち・玖珠町」の町づくりの大きな核となっている。

宇佐市も四コマ漫画の草分け的な存在である麻生豊にスポットを当て、豊の顕彰と宇佐市を漫画文化のメッカにしたいと考えていると口幅ったいことを話した。

今だったらとても恥ずかしくて言えない大ボラな構想だったが、漫画界の〝巨匠〟として君臨していた富永さんは真面目に私の話を聞いてくれて、最後に「わかりました。漫画集団で協力しますよ」と言ってくれた。

富永さんたち「漫画集団」はアメリカのナンセンス漫画の影響を受けたいわゆる「大人漫画」を描く漫画家が中心の団体で、新聞や一流雑誌を舞台としており、いわば漫画の本流だった。

しかしながら時代はすでに、少年漫画や劇画などの「ストーリー漫画」が漫画人気の中心になりつつある頃で、富永さんはこうした勢力に対抗意識を持っておられる気がした。

「漫画集団」、麻生豊の筆塚へ（1981年4月19日）

それからしばらくして、突然新宿の「とど」の女将・手島恵子さんから電話をいただいた。

1981年の3月末だったと思う。

「近々富永先生と漫画集団の人たちが別府へ行くので途中宇佐へ寄るわ。高橋さんのお店へも行くから、よろしくね」といった内容だった。

ほどなくして漫画集団の重鎮ともいうべき一行が、レンタカーのマイクロバスで手島さんと一緒にやってきた。後で調べると4月19日だった。写真家の石松健男さんも同行して写真を撮っている。

『チンコロ姐ちゃん』の富永一朗さんをはじめ、『サンワリ君（読売新聞夕刊）』や『キザッペ（週刊漫画サンデー）』で有名な鈴木義司さん、『バクさん』『11ぴきのねこ』の馬場のぼるさん。ひげをたくわえた顔は初対面とは思えない。

杉浦幸雄さんもいる。杉浦さんは『ハナ子さん』や『アトミックのおぼん』が代表作だが、特に「漫画サンデー」の表紙絵の女性は色気ムンムンで個性的で、私の好みだった。

筆塚の左側：右から、馬場のぼる氏、富永一朗氏
筆塚の右側：左から、出光永氏、杉浦幸雄氏、白いスーツの鈴木義司氏、麻生豊氏の甥の麻生浩一氏と家族（写真：石松健男）

出光永さんもいる。出光さんの代表作は『雑草社員』『ただのベンちゃん』など。こうした子どもの頃から憧れた漫画家たちがマイクロバスから降りてきたのだ。

先に文福の二階で昼食をとり、「卑弥呼の家」でコーヒーを飲みながら談笑した。

その後一行は宇佐神宮へ参拝し、せっかくだから彼らの大先輩である麻生豊の筆塚を見に行こうということになった。

秋吉太郎さんも観光協会長の立場で参加した。麻生豊の甥御さんである台の原の麻生浩一さんへは石松さんから連絡していたようで、一行が到着するのを家族で出迎えてくれた。『ノンキナトウサン』の作者の筆塚を漫画集団が訪ねる印象的な一日となった。

一行とお別れするとき、ありがたいことに

「ぜひ宇佐で麻生豊の顕彰イベントをやりましょう。その際は私たちも応援します」と富永さんをはじめ、漫画集団のみなさんから改めて言っていただいた。

マンガ論争

私はその後、漫画の歴史や論評に関するさまざまな資料を購入し研究した。

例えば今でも私の書庫にその当時の資料として残っているものに『別冊一億人の昭和史　昭和新聞漫画史（毎日新聞社）』や『近代漫画全6巻（筑摩書房）』、『国文学現代マンガの手帖（學燈社）』などがある。

そして特に興味を引いたのが別冊宝島の『マンガ論争！』だった。

この中で1978年~79年に〝マンガ論争〟があったことを初めて知った。

戦後の日本マンガにはさまざまな論争があったようだ。石子順造VS石子順の漫画家「戦争責任」論争をはじめ、手塚治虫と水木しげるの子どもマンガVS大人マンガ（劇画）論争、松沢光雄VS斎藤正治のマンガ有害論争などだ。

特に私の目を引いたのは、稲葉三千男と津村喬の「マンガ低俗文化論争」だった。

1978年、月刊『総評』一月号の「マスコミ論入門」というコラム欄に、「それでもあなたはお好き…少年マンガ誌にみる退行現象」という一文が載った。書き手はこれから一年ほど話題の渦中の人となる稲葉三千男氏。

彼は当時東京大学新聞研究所教授だった。

本来はこの『総評』を引用すべきだが、残念ながら入手できなかった。だから以下この論争について書いている『マンガ論争！』を要約して紹介する。

稲葉氏は「少年マンガ週刊誌なんか、青年労働者は読むな、買うな。マンガを読むのは、青年の退行現象であり、保守化は否めない事実である。津村氏は自分の感性への陶酔は止めて、私（稲葉氏）の問いに答えるべきである」としめくくる。

一方津村氏は、「マンガ論はまだ始まったばかりだし、稲葉氏は逃げの姿勢をとらず、『マンガ全ダメ論』の責任をどう取るのか、これがなされなければ、論争は終わらない」と前置きして、しめに入る。

「稲葉氏のマンガを読むな、買うなは『批判』ではなく、『趣味』の問題。趣味が悪いといえばそれですむことだ。稲葉氏のいう『退行現象』、『幼稚』という言葉も、何をさしてそういうのかわからない。自分の硬直した思考からはみだすことがらに関して、レッテル貼りで非難するのは適当でない」と手厳しい。

最後に別冊宝島『マンガ論争！』はこんな一文を書き足している。

「この論争は、マンガを題材にして、政治、戦後思想などさまざまな方向へさまざまな可能性を残した。マンガ論争と呼ぶには、いささかもの足りないながらも、新たな論争の呼び水になったことはたしかである」。

私は、これだ！と思った。

マンガ論争は、マンガを題材にして政治や思想や文明批評までいろいろ考えるきっかけとなるし時代の写し絵となるのではないか。

新たなマンガ論争を宇佐で行ない、マンガ文化のメッカにしたい、そんな構想を持つにいたった。

「全日本漫画祭」の第1回目はマンガ論争の原点ともいうべき稲葉三千男教授と津村喬氏との〝宿敵対決〟を企画した。

さっそくＮＨＫ本社のＭ氏に東大の稲葉三千男教授の電話番号を調べてもらい、電話をしてみた。何回目かにつながったが、稲葉教授はマンガ論争に嫌気がさしていたのか私の話にはにべもなかった。

稲葉教授からあっさり断わられて、この「マンガ論争」の企画はその後沙汰止みとなった。だから津村氏には一度も連絡を取っていない。

大幅な計画変更

漫画祭の計画が大幅に変わってきた。

私たちは最初宇佐神宮の夏越祭にこのイベントを計画していたが、なかなか予算を出してくれる団体がない。商工会や観光協会にしてもそうそう予算を出せるほど余裕はないからだ。

いつものように四バカで知恵をしぼり予算をどこから捻出するかのアイデアを考えた。

そしてようやく一つアイデアが出た。

実は、県の催しである第6回県民の日「ふるさと祭り」が、今年は11月14日~15日に宇佐市を中心に安心院町、院内町で開かれるというのだ。

宇佐市もこの「ふるさと祭り」を成功させるためには新しいイベントのアイデアが欲しいはずだと私たちは考えた。そしてこの「ふるさと祭り」の中に全日本漫画祭を組み込んでもらおうということになった。予算は当然宇佐市持ちで。

ありがたいことに観光協会長の秋吉太郎さんは市議会議長でもあり、新邪馬台国の首相は永岡宇佐市長なのだから、市の担当課もしぶしぶ忖度しながら予算をつけたようだった。

窮すれば通ずというが、今回もなんとかもくろみ通りうまくいった。

ただ注文もつけられた。

漫画祭を11月15日に主会場である勤労青少年ホーム体育館で開催するよう設定させられたが、

前日の14日にも宇佐神宮で「邪馬台国祭り」をやれというのだ。

これについて11月14日付けの新聞記事（広告）をひろってみるとこういう内容だった。

「◎邪馬台国祭り　古代国家・邪馬台国は宇佐にあったという大ロマン。女王卑弥呼の輿(こし)の行列が宇佐神宮境内を練り歩く。永岡光治市長や秋吉太郎市議会議長ら市の著名人が、貫頭衣を着て行列に加わり、婦人会の百人、和間小学校の〝おはやしクラブ〟が、笛や太鼓でまつりを盛りあげる。昨年七月のミステリー列車〝卑弥呼号〟で好評だった行列の再現。今回はOBSテレビを通じワイドサタデー（朝日放送をキー局に西日本の八局）で午後三時から四時の間に生放送される」。

この頃は何かといえば卑弥呼行列だった。ちょっと安易すぎると思っていたが、テレビ局がもの珍しさからかよく要望してきた。

それからこの記事の中で「市の著名人」という表現で紹介されていて思わず吹き出しそうになったが、永岡市長も秋吉議長もこうした催しによく付き合ってくれたものだと今更ながら感謝している。

マンガ界の〝スーパースター〟に電話

さてその後も試行錯誤が続いた。私の中でも〝マンガ論争〟が起こっていたのだ。

第1回のシンポジウムのテーマはマンガを肯定するか否定するかの論争でいいのだが、誰を基調講演のゲストとして迎えるかも重要なことだ。

そこで引っかかるのは富永さんたち漫画集団の「大人漫画」へのこだわりだ。たしかに私は子どもの頃から大人漫画が大好きで、小学校の高学年から中学にかけて起承転結のついた四コマ漫画や八コマ漫画を描いては同級生に見せていた。実は今でもストーリー漫画より大人漫画が好きで、たまに週刊誌の漫画などを楽しんでいるくらいだ。

しかしすでに時代は手塚治虫がリードしてきた「ストーリー漫画」の時代を迎えていた。アニメ文化はそのうち世界を席巻し、日本のサブカルチャーとして君臨するようになるのだが、この頃私も、宇佐でマンガのイベントを町づくりに生かしていこうと思えば、やはり「ストーリー漫画」を中心に据えるべきではないかという確信を持ちはじめていた。

松本零士氏

そしてこの時代、ストーリー漫画のスーパースターといえばやはり「宇宙戦艦ヤマト」や「銀河鉄道999」の松本零士さんだった。松本さんは1970年代から1980年代にかけてアニメブームを巻き起こした中心人物でもある。

　私はダメモトで松本零士さんの住所と電話番号を例の東京のＭ氏から入手し、思い切って電話をすることにした。

　ただこれにはコツがいる。一番ダメなのはいきなり電話をすることだ。

　一分一秒を大切にしている著名人は、どこの馬の骨かわからない人間に取り合ってはくれないからだ。ましてや超売れっ子の松本零士さんだ。電話口に出てもらうことさえできるかどうか。

　それで、これまで新邪馬台国建設公団が宇佐でどんな活動をしてきたか、新聞の切り抜きなどを選んで郵便で送ることにした。当然、中に手紙を同封しておくが、詳細は電話をさせていただく旨書いておく。高木彬光さんのときも、ＳＦ作家の豊田有恒さんのときもこの手法を取った。

　しばらくして電話をしてみた。ありがたいことに松本零士さんご本人が電話口に出た。

　松本さんは福岡県久留米市の出身で、当然大分県の宇佐神宮のこともご存じであり、また事前にお送りした毎日新聞の「全日本漫画祭」の記事も読んで下さっていた。麻生豊没後二十年を記念した私たちの企画には大いに賛同していただいた。そして即ＯＫをいただいた。

　当時神様のような存在だったこともあり、私は気を張り詰めていた。ところがあまりにも簡単に承諾して下さったので、電話が終わって少し拍子抜けがした。

ギャランティはあえて書かないが、皆さん聞いたらビックリするほど安い金額だった。それでも松本零士さんは「喜んで」と快諾してくださった。

四バカで役割分担

その年の１９８１年9月下旬頃だったと思う。四バカがひょうたん屋の溝口栄治邸に集まり、漫画祭の具体的な中身を打ち合わせた。

いわゆる賢人会議ならぬ、四バカの〝愚人会議〟である。

日程はすでに決まっている。11月14日～15日のふるさと祭りの中で行なうことになっているからだ。そして基調講演は、富永一朗さんたちには申し訳なかったが松本零士さんに決めた。

改めてイベントの名称やテーマをどうするか、具体的な内容をどうするか再度四人で練った。

私は大人漫画を中心としたイベントを最初考えていたので「全日本漫画祭」とイベントの名称を考えていたが、いろいろ調べていくうちに大人漫画にこだわるべきではなく、広く劇画やストーリー漫画、アニメーションも包括するイベントにした方がいいと思うようになり、漫画をマンガと改め「日本マンガ祭」でいこうと提案した。

そして第1回目のテーマもシンプルでわかりやすい「マンガはなぜおもしろいのか⁉～漫画

の大衆性と文化性、その未来〜」としてもらった。

主催者としては漫画を肯定する立場だが、ただしそれは表に出してはいけない。あくまでもマンガの是非論をこのシンポジウムで展開してもらいたかった。

司会は、当時宇佐市の教育委員をしていた西太一郎さんにやってもらうことにした。２００３年にマンガが文科省により「芸術」に認可された。しかしながらこの頃は、まだまだマンガは「排除すべき文化」と考えている大人たちの多かった時代だ。現役の教育委員がマンガを肯定する立場にくみするというのは本当に勇気のいることだったと思う。

「日本マンガ祭」開催（１９８１年11月15日）

そんなこんなでようやくマンガ祭の開催当日である。

前日は宇佐神宮で午後2時から4時まで「邪馬台国祭り」と銘打ち、卑弥呼行列があり、境内を練り歩いた。これには朝日放送をキー局に西日本の8局が放送する「ワイドサタデー」の現地中継もあった。新聞の取材なら適当に人数をそろえて絵になるところでシャッターを押せば事足りるのだけれど、テレビとなるとそうもいかない。私も総裁としてその行列に参加しなければならなかった。

くたくたになりながら、この日を迎えたわけだが、今日は長年温めてきたイベントである。

疲れているからといって手を抜くわけにはいかない。

マンガ祭は午後1時から3時までを予定していた。場所はふるさと祭りのメイン会場である勤労青少年ホームの体育館。麻生豊を顕彰するという趣旨から当然、麻生豊の原画をはじめとする遺品展のコーナーもしつらえている。

また新人漫画家の登竜門を目指すという触れ込みで募集をしたストーリー漫画や四コマ、一コマの応募作品の展示コーナーもある。賞金や副賞がたいしたことのなかった割には時代なのだろう多くの作品が集まった。審査は大分県漫画協会の詫間文男さんらにお願いしていた。

さて定刻の午後1時。

「日本マンガ祭」の開会である。

「さようなら銀河鉄道999～松本零士の世界～」の講演が始まった。松本さんは「宇宙戦艦ヤマト」や「999」誕生のエピソードなど、約四十分にわたり興味深い話をしてくださった。子どもたちもスーパースターの話を、固唾をのんで聞いている。

講演も終わり、いよいよ「マンガはなぜ面白いのか⁉」のシンポジウムだ。

シンポジウムは西さんの司会で、パネラー六人がそれぞれの立場から意見を述べ、松本さんもマンガ家の立場から折に触れて講評していた。

西さんは会場からも意見を求め、マンガ論争を展開させようと頑張ったが、会場に押し寄せ

第一回 日本マンガ祭　松本零士氏の基調講演のあと「マンガはなぜ面白いのか⁉」をテーマにシンポジウムを開催した

た子どもたちの声でさえぎられる場面もあり、なかなか主催者の思うようには進まなかった。

このことに関し、翌日の大分合同新聞には次のように書かれている。

「会場は松本氏が講演するというので幼児から小、中、高校生がほとんどで、『ノンキナトウサン』の世代はごくわずか。一時は千人近くに膨れ上がったチビっ子たちも、マンガを読むのは好きだが、話を聞くのは苦手らしく、席の入れ替わりが激しかった」。

また毎日新聞にも「マンガ的結末？」との見出しで、私たちの気持ちを次のように代弁していた。

「今や出版物の三分の一はマンガという時代。実行委員は大人のマンガ論争を予定したが、会場は売れっ子作者目当ての小、中、高校生約五百人に〝占拠〟され、ワイワイガヤガヤ。『メーテル』『ナターシャ』などマンガの登場人物の話になると、子供たちは俄然、熱を帯び、マンガの発想やアニメ化の予定に質問が集中。シンポジウムが終わると松本零士はアニメファンにもみくちゃ。『いささかマンガ的結末』と感じたのは〝オジン〟だけ？」。

墓場まで持って行こうと思ったが…

私の意図した「マンガ論争」は結局失敗に終わった。

宇佐市は四コマ漫画の創始者・麻生豊のふるさとであり、マンガを町づくりの魅力の創出に活用すれば、さまざまな展開ができた。時代の先を読んだ大きな可能性を秘めていたと思う。残念ながらこの頃の宇佐市行政にはその発想がなかったように思う。

宇佐神宮で邪馬台国論争、四日市町でマンガ論争の二大看板を夢見ていた私の構想が少し崩れかけた。

せっかく協力を申し出てくれた富永さんには、土下座しても足りないくらい申し訳なく思っている。

申し訳ないといえば、このマンガ祭にちなみ告白しなければならないことがもう一つある。墓場まで持って行こうと思っていたが、この際、卑弥呼の輿のときと同じように、懺悔の意味でここに記すことにする。

実はマンガ祭が終了し、文福で松本零士さんを交え懇親会を行なう少し前、ポケットマネーで買っていた色紙50枚を松本さんに差し出しサインをお願いした。

事前にサインをもらってくれといろんな人から頼まれていたからだ。松本さんは心やすく引き受けてくれて「卑弥呼の家」で、せっせと50枚の色紙にサインを書き終えた。

ところがである。

後日欲しいという人たちが殺到し、無償で差し上げていたら足りなくなってしまった。わが家用にとっていた色紙数枚もそちらに回したが、どうしても欲しいという人がさらにいて、何

右から永岡光治宇佐市長、大分の漫画家詫間文男氏、松本零士氏、矢口力宇佐町商工会長、秋吉太郎宇佐市議会議長

「日本マンガ祭」の会場を散策する筆者

枚か足りなくなってしまった。

そこで一計を案じ、4〜5枚だったと思うが、私は松本さんのサインの練習をし、偽物を作ってしまった。

誰にあげたかもう覚えていない。もちろんタダであげたのだが、未だにこのことが心のどこかに後ろめたい傷として残っている。その人たちにここで深くお詫びし、赦しを乞いたい。

「マンガ王国」建国

「日本マンガ祭」の後日談を少し。

1981（昭和56）年4月に富永一朗さんたち漫画集団のメンバーが宇佐を訪れ、昼食後、喫茶「卑弥呼の家」で談笑したことは前述した。その際飾ってあった、新邪馬台国の建国やミステリー列車卑弥呼号の写真や資料を見て、彼らから質問攻めにあった。その一年後の7月22日、長野県白馬村に突如「マンガ王国」が誕生した。

このマンガ王国は、マンガ集団50周年記念行事に合わせて作られたようだ。夏休みの時期に長野県白馬村に「マンガ王国」を建国し、ファンとの交流を深めようというねらいだ。

手塚治虫氏が首相、新邪馬台国を訪問した杉浦幸雄氏が国王、そして赤塚不二夫氏が王女という設定だ。旅行会社日本旅行とタイアップし、マンガ王国号も走らせている。誰が言い出しっぺかは知らないが、新邪馬台国の存在がマンガ王国建国の下敷きになっていれば、それはそれでうれしい。

ネットの情報等によると、マンガ王国の宮廷は白馬村役場で、国旗及びモニュメントで国鉄白馬駅前ロータリーを占拠したとある。入国パスポートは12万部を発行していたようだ。「日本旅行が世に問うた観光活性化成功第一号」と自画自賛しているので、白馬村と旅行会社と漫画集団が三位一体で行なった企画なのかもしれない。このイベントで白馬村が出した予算が、もれ聞いた話では一千万円とか。どうもケタが違うのである。

現在でも白馬村いろり塾に「白馬まんが王国資料館」があり、旅の思い出作りに一役買っているとか。

また宇佐へ見えた馬場のぼるさんの苦心作「馬の親子のモニュメント」も白馬グリーンスポーツの森で健在だそうだ。私の考えていたマンガを題材にした町づくりの具体的な第一号だ。もう一つマンガをコアにした町づくりで有名なのは、１９９３（平成５）年に誕生した鳥取県境港市の「水木しげるロード」だ。「ゲゲゲの鬼太郎」の生みの親、水木しげる氏の出身地で「妖怪の町」として名高い境港。

私もここは三度ほど訪問しているが、「妖怪の町」の中心である「水木しげるロード」は妖怪ブロンズ像をはじめ、お店も駅も交番も、はたまた外灯から公園まで、何から何まで妖怪づくしの町ごとテーマパークとなっている。

そしてさらにこの上前をはねたのが鳥取県だ。「ゲゲゲの鬼太郎」の水木しげる氏、「父の暦」や「遥かな町へ」の谷口ジロー氏、「名探偵コナン」の青山剛昌氏の三氏が、いずれも鳥取県ゆかりの漫画家であることに着目し、これまで境港市や北栄町などで積み重ねてきた地域活性化や観光振興の取組みを、県域全体で推進することを目的として、鳥取県は「第13回国際マンガサミット」（参照1）の誘致に取り組んだ。

鳥取県はこのイベントに成功したことで、今後もマンガによる県土づくりをめざそうと、国際マンガサミットを開催した2012（平成24）年を、「まんが王国とっとり」建国元年と位置づけ、「国際まんが博」の開催のほかさまざまな取組みを始めている。

同じく2012年にマンガを地域のまちづくりの起爆剤として開館したのが「北九州市漫画ミュージアム」だ。これは松本零士やわたせせいぞうなど、著名な漫画家を数多く輩出してきた北九州市が小倉駅前に建設したものだ。

私はこの漫画ミュージアムをまだ訪れたことはないが、小倉駅の新幹線口には「銀河鉄道999」のメーテル、鉄郎、「宇宙海賊キャプテン・ハーロック」のキャラクターのブロンズ像が設置されており、これらのキャラクターと一緒にスマホで自撮りしたことがある。

マンガによるまちづくりを、恐らく日本で最初にめざした宇佐市だったが、どうもほかの地域にお株を奪われてしまったことは、返す返すも残念なことである。

（参照1）マンガサミットはICCにより開催されるマンガに関する国際イベント。日本、韓国、台湾、中国などのマンガ家及び関連業界の人士が集まり著作権問題やマンガ市場問題を協議する国際シンポジウムなどが協議される。当初は「東アジアマンガサミット」と称されていたが、1997年のソウル大会より「アジアマンガサミット」、2003年の北京大会より「世界マンガサミット」、2005年の富川大会より「国際マンガサミット」と称され、日本、韓国、台湾、中国、香港、マレーシア、シンガポールなどのアジア各国のみならず、アメリカやフランスからの参加者もある国際シンポジウムに変遷している。（ウィキペディアより）

行政と〝ムラおこし戦士〟の関係

溝口栄治さんが当時よく唱えていたのが「ムラおこしの発展段階論」だった。

第一段階は「特異性の時代」。変わり者が新しい価値を見いだし、それに磨きをかけ光らせていく段階だ。それに共鳴し、続くものの現れる「中間世代の時代」が第二段階。そしてやがてそれが体制となる「一般化の時代」だ。

今、まちづくりは全国の自治体で盛んである。流行（はやり）と言っていい。何かやろうとすれば、昔と違い補助金もよりどりみどりだ。

おまけに有能な行政マンが、おんぶに抱っこに肩車の状態で、手取り足取り民間人を指導している。往時の私たちからみると実にうらやましい限りだ。

今から四十数年前はとても厳しかった。

その頃宇佐市は、まだまだ「特異性の時代」で、たまたま町づくりに関心のある変わり者の四人がいて、ムラおこしを始めた段階だった。

町づくりのプロであるはずの市役所の職員には、自分たちのお株をとられた被害者意識みたいなものがあって、私たちの運動には絶えず冷ややかな目を注いでいた。

何かイベントをやろうと担当課へ行ってもとりつく島がなかった。こちらの方が逆に機嫌を取らなければならない雰囲気があったのだ。

実際こんなことがあった。

ある日のこと、おそらく冬至の前後だったと思う。商工観光課へ溝口さん、谷川さんと私の三人で行ったときのことだ。

いろいろと宇佐観光の提言をしていたところ、T課長から「5時ちゃぁ、暗れえなぁ」と帰ることを促された。

話が佳境に入り、今からが重要なときだったのに、追い立てられるようにその場を後にしたことがある。

あのときのダメージはいまだにトラウマとして私の心に残っている。

ことほどさように当時の行政と私たちの関係は距離があったと思っている。そうした逆境の中だったけれども、担当部署がしぶしぶ動かざるを得なかったのは、平松県知事の応援と宇佐市では市議会議長（宇佐市観光協会長）の秋吉太郎さんの存在だった。永岡市長も〝首相〟としてすでに新邪馬台国の〝自家薬籠中のモノ〟になっていた。これも大きかったと思う。

それからもう一つ。私たちが最も頼りにしていたのは、やはりマスコミの力だった。いろんなイベントを成功させてこられたのは、マスコミのフォローによると今でもそう思っている。事前に大きく報じていただくと、行政も関係団体も動かざるを得ないことが多かったからだ。


だから何かの運動を進めていく上においては、マスコミを大事にし、絶えず交流はしておくべきだと思う。

さてもう一度、先ほどのムラおこしの発展段階論にもどろう。

宇佐市も今や「一般化の時代」を迎えているわけだが、これもそう長くは続かないだろう。「補助金をもらえるのなら町づくりをやってやるか」では、それは自立自助のムラおこし精神に反する。そんなレベルでは、おいおい消滅してしまうと思うからだ。

そしてそのときこそ、宇佐市も新たな「特異性の時代」を迎えるだろう。はやく変わり者のバカが出てきてほしいものだと私は期待をしている。

それから若い行政マンに伝えたいことがある。

諸君はやはり町づくりのプロを目指すべきだ。

大分県はムラおこし運動の〝メッカ〟と言われていたが、裏を返すとそれだけ大分県が貧しかったということだ。当時、ムラおこし運動の盛んなところを表す言葉に「東の山形、西の大分」というのがあったが、どちらも県民所得の低いことで有名だった。

そしてこうしたムラおこしの先進地の事例を調べてみると、たまたまその地域に変わり者がいて、何かを始めたという偶然性で地域おこしをやってきているところがほとんどだった。

私はプロの行政マンこそ、この偶然性を必然性に変える努力をして欲しいと思っている。そして補助金を当てにしない自立自助の精神を持った、独立した市民の養成を考えて欲しいと思っている。

大分県教委から案内状

「日本マンガ祭」を終えて、十五日後、大分県教委主催の一大イベントがあった。

ふるさとに若い力で文化創造を—ということで大分県教委がムラおこしならぬ〝文化おこ

し〟をねらった「大分の文化創造シンポジウム」を開催するという。「シンポジウムには著名な評論家を招聘するほか平松知事も助言者として加わる」という。だから是非、地元の提言者として出席してほしいというご案内をいただいた。

一昨年の4月、平松氏は大分県知事に初当選し、秋にはすでに一村一品運動を提唱している。そして就任から一年半程度しか経っていない段階だったが、新邪馬台国ではいち早くその一村一品運動の功績を認め政治勲章を差し上げた。そのことがよほどうれしかったのか県発行の冊子等で平松知事は新邪馬台国をことあるごとに取り上げてくれていた。松本清張氏との対談の中でも「生まれて初めて勲章をいただきました」と清張に話しているくらいだ。

一村一品運動がモノづくりの運動だけでなく、文化活動でもいいんだと平松知事が明確に言ってたこと。しかも彼が文化活動でもいいという具体的な例として新邪馬台国の活動を紹介していた。

だから当時寝る間も惜しんで仕事にムラおこしの活動に動き回っていたけれども是非出席させて欲しいと快諾した。

「おおいたの文化創造シンポジウム」（１９８１年11月30日）

この頃私もロータリークラブやライオンズクラブといった団体で卓話を頼まれたり、テレビやラジオの出演依頼などがときどきあった。それなりにこなしていたが、このシンポジウムは私が提言者やパネリストとして参加した中では最も規模の大きいものだった。

だからこのシンポジウムの提言者の役を引き受けてからというもの、毎日このことが頭から離れず、どう話を進めるべきかいろいろ悩んだ。

考えるに知事が助言者として参加するシンポであれば、おそらく平松知事礼賛になって御用シンポに終わりかねないとの心配もあった。

レジュメに載せる最初の提言要旨の原稿を求められていたので、いろいろ考えて次のように書いて提出した。

提言要旨　**地域振興における文化の役割　―真の「豊の国」めざして―**

■地域文化を考える
文化とは人間の生き方、暮らし方。広義では生活文化。その意味で、地域文化はその地域の歴史風土に合った、個性的なものでなければならない。

■文化創造の必要性
奈良時代の初めまで、一地方神だった宇佐八幡宮の台頭の秘密から、高い文化創造の必要性を探る。

■「公団」の目的と活動状況

公団の目的は、地域文化を踏まえた「もう一つの文化」創造。それは現代風にアレンジしたオリジナルなものをめざす。活動内容は新邪馬台国づくりや「日本マンガ祭」等々。

■開発と地域文化

大型店とテクノポリスの恐怖。

■地域振興と文化的側面

今のムラおこし運動に対する疑問と「公団」の今後の指針について。

ざっとこんな骨子だった。

私たち建設公団が宇佐という歴史風土の中で歴史に学びながら新しい文化を作りたいといった大きな望みを持っていたことがうかがえる。

また当時、地域商業の脅威として大型店問題があったことが時代を象徴しているし、平松知事が誘致しようとしていた政策であるテクノポリスの批判をしてしまった。

私としてはアメリカのシリコンバレーをモデルにしていたテクノポリスに対して、シリコンバレーは今やデスバレー（死の谷）となっているなどと蟷螂の斧よろしく平松氏に挑戦したりした。

こうしたきわどい発言は、このシンポを盛りあげようという私のサービス精神から出たもので深い知識も思慮もあったわけではないことはここで正直に告白する。

このシンポジウムについては翌日各新聞で大きく報じられた。中でも毎日新聞は12月4日に改めてこのシンポの子細版を掲載している。その中から、私の発言が平松知事をぶ然とさせたところを転載する。

知事の〝心〟模様

さらに扇谷、草柳氏と平松知事が助言者として加わり、討論会に。

「文化はややもすれば権力のアクセサリーになりがち。文化団体が行政への批判勢力となった時でも、知事は太っ腹でいてほしい」

と一人の男性が言えば、ステージで笑顔を浮かべていた平松知事はこう答えた。

「全く同感。村おこし運動でも私のためでなく、地域の自立のためにやるのだから、文化団体が成長するのはむしろ歓迎すべきこと。問題は地域エゴであってはならないということだけ」

とは言うものの、高橋総裁が「テクノポリスといっても、議員たちは何も知らないまま誘致合戦に乗り出しているのが実情。企業城下町がまた出現するのでは、と不安になる。行政は、テクノポリスよりもカルチャーポリスというものを考えてほしい」と素朴な発言を吐くと、平松知事がぶ然とした表情になるひと幕も。

以上が毎日新聞の「記者レポート」の一部だ。

このときのテクノポリス批判によって、その後大分県に絶対的な力をもった知事として君臨する平松氏と私の間に冷たい風が吹き始めた〝記憶すべきシンポジウム〟というか〝記念すべきシンポジウム〟になった。

知事の逆鱗にふれる⁉

私なりに「おおいた文化創造シンポジウム」の総括をしたい。

時間が少なくなかなかかみあわなかった一面はあった。しかしながら地域の文化活動を担っているグループやそのリーダー、また将来担い手となる高校生が一堂に集まって大分の文化創造について論じあったのは有意義だったと思う。

私個人も尊敬していた評論家扇谷正造氏の「カイコだけが絹を吐く」の基調講演は、氏の同名の著書を読んでいたこともあって話している内容がいちいち腑に落ちた。

余談だが、「カイコだけが絹を吐く」は、旧富士銀行の紅林茂夫氏が雑誌の企画の座談会で述べた言葉といわれている。この地上に何千何万となく昆虫がおり、みんな木の葉っぱや草の茎を食べて生きている。しかし大部分の昆虫は、糞を体外に排出するに過ぎない。しかしカイコだけはそれを体内で消化し、燃焼し、やがてマユとなって美しくしなやかな絹糸を作り出すというのだ。

人間も全く同じである。

普段から問題意識を持ち、さまざまな分野の知識が必要なのに当時の私は酒ばかり飲んでいて〝桑の葉っぱ〟をまったく食べてはいなかった。絹を吐きようがない。

それから思い出すのは草柳大蔵氏がシンポジウムで語った次の言葉だ。

「文化創造の担い手はプロの技術や能力を持ったアマチュア、つまりプロフェッショナルアマチュアだ」。

そういえばさまざまな文化や文明の発明者はプロの能力を持っている。しかし効率だけを追求するプロの能力だけでは、新しい文化や文明を創造するエネルギーやゆとりはないはずだ。そこにはアマチュアの遊びの精神も必要だと思うからだ。

このシンポに先立って私たちが開催した第一回「全日本邪馬台国論争大会」のサブタイトルは「アマチュア論者大集合」だった。袋小路に入っている論争をアマチュアのアイデア・発想で打破しようとの考えは、まさに草柳氏の考え方と共通していたのだ。

さて、いよいよ昼食となった。平松知事も食事場所へやってきた。

知事を交え評論家両氏、提言者四名、その他関係者等で芸術会館の一室で昼食会が催された。

先ほどのシンポで飼い犬に手をかまれたと思ったのか知事は私と目を合わせてくれず気まずい雰囲気となった。

私としてはシンポジウムを盛り上げたいためにアンチテーゼを提供したつもりなのに、知事の逆鱗に触れる結果となってしまった。大人げない人だなあと思って、私も気にせずそっぽを向いていた。

扇谷正造氏や草柳大蔵氏が盛んに取りなしてくれたが結局、その場の空気は改善しないまま昼食後散会となり、私は家路を急いだ。

それからというもの私には大分県のイベントにほとんど声がかからなくなった。

それは私だけのことで、四バカの他のメンバーと平松知事の関係はその後も良好だったのである。

人おこし普段着集会（１９８１年12月11日）

いろいろあったが、文化創造シンポジウムは何より得がたい経験となり、私のその後の人生にとって大きな財産となったことは事実だ。

若気の至りだったが、せっかく築きつつあった平松知事との関係もこんなつまらぬことで反故になり、権力に逆らう怖さをこのとき初めて味わった。と同時に、一方で権力を笠に着て威張る人間を嫌う、反権力の精神も芽生えつつあった。

もちろん得にならないことは覚悟の上である。

私をこれをやむにやまれぬ宇佐人の「げってん気質」と呼んでいる。

当時の私は、こんなことでくよくよしている暇もないほど忙しかった。

私が次に企画したのが「観光〝豊の国〟を考える人おこし普段着集会」だ。

一杯やりながら、肩ひじ張らず普段着のままで大分県の観光を考える集会だった。

実は文福の二階には囲炉裏の間があり、宇佐飴を作る直径1.3メートルの大鍋もあった。それぞれの地域から一村一品を持ってきてもらって、それを大鍋に投げ込み闇鍋風につつきながら談論風発、これからの大分県の観光を広域で考えようという企画だ。

飲み会といえば反対のないのがいつもの四バカである。早速やろうと言うことになった。

観光問題を話し合うというので今回は主催を「明日の宇佐観光を考える会」にした。

まあ、早い話がそれぞれやる内容によって会の名称と代表が変わるだけ。結局四バカが中心になってやるので出演者にあまり変化はない。

宇佐市長の永岡光治さんから、「あんたたちは芝居のたばこ盆じゃ、出らん幕はねえ」と笑いながら言われたことがある。つまり昔の芝居はどの幕でもたばこ盆が小道具として置かれていたというのだ。

それはいいとして、さっそく各地の〝面白人間〟に声をかけることにした。

申し訳ないが人選はほとんど私がおこなった。まず宇佐市は四バカのひょうたん屋の溝口栄治さんと酒屋の西太一郎さん、ちょうちん屋の谷川忠洋さんに私。

それに「日本マンガ祭」以来親交のあった写真家の石松健男さんの5人。

お隣の安心院町からは第一回ムラおこし研究集会の実行委員長をした〝ウルトラマンタロウ〟こと宇留島虎太郎さん。

院内町からは「いいちこ」の命名者で、もと大分県企画総室長をなさっていた此松法純さんに。このころは退職されて院内町の徳大寺の住職をされていた。

豊後高田市からは〝高田の良心〟とみんなから呼ばれていた内田哲次さん。私や溝口さんと違って口数は少ないが、事務能力もあり大変誠実なことからこう呼ばれていた。

中津から菓子補・渓月堂の社長、田中保邦さんが快く参加してくれた。

杵築市からは後に「宇佐神宮・国東半島を世界遺産にする会」をともに立ち上げることになる住吉浜リゾートパーク社長の工藤弘太郎さんが。

文福で「人おこし普段着集会」　各地から一村一品を持ち寄り、闇鍋をつつきながら夜遅くまで議論した　宇佐神宮から到津公齊宮司も参加

それから別府市からは別府国際ジャズフェスティバルの開催を計画していた得丸泰蔵さんとその弟で、当時大分合同新聞の記者をなさっていた得丸清さんにもご足労いただだいた。

遠く日田市からは「天領日田を見直す会」の福本英城さんら2名がお越しいただだいた。

そうそう、大事な人を忘れていた。宇佐市議会議長で、宇佐市観光協会長兼宇佐神宮放生会保存会長の秋吉太郎さんと宇佐神宮の到津公齊宮司さんである。

到津宮司は地元宇佐市では雲上人。こんな会に出席するような方ではなかった。恐らく最初で最後だったと思うが、この普段着集会に参加してくれた。

たぶん午後6時30分からの開会だったと思う。みんな思い思いの一村一品を持って文福へ集まった。

豊後高田の内田哲次さんはとれたばかりの生ノリを、日田の福本さんは日田郡津江地区のこんにゃくを。その他みんなが持ち寄ったシイタケ、はんぺん、エノキダケなど各地の一村一品がその〝一村一品なべ〟の中に放り込まれた。当然、酒屋の西さんは三和酒類の和香牡丹ともうすでに発売していた麦焼酎いいちこを持ってきてくれた。安心院の宇留島さんはなんと地元の鯉を自らさばき、鯉こく料理を鍋に入れて持ってきてくれた。

こうした地域の産物を肴に広域観光を考える普段着集会が始まった。

まず自己紹介かたがた各地のリーダーの取り組みや課題を発表した。

日田市の福本さんは「天領日田を見直す会が中心となって日田の歴史を学び、豆田の古い町並み保存運動などを展開している」との話があった。

別府市の得丸さんからは「別府国際ジャズフェスティバルの実現も間近になり、別府の観光浮揚に貢献できるのでは」と抱負を語った。

また杵築から来た工藤さんは「杵築は日本一古い城下町のおもかげを残している。現在計画されている街路拡幅計画の反対運動を起こしていく」と今後の思いを報告した。

中津から来た渓月堂の社長、田中保邦さんは「中津は県観光の窓口だが、市民にも得るものがないのが残念だ」と当時県下でムラおこし運動ののろしが上がっていたが、後塵を拝していた中津市の現状に不満を漏らしていた。

豊後高田の良心、内田哲次さんは「若者の横の連帯で明るい高田の町づくりを目指していく」「人材を育てるために、まず環境作りを地道だが進めている」と優等生的発言だ。

それから四バカの一人、谷川さんは「暮らしの中に根付いた文化を創造していけば、それが観光作りになる」と持論の生活文化論を披露。

私は「人おこしこそが観光開発に通じるはず。おもしろ人間が結束して地域おこしのさまざまな発信をしていこう」とコメントした記憶がある。

相変わらずくそ真面目な西さんは「行政や地域に波紋を投げる役は必要だが、石を投げるだけで終わってはいけない。石を投げた以上は責任をとろう」といつもながらの真摯な持論を展開した。

飲むほどに酔うほどに話も盛り上がり、真面目な議論あり、冗談も飛び交いしたが、気がつくともうすでにこの会が始まってから4時間以上が過ぎていた。宇佐の記者クラブから新聞記者も4～5名来ていたが、まだカメラのシャッターを押すタイミングではなかったようだった。

こんなときだった。やおらひょうたん屋の溝口さんが立ち上がり、前へ進んで、大きなひしゃくで〝一村一品ナベ〟の料理を混ぜ始めた。

みんな何が起こるのか目を見張ったが、ここで〝溝口節〟が炸裂した。これまで延々とみんながら話したことを一気にひっくり返すほどのバズーカ砲だった。

彼はオーバーアクションで次のように語った。

「俺たちは行政や地域から阻害された〝嫌われ人間〟だろうか。いや、みんなに笑われる〝笑われ人間〟かもしれない。しかし笑った人たちがいつかまじめに考えるような本質を追っかけているのが俺たちだ」。

地域で阻害される少数派の立場の私たちだが、私たちの行なってきたムラおこし運動の理念を地域の人たちも行政も最後には分かってもらえるはずだと溝口さんは自分に言い聞かせるように語った。

「う〜ん、参った」とみんな口には出さなかったが、納得した次第。そのとき一斉に取材陣のフラッシュがたかれシャッターが下ろされたのだ。

このときの写真が各新聞社の記事を飾ったわけだが、「さすが溝口さん、役者やのう」と誰言うともなく声が上がった。

延々5時間のミニシンポで、疲れはしたが、実に楽しかった。再会を期して別れたが、再びこの会をやろうという人は残念ながらその後いなかった。

卑弥呼の使者現わる!?

新邪馬台国の歴史の中でさまざまな方にお世話になったが、今からご登場願う方も頭が下がるほどご協力をいただいた。

名前は豊田清孝さん。養護学校の先生をしているとかで、「今度大分のジョギング大会に出場しようと思うちょるんじゃが、新邪馬台国の衣裳を貸してもらえんじゃろか」と言う。

私は言ってることがよく分からなかったが、快くお貸しした。その後西日本新聞を見て驚いた。

「大分川ジョギング大会で貫頭衣姿で完走『ユニーク賞』を受賞した宇佐市の豊田さん」とのキャプション付きで豊田清孝さんが写真入りで大きく紹介されていた。

以来、豊田さんは全国のジョギング大会、マラソン大会などにみずから「卑弥呼の使者」を名乗って出場するようになる。左胸に「新邪馬台国名誉国民章」のワッペンを付け、お腹の上の部分に「卑弥呼の使者」と大きく書かれたゼッケンを縫い込んだ貫頭衣を身にまとってである。

またありがたいことに、ハチマキには「新邪馬台国―宇佐」の文字がくっきり書かれている。

一万五千人ほどが参加する青梅マラソンに出場したときも、事前に情報を得た地元の新聞社が大きく報じていた。

「邪馬台国宇佐説をＰＲ」「貫頭衣で青梅マラソンへ」「卑弥呼の使者が走るゾ」などと見出しが躍っている。

こんなこともあった。

１９８５年のある日、豊田さんがやってきて「卑弥呼の親書を書いて欲しい」という。

卑弥呼の使者　豊田清孝氏（卑弥呼神社の前で）

オリーブ王国のマラソン大会に出場し、卑弥呼の親書を手渡す豊田氏

前後の説明がなく、いきなり要求だけを言うものだからこれまた理解不能だったのだが、いろいろ話を聞いているうちに、豊田さんの言っていることがのみ込めた。

つまり当時小豆島にオリーブ王国が建国され、そのイベントとして小豆島オリーブマラソン全国大会を行なうことになった。豊田さんもハーフの部に出場するので、オリーブ王国の女王へ卑弥呼の親書を持って行きたいというのだ。

私も面白いことは大好きなので、一も二もなくＯＫした。早速卑弥呼に成り代わり、親書を書き上げ豊田さんに預けた次第。

このオリーブマラソンでは、卑弥呼の親書の受け渡しも〝一大イベント〟となったようで、豊田さんは小豆島でも人気者になったという。

第七章　「園遊会の案内状」

「新邪馬台国国民会議」開設（１９８２年３月）

四バカを中心とする「明日の宇佐観光を考える会」は、観光問題を中心にさまざまな試みを行なってきた。四人とも宇佐市観光協会の理事をしていたこともあり、観光協会の組織改革にも乗り出した。

たしかミステリー列車卑弥呼号を成功させた翌年、１９８１年だったと思うが、宇佐市観光協会の総会の議題に任期満了にともなう役員改選があったのだが、総会前の理事会で会長を民間人にという提案をした。

これまで市からの予算取りなどがスムースにいくだろうという現実的な考え方で、１９６７（昭和42）年の四町合併以来、観光協会長には現職の市長が就任するのが不文律としてあった。この当時は、永岡光治市長が当然のこととして兼務していた。

しかし市長の兼任では大胆な組織運営は難しい。民間の会長を選出し、もっと自由な発想で情報発信していく協会にしたいということだった。理事会でまずこの問題の急先鋒を務めたのは溝口栄治さんだったと思う。それに谷川さんや西さんが援護射撃をする構図だ。及ばずながら私も賛成の意見を述べた。

四バカは事前に根回しをし、後任の民間出身の会長には誰がいいかも話し合っていた。私は宇佐神宮放生会保存会長で、ちょうど市議会議長になっていた秋吉太郎さんがいいのではと提案した。宇佐神宮にも顔が利き、行政にもハッキリものが言える立場の秋吉さんが観光協会長になれば、私たちとしてもありがたい。

おまけに彼は、邪馬台国が三度の飯より大好きといった古代史ファンでもある。長らく中断していた宇佐神宮に古くから伝わる宗教行事・放生会も、彼の力で復活を果たしており、口だけではなく実行力も備わっている。

これには溝口さんたちも異存はなかった。

永岡市長も温厚な方で、私たちの提案に対し、笑いながら「若い君たちがそんなに言うなら譲ろう」ということになり、観光協会長はすんなり秋吉さんに禅譲することになった。

その後宇佐市の観光協会長としての秋吉さんと私たちは、一層深いつながりができていくことになる。

さてこの頃、新邪馬台国の活動は内外ともに認知され、評価されていたが、これからもっともっと発展させていくためには〝国家機構〟をいろいろ整備しようということになった。

官民一体の町づくりをとの考え方で、まず〝総総分離〟を図った。日本国で長い間政権を担っている自民党は、行政の長である総理が党のトップである総裁を兼務しているが、新邪馬台国は当初から分けていた。党名が新邪馬台国建設公団で、私が与党の総裁。日本国と違い、新邪馬台国は祭政一致を旨としており、政教一致で私は卑弥呼神社の大宮司も兼務している。ちなみにこの卑弥呼神社は、最近新型コロナの疫病対策のお札（ステッカー）を、実費三十円で発売し話題になった。

話を戻すが、行政の長として新邪馬台国の首相は、永岡光治宇佐市長が担ってくれた。それから一党独裁はいけないということになり、野党を作った。野党の党名は、新邪馬台国人民愛国党。党首に溝口栄治さんがおさまった。

溝口さんは前にも紹介したが、学生時代にエンプラ闘争にも参加したことのあるバリバリの共産党員だった。だから〝人民〟の文字を入れたのだが、新邪馬台国をこよなく愛しているということで「人民愛国党」という党名にした。

私が溝口さんを好きなのは共産党員でありながら、融通の利かない朴念仁ではなく、ヒューマンで諧謔（かいぎゃく）のわかるユーモリストだからだ。

そうそう、谷川さんのこともここで触れることにする。彼は年齢的には私より十五歳上の大先輩だった。苦労人で細かいことにも気遣いのある方だった。考え方はリベラルだったが、スポークスマンとしての能力に長けていたので官房長官を引き受けていただいた。ただしそこは新邪馬台国流に「流行性官房長官」という役職名にした。

西さんは当時教育委員をされていたこともあり、また新邪馬台国が文化国家・教育国家を目指すという意味でも建国時から重職である教育大臣を引き受けていただいていた。

だんだん協力者も増えていき、それに比例して大臣職も増えていった。ピーク時は三十数名になったこともある。このほかの大臣名などはおいおい紹介することとする。

さて、１９８2年3月の頃だったが、はっきり記録にとどめておかなければいけない重要な組織名に「新邪馬台国国民会議」があった。

元首として毎年ミスコンテストで選考される女王の卑弥呼がおり、首相には宇佐市長。それに二大政党の与党である建設公団と野党の人民愛国党もできた。だから、当然国会も作らなければということになり、急きょ国会に当たる機関である「国民会議」を開設したのだ。

これまでさまざまな団体を巻き込んでイベントを行なうときは実行委員会を設置していたが、これからはこの国民会議で行なうというのがねらいだった。

自然な成り行きで、卑弥呼号、日本マンガ祭の実行委員長をなさっていた秋吉太郎さんへ国民会議議長をお願いしてみた。好都合にも当時彼が市議会議長になっていたからだ。

秋吉さんは豪放磊落を絵に描いたような人で、実に愉快な人だった。

いつも「役なら膏薬でもいいゾ」といってはばからない人で、この国民会議議長の話も「よっしゃー、わかった、わかった」と田中角栄さんのように即座に了承してくれた。

独立憲章の発布

こうして新邪馬台国の国会開設は、何の問題もなくスムースに実行された。

次に国家体制の基盤として、新邪馬台国が国家としてめざす理念や方向性を文書にしようと「新邪馬台国独立憲章」の起草に当たった。誰か起草して欲しかったが、みなさん大変に忙しい。忙しくなかった私がといえば、自分で自分を辱めそうだが、事実そうで、私が起草に着手した。

これまで行動しながら考えることを実行していた私たちだが、おおよその国家像はできつつあった頃で、六つの憲章は難なく完成した。

最終的に次のようになった。そして四バカにも異存はなかった。

【新邪馬台国独立憲章】

一、新邪馬台国は、日本国の中央政権主義に対し、独立の精神を持って立ち向かう。

一、新邪馬台国は、「村おこし」の理念のもと、国造りを行なう。

一、新邪馬台国は、官民一体となって、文化国家の建設を目指す。
一、新邪馬台国は、どこの国にも負けない、ユニークで、個性ある国造りを行なう。
一、新邪馬台国は、遊びの心、パロディ精神を大切にし、楽しく愉快に国造りに励む。
一、新邪馬台国は、ミニ独立国の元祖として、他の国の模範たるべく、真のユートピアを建設する。

以上が新邪馬台国の独立憲章だが、この憲章は後に新邪馬台国が発行するパスポートにハッキリ明文化されている。そして新邪馬台国の国造りはこの独立憲章に沿ってさらに進んでいくこととなった

新邪馬台国春の園遊会開催決定(1982年3月)

国民会議の最初の仕事は昨年に引き続き「全日本邪馬台国論争大会」と「叙勲式」を主催することだ。これは昨年開催しているのである程度要領がわかる。水面下で粛々と論争大会のコーディネーターや意見発表者、叙勲者の選考は済ませていた。

大変だったのは、今年から導入を決めた第一回「新邪馬台国春の園遊会」だった。

園遊会といえば、日本国では毎年、春と秋の二回赤坂御苑で催されている。

天皇皇后両陛下は、衆・参両院の議長、内閣総理大臣・国務大臣、最高裁判所長官・判事など立法・行政・司法各機関の要人、都道府県の知事・議会議長、市町村の長・議会議長、各界功績者とそれぞれの配偶者約二千人をお招きになって、親しくお話しになっている。

なお、このときの各界功績者とは産業・文化・芸術・社会事業などの分野で功労のあった人のことだ。

新邪馬台国も女王・卑弥呼の名前で春の園遊会を主催し、各界の名士を招待し新緑の美しい宇佐神宮の神域で女王・卑弥呼と親しく交流をしていただきたい。同日に開かれる論争大会への参加者、それから叙勲式で表彰される各界功労者も出席していただけば一石二鳥となるとの考えだった。

結局この園遊会も是非やろうということになったが、イベントの多さと日にちのなさで四バカはくる日もくる日も会議を開く羽目に陥った。

早速、案内状の作成に取りかかった。できあがった内容は以下の通りだ。

謹啓　春風駘蕩、天も地も豊かに開く候となりました。貴台にはますますご清栄のこととお喜び申し上げます。

さて、新邪馬台国が日本国より独立をして、早六年。この間、官民一体となって文化国家の建設に取り組んで参りました。

　朕もこの度、国民の総意を得、第四代女王卑弥呼に即位致すことになりましたが、平素より新邪馬台国への格別のご理解、ご協力をいただきました皆さま方の御慰労を兼ねまして、新邪馬台国の第一回「春の園遊会」を次の通り開催致します。

　つきましては、何かとご多忙中のこととは存じますが、是非ともご出席くださいますようご案内の上、お願い申し上げます。

敬具

豊国六年四月

第四代新邪馬台国女王卑弥呼　貞清かすみ
新邪馬台国建設公団総裁　高橋宜宏
新邪馬台国首相　永岡光治（宇佐市長）
新邪馬台国国民会議議長　秋吉太郎（宇佐市議会議長）
新邪馬台国国民会議副議長兼商工大臣　矢口力（宇佐商工会会長）
宇佐神宮宮司　到津公齊

「元首の案内状なので、できるだけ重々しく、それでいて新邪馬台国風に軽ろみも入れて」などと無理な注文もあったが、なんとか格好のつく案内状ができた。

黒の厚めの台紙に銀文字を恭しく入れた。女王・卑弥呼からの案内状としては謎めいたイメージがあり、とてもいい。

誰も褒めてくれなかったが、四バカは自画自賛した。

四月の桜まつりで選考された女王・卑弥呼の貞清かすみさんの名前を一番先に入れ、次に総裁の私、新邪馬台国首相の永岡光治宇佐市長などが名前を連ね、最後に恐れ多いことだが、宇佐神宮宮司の到津公齊氏の名前も勝手に入れてしまった。

このときは、これから起こる騒動を誰も予期していなかったが…。

各国元首に案内状を出し大騒ぎに（１９８２年３月）

女王卑弥呼から各界の知名士に案内状を出すわけだが、私は何かおもしろい話題性はないかと考えた。そこで思いついたのが、新邪馬台国春の園遊会のモデルとなった、日本国の天皇陛下や各国の元首にもこの案内状を出そうという、奇想天外というか罰当たりな企画だった。

戦前だったら恐らく不敬罪ものだろう。でも有難いことに日本は、戦後、民主主義国家となっており、しかも若者の罪のないお遊びの一環だ。

案内状の宛名書きを担当していた溝口さんに相談したら、案の定彼は大乗り気。ただ、生真面目な西さんや谷川さんには内緒で決行することにした。

案内状を出した各国首脳は五人。

まず、日本国の天皇陛下と鈴木善幸総理大臣。当時は当然昭和天皇だ。それからアメリカのレーガン大統領、中国の華国鋒主席、もう一人は韓国の全斗煥大統領だ。

北朝鮮の金日成国家主席にも出そうと思ったが、万一、全斗煥大統領が出席したら新邪馬台国の園遊会上で取っ組み合いが起こる可能性大。主催した新邪馬台国の信用問題になりかねないとの深謀遠慮で、彼を招待することはやめにした。

たしか案内状は全部で三百枚ほどを郵便で出したのだが、一番上に「日本国天皇陛下殿」と大書した案内状を置いていたものだから、宇佐郵便局の職員は無言で受け取ったが、一瞬ぎょっとした顔をしていた。

この頃は、来る第二回の邪馬台国論争大会、叙勲式、そして新しい企画の春の園遊会についていろんな新聞、テレビ、雑誌と取材が目白押しだった。

しかし天皇陛下以下、各国元首に案内状を出したことは、しばらく秘密にしていた。でもある日、私は雑誌の取材でポロッとこの話を口走ってしまった。

もともと話題性を考えてのことだったので隠す必要はないわけだが、誤解を生みかねないので、新聞やテレビメディアにはしゃべらなかったが、ちょっと長めの記事を書く予定の雑誌に対して、あえてリークしたわけだ。

ところが、さあ大変。

しばらくして雑誌にこの話が掲載されると、新邪馬台国首相名の永岡光治さんが、頭を抱えているとの情報が飛び込んだ。

永岡さんは前にも詳しく紹介したが私の生まれた次の年、１９５３（昭和28）年、参議院議員通常選挙に全国区から左派社会党公認で出馬して当選。以来参議院議員に連続3期在任している。その間、日本社会党大分県支部連会長、同参議院議員団長、同逓信出身議員団長、参議院内閣委員長、同逓信委員長などを務めたバリバリの左派。いわばリベラルといわれる政治家だ。

ところが仄聞した情報によると永岡さんは「あんな案内状を陛下に出すなんて、恐れ多い。不敬だった」と頭を抱えながら周囲に語ったという。それからこの案内状が原因で「ひょっとしたら叙勲を受けられないかもしれない」と心配していたという。一時期責任を取って市長辞任まで考えているとの話もあったほどだ。

私はまさかと思ったが、永岡市長のあわてぶりにこちらがあわてる始末だった。

連名だったが、名前を連ねていた宇佐神宮の到津公齊宮司筋からは何のクレームもなかった。

さてこの後日談を。

宮内庁からもレーガン大統領からも、はたまた華国鋒主席や全斗煥大統領からも一切何のコメントも反応もなかった。

そりゃあ、そうだ。お遊びのパロディ王国から園遊会の案内がきたからって、宮内庁をはじめ各国の首脳からも返事があろうはずがない。

何のおとがめもクレームもその後なかったことに永岡市長は胸をなで下ろしたという。

昭和天皇も宮内庁もあの案内状を問題視していない証拠に、永岡市長は翌1983（昭和58）年11月に、念願の勲二等旭日重光章を受章している。

松本清張が邪馬台国論争大会に⁉（1982年3月）

新邪馬台国のイベントも充実し、来たる5月1日に向けて準備万端、いろいろ調整をしているときだった。

たしか県の方からの連絡だったと思うが、松本清張さんが、第二回の邪馬台国論争大会にぜひ参加したいというのだ。

私たちとしては断わる理由はない。むしろ大歓迎だった。

私たちはこれまでもさまざまなイベントを行なってきたが、広報宣伝費はゼロである。

話題性だけを追求し、あとは新聞やテレビメディアにすがるだけだった。

今回も、あの松本清張さんが私たちの邪馬台国論争大会に参加して下さり、最後に講評をいただければ大きな話題性になる。こんなありがたいことはなかった。

清張さんが来る伏線は実は平松守彦大分県知事がらみであった、と思う。

大分県が発行している広報誌『Ｌｅｔ，ＬＯｖｅ　ＯｉｔＡ』の１９８２年1月号だったが、平松知事と清張さんの対談があり、お二人がこんな会話を交わしていたのだ。

ちょっと長いが、抜粋してここに書き出しておく。

知事がまず清張さんの『陸行水行』にふれ、「宇佐市に10人くらいの青年たちが『新邪馬台国建設公団』というグループをつくっていましてね、気勢をあげております（笑）」これに対し清張さんは、宇佐説を初めて唱えたのは大分大学の富来隆教授だったと紹介し、彼の説を簡単に述べている。そして『陸行水行』を書いた時代背景に言及するのだが、邪馬台国論争の地域ナショナリズムと倭人伝を読んで、邪馬台国論争のゴロ合わせをする風潮に釘を刺している。

知事は「安心院にも卑弥呼の墓というのがありますよ」とさらに水を向けると清張さんは、「九州には卑弥呼のような首長、女のボスがあちこちにいた。『陸行水行』はマニアの邪馬台国探しをテーマにして推理小説に仕立てた。そのあと、ああいう小説ではいけないと思って、『古代史疑』を書いた」と説明する。そして「その頃から邪馬台国ブームがだんだん上昇してきた」という。

これ幸いと知事はこの年にあった、アマチュアの論争大会の話を切り出した。

「先日、アマチュアの歴史家が全国から二五〇人くらい宇佐に集まりましてね、一日中邪馬台国論争をやったんですよ」「知事もでられたんですか」「いえ、私は新聞で読みました」。

すると清張さんが「新邪馬台国建設公団から勲章をもらったそうですが、どういう功績で」と知事にとっては、何よりも聞いて欲しい話をすかさず聞きただそうとする。さすが対談慣れしている清張さんの面目躍如だが、知事も得意満面で、

「私は、地域、地域に特産を開発することで地元に活力をおこそうと『一村一品運動』を進めているんですが、その政治賞ということで、知事室に卑弥呼がやって来て、首に勲章をかけられました。宇佐には、なかなかおもしろい青年たちがいましてね」。

対談はまだまだ続くのだが、いずれにしても清張さんは以前、卑弥呼の家にいらっしゃったこともあり、また知事の口から直接新邪馬台国の話を聞いて、宇佐の邪馬台国論争大会へ自ら参加してみたいという気持ちを起こされたことは間違いない。

何？　安心院で卑弥呼まつり⁉（1982年3月）

清張さんが見えるのなら、春の叙勲式で清張さんに名誉国民の称号を差し上げようというこ

とになった。うれしいとすぐ名誉国民にしたがるのも私たちの悪い癖だ。

5月1日のメインイベントまで一と月たらずになり四バカは多忙を極めていた。私も毎日のように新聞や雑誌やテレビの取材の対応に追われていた。

これまで地方版が多かったが、最近は新聞やテレビや雑誌も全国版になっていった。ありがたいことである。

ミステリー列車卑弥呼号のときはNHKやテレビ西日本が九州エリアに流れる番組を制作してくれたし、ラジオではNHKが「新日本百景」という番組で新邪馬台国の活動を全国に流してくれたこともある。

今回はNHKからまた電話があり、ドキュメント番組の「ルポルタージュにっぽん」（50分番組）で全日本邪馬台国論争大会を取材したいという。

宇佐の論争大会を縦軸にして、全国で起こっている邪馬台国に対するさまざまな取り組みや現象を追いかけたいというのだ。

いわゆる邪馬台国にのめり込んだ〝ヤマタイキスト〟を紹介するらしい。松本清張さんもその中に登場させたいとも言った。どうもディレクターの話だと、清張さんから面白い企画があるからと話があったとのことだった。

県内版と全国版とでは、効果や影響力は月とすっぽん、釣り鐘に提灯ほどの違いがある。

大分県は昔から百分の一経済と呼ばれていた。それは大分県の人口が日本の人口のおよそ百分の一で、その経済力もちょうど百分の一程度という意味で使っている。

実は、1978年から毎年8月下旬の土曜から日曜にかけて、日本テレビ系列で生放送されている「24時間テレビ~愛は地球を救う~」で集まる募金額を見てみると、大分県で集まる金額は、全国で集まる総額のおよそ百分の一程度なのだ。

だからできるだけ全国版で発信できる材料を、いつも提供しようと考えていた。

今回のNHKの話は渡りに船だった。

論争大会、園遊会が近づくと新聞にさまざまな告知記事が出始めた。そこで初めて知ったのだが、私たちが論争大会や園遊会を行なう日に、隣町の安心院で卑弥呼祭りを行なうという。また、ミス卑弥呼も選考するというではないか。

ミス卑弥呼のコンテストは、全国に先駆けて私たちが始めたイベントだった。その後あちこちの邪馬台国候補地にミス卑弥呼が誕生するのだが、それはいいとしても、正直、目と鼻の先の安心院で卑弥呼まつりとは紛らわしい。迷惑千万と思った。

誰が首謀者か調べたら、当時安心院町長をしていたすっぽん町長の異名を持つ、矢野豊氏と卑弥呼の絵を描いていた丹生忍冬斎さんらだった。

彼らも卑弥呼の虜になっていた人たちだ。お二人とも何度か卑弥呼の家に訪ねていらっしゃったこともあり、知らない人ではない。仕方ないと思った。

ただこのときはじめて、松本清張さんが突然新邪馬台国を訪れたいと言った謎が氷解した。今回松本清張さんが論争大会と園遊会に来たいというのは、安心院の文学碑の除幕式に参列するためのついでだったのだ。その企画に、文春の編集長以下四名のスタッフとＮＨＫの番組スタッフを同行させたというわけだ。なんだかイヤな予感がした。

コーディネーター、論者、叙勲者も決まった！

一日で三つのイベントをこなさなければならないので、大変だった。まず第二回全日本邪馬台国論争大会は、コーディネーターに私は動物学者の實吉達郎先生に白羽の矢を立てた。

實吉達郎先生は、日本の動物研究家で作家。未確認動物「ＵＭＡ」の命名者としても知られている。

私は彼の著作『動物から推理する邪馬台国』や『ＵＭＡ　謎の未確認動物』を読んでおり、氏の愉快なキャラクターも当時から存じ上げていた。テレビの動物の特集番組に、今でも元気に出演しておられる姿を見ることもある。

實吉先生に電話で依頼すると一も二もなくＯＫとなった。後は五人の論者の募集だ。この頃論争大会は全国的にも注目されるイベントとなっており、論文も意外と簡単に集まるようになっていた。届いた論文は宇佐史談会の中野幡能先生や椛田美純先生に丸投げ。ただし厳正に審査していただき、四人を決めた。

その四人と招待論者一名を紹介する。

まず「北九州説」の菊地清光さん（横浜市・無職）、二番手は「宇佐説」の髙橋ちえこさん（鹿児島市・主婦）、「大和説」に荒井登志夫さん（横浜市・公務員）。四番目が「博多湾沿岸説」の橋田薫さん（宗像市・陶器販売業）。そして最後が招待論者の「阿波説」の堀川豊行さん（徳島市）。招待論者というのはすでに著書があり、しっかりした論旨が整っていることが条件だ。

ただし前回と同じ、交通費もお出しできないほどの情けない〝薄謝〟だった。それに今回は松本清張さんが無料の特別ゲストで参加されることになっている。

第二回の春の叙勲の方も大忙しだったが、これも候補者を決定し、皆さんに通知した。全員喜んで出席するとのお返事をいただいた。

まず政治勲章は国際ジャズ祭誘致など観光行政に功績があるとして、脇屋長可別府市長へ。産業経済勲章は私の大尊敬する矢幡治美大山町農協長へ。ウメクリ運動を推進し一村一品運動など、ユニークなムラおこしを実践してきた功績による。文化勲章は姫野良平前アドバンス大分社長へ。大分のオピニオンリーダー誌、月刊『アドバンス大分』の発行で大分県の風俗や文化を開拓し続けた功績だ。婦人勲章は椎原ムツヨ前県地婦連の会長。永年婦人会活動に貢献してきた功績だが、私たちがお世話になっている宇佐市婦人会連合会会長の高橋ツイさんの熱烈な推薦もあった。

また今回話題勲章を新設し豊田清孝さんへ差し上げることにした。豊田さんのことは以前にも紹介したとおり、〝卑弥呼の使者〟として古代衣裳を身にまとい、全国のマラソン大会で新邪馬台国をＰＲした功績による。

その他、特別名誉国民として松本清張さん、および新邪馬台国を自分の著書で全国に紹介してくれている町づくりコンサルタントの萩原茂裕さんを表彰することにした。

この春の叙勲式と特別名誉国民の表彰式は、園遊会の中で行なうこととした。

そして園遊会を盛りあげるべく、当日は婦人会による立食パーティ形式。アトラクションとしてニイニイゼミポップスオーケストラを招致した際、和洋楽の競演で出場したことのある北馬城小学校の楽打ちと、第六回県神楽大会で優勝した、荻神社神楽に出てもらうことにした。

マンボウ・マブゼ共和国は鎖国中です

大分県秘書課から連絡があり、新邪馬台国春の園遊会に大分国から平松守彦国王（大分県知事）が参列することになった。大分の文化創造シンポジウムで平松知事の推進しているテクノポリスに対して私が素朴な批判をして、シンポジウム会場で憮然と顔色を変えた知事だった。後に〝平松天皇〟と呼ばれるようになり、ささやかな批判も許さないワンマンな知事になるのだが、このときばかりは「さすが平松知事、器が大きい！」と、私はほっと胸をなで下ろした。

この園遊会には、その他にも、放送作家で新邪馬台国の外務大臣をしていた今戸公徳さんの紹介で、ルーツが宇佐の女優・緋多景子さんと舞踊家の藤間勘左さん（二代目　尾上松緑の次男）が、特別ゲストで見えることになった。徐々に盛り上がってきた。

私はもっと盛り上げようと、ある二人へ極秘だが電話をしてみた。

一人は井上ひさし氏。彼は『吉里吉里人』を前の年の8月、新潮社から単行本として刊行していた。新邪馬台国を独立して四年目だったが、タイトルに惹かれ早速購入し、面白くて一気呵成に読み終えた記憶がある。

東北地方の小さな村が日本国政府に愛想を尽かし、突然「吉里吉里国」を名乗って独立を宣言。日本国政府もこれを阻止しようとさまざまな対抗策をとるが、吉里吉里側は食料とエネルギーの自給自足の国策で応戦。

さらに当時日本で認められていなかった、脳死による臓器移植を含む高度医療や独自の金本位制、タックス・ヘイヴン（租税回避地）といった切り札をアピールして、存続を図る。

また独立により、東北弁、いわゆるズーズー弁である「吉里吉里語」が国語となり、会話にルビをふって表記するのも面白い。

この大作は話題を呼び、第33回読売文学賞、第13回星雲賞、第2回日本ＳＦ大賞を受賞している。

いつものように友人に日本ペンクラブ会員録から住所、電話番号を調べてもらい、電話することにした。

夜だったが、あいにく井上氏は留守で、代わりに夫人の好子さんが出た。この夫妻は四年後の１９８６年に離婚することになる。後で知ったのだが、井上氏の家庭内暴力が絶えない夫婦不和のころだったようだ。とりつく島がなく好子夫人からあっさり断られた。

思い切って電話したもう一人の相手が同じく作家の北杜夫氏だ。

氏は私が申し上げるまでもなく有名な小説家、エッセイストで精神科医でもある。父は歌人で医師の、あの斎藤茂吉。兄はエッセイストで精神科医の斎藤茂太。娘はエッセイストの斎藤由香といったいわば文学一家だ。

氏は自身のエッセイにも書いているように躁鬱症で有名だが、１９８１（昭和56）年１月１日から、自宅を領土とするミニ独立国「マンボウ・マブゼ共和国」の主席を名乗っている。

この年に上梓された『マンボウ・マブゼ共和国建国由来記』に詳しいが、マンボウ・マブゼ共和国は真の共産主義国家であると称し、実在の共産主義国家は偽者として批判した。特に訪問経験のあるソヴィエト連邦には辛口だった。ただ彼は、原則として政治的発言はしない作家であり、「マンボウ・マブゼ共和国」についてもシャレ以上の意味を持たせる意図はないし、このときの北氏は極端な躁状態だったという。

北氏は大分県日田市出身の〝ムツゴロウ〟こと畑正憲氏と対談した際、ムツゴロウ動物王国とマンボウ国で日本から分離独立し、同盟を結ぶ提案をしたこともある。

こうしたいきさつを知っていたので勇気のいることだが、北杜夫氏の家にも電話をした。

「もしもし、私、大分県宇佐市の高橋宜宏と申します。北杜夫先生はご在宅でしょうか」

「ハイ、北ですが」

偶然だったが、本人がいきなり電話口に出た。

「あっ、マンボウ・マブゼ共和国の北主席でしたか、失礼致しました。突然お電話を致しまして申し訳ございません。大分県宇佐市に今から五年ほど前、日本国から独立した新邪馬台国というミニ独立国がございます。私、そこの総裁をしております高橋と申します。このたび、女王・卑弥呼主催の園遊会を開催すべくミニ独立国の元首のみなさまにご案内をしております。実は先般案内状をお送りしたのですが、ご覧いただいたでしょうか。ご出席の方はいかがでしょうか」

「ハイ、マンボウ・マブゼ共和国はただ今、鎖国中です」

電話の向こうでガチャンと音がして、その後、プープープーの信号音が鳴るばかり。電話は一方的に切られてしまった。

この話にも後日談がある。

愛想のない北杜夫主席から後日、春の園遊会の案内状に対し、「万能はがき」の返信が届いた。

万能はがきは北氏の発明らしい。ネットにも紹介されており、有名だったのだろう。「いろいろに使える万能はがき」と見出しがあり、気候の挨拶なのだろうか「賀春、暑中、季節の変わり目、寒中お見舞い」の文字がある。それから祝（悼）とあり、その後にお誕生、合格、落第、御成婚、御別居、御離婚の文字がゴチックで印刷されている。それを◯で囲み最後に一言添えている。

私に送ってきたものは、もっとごちゃごちゃしていた印象があるのだが、最後に律儀に北杜夫と自署してあった。

第二回　全日本邪馬台国論争大会と第一回　春の園遊会（１９８２年５月１日）

5月1日、いよいよ一大イベントの当日がやってきた。

まず第二回全日本邪馬台国論争大会が、午前10時に幕を開けた。場所は前回と同じ宇佐神宮

第二回 全日本邪馬台国論争大会

の会議室だ。

この第二回の論争大会と園遊会のことについて、西日本新聞の当時大分総局長、花田衛氏の取材記事がある。タイトルは「論争と園遊会」。

「新邪馬台国建設公団が一日、宇佐神宮で開いた邪馬台国論争大会と園遊会をのぞいてみた。

論争大会は昨年につづいて二回目だが、相変わらずの珍説奇説による我田引水コンクールで笑わせられた。

論者は五人。トップに立った橋田薫氏（宗像市）は博多湾沿岸説。『昨秋、中国の学者が銅鏡の三角縁神獣鏡は日本製と発表した。畿内説は卑弥呼が魏からもらった銅鏡（百枚）が出たというのが根拠だから、銅鏡が日本製と分かった以上、畿内説はこれでオシマイ。鏡、金印はじめ出土品ぞくぞく博多こそ邪馬台国』とショッパナから強烈な一発を放った。

二番手は鹿児島市の主婦、髙橋ちえこさんで宇佐神宮の奥の院、馬城（まき）峰が卑弥呼のいた聖地という。これはミコ祭祀（さいし）の民俗を見る立場から民俗心理的に考えるというユニークなもので、文献や考古物を全く無視しているため、聴衆から『少女のつづり方だ』と痛撃された。ところが『こういう精神文化史からの目は貴重だ』との強い反論もあって、このへんのたたき合いが

第二回 全日本邪馬台国論争大会
コーディネーターは『動物から推理する邪馬台国』の著者、動物学者の實吉達郎氏

第二回 全日本邪馬台国論争大会　論者
中央に堀川豊平氏、右に菊地清光氏

第二回 全日本邪馬台国論争大会　論者
左から橋田薫氏、髙橋ちえこ氏、荒井登志夫氏

論争大会らしい面白さだった。

◇　◇　◇

新説は徳島県の堀川豊行氏による阿波（徳島市）説。『ヤマタイ国ではなくヤマイ国です。山にいるイ族（中国・雲南のイ族と関係あり？）で、徳島には猪の鼻はじめイのつく地名が多い』と奇説を展開。卑弥呼の墓からお祈りをしたという巨石までが実在する、と発表した。

阿波説は手が込んでいて、徳島市と観光協会は地図、写真つきのパンフでモデルコース案内まで紹介している。同説には方

左からご来賓の到津宮司、中野幡能教授、主催者の秋吉太郎実行委員長

第二回 全日本邪馬台国論争大会　会場風景

位から見て疑問、の声も出たが、私も倭人伝のつごうのいい所を抜き集めて『阿波＝邪馬壹国遺跡』と銘打ち、もっぱら観光に利用しているように見える。いくら邪馬台国が不明とはいえ、アマチュア論をここまで商魂に使うのはどうかと思った。

それより九州北東説の菊地清光氏（横浜市）が、宇佐神宮の菱形山古墳の発掘調査を提案したことの方がよほど有益だろう。

園遊会はこんどが一回目。新邪馬台国独立五周年を記念して、平松知事ら各方面からの招待客を集めて盛況。仕掛け人はいうまでもなく公団総裁の高橋宜宏さん（宇佐市）で、招待状はレーガン大統領、鈴木総理から天皇にまで出したというから傑作だ。（もちろん、いずれも欠席）

そして同日、新邪馬台国の新閣僚たちからもらった名刺を見ると、ムラおこし大臣、外務大臣、経企庁長官、官房長官などがずらり。作家の今戸公徳氏（宇佐市）が外相だったので『さては緋多景子（女優）藤間勘左（舞踊会）を東京から引っぱってきたのはあなたでしたか』という次第もあった。

◇　◇　◇

園遊会は能舞台での神楽、春の叙勲、献上品贈呈などにぎやか。会場には地元婦人会の手による新邪馬台国料理と称する郷土の珍味が並んだ。山菜や地酒ワインのほか私が珍しかったのはガン汁とドジョウ汁。ガン汁は小さな川ガニの身をすりつぶして団子にした吸いもので、なかなかの美味だったし、ドジョウ汁もけっこうでありました。

もともと新邪馬台国建設公団というのは、高橋さんら若者グループのお遊び精神による文化活動から始まったものだが、それが県下に広がりつつあったムラおこし運動と連動して、まことにユニークな地方の活力剤となってきた。初めは卑弥呼なんて、と思っていたに違いない宇佐神宮が全面協力し、永岡光治・宇佐市長が珍なる邪馬台服を着て首相として登場、平松知事も駆けつけるまでになった。パロディ文化が力を持った点で、これは日本でも極めて珍しい祭りといえよう。(大分総局長 花田衛)」

花田衛さんは私たちの活動を最初の頃からつぶさに見ていて、苦労もご存じだった。だから記事の中にも私たちの活動に対する温かさがにじんでいる。

論争大会、春の園遊会異聞(1982年5月1日)

論争大会は第一回目より、盛り上がった。一回目は初めてのイベントでもあり、スタッフが慣れていないことが大きかった。二回目は前回のようなポカはなく手順よくいった。またホームタウンディシジョンを廃し、今回は大和説も加わったことも盛り上がった要因だ。でも一番功を奏したのは、やはり当時ドキュメンタリー番組で有名だった、NHKの「ルポルタージュにっぽん」が取材にきていたことだと思う。白熱した議論をいろんなアングルから撮影されると、論者は否が応でもその気になってしまうからだ。会場からの意見も活発だった。

さて奇怪だったのは、あの松本清張氏が何の連絡もないまま論争大会も園遊会にも現われなかったことだ。

誰かが情報をつかんで私に伝えてきた。

「先ほど清張氏は宇佐神宮へは参拝したが、時間がないので安心院の文学碑の除幕式へ行った」というのだ。

こられないのなら行けないとハッキリ電話でもすればすむものを。いくら偉い先生でも失礼だと私はこのときムカッ腹がたって仕方がなかった。

午後12時になり、邪馬台国弁当が配布されるときに急きょ、松本清張氏がこられなくなったことをアナウンスした。

邪馬台国ファンで一杯の会場は、少し落胆した空気に包まれた。そりゃあ、そうだ。新聞にも公表し、最後に清張氏の講評を楽しみにしていた人も多かったはずだ。

でも落胆ばかりしてはいられない。午後1時から春の園遊会が始まる。永岡光治首相、秋吉太郎国民会議議長らと大分国の国王平松守彦陛下を出迎えなければならない。

さて黒男神社前の大鳥居のところが、平松国王陛下を出迎える場所となっていた。私は総裁

第二回　春の叙勲式（第一回春の園遊会）
大分国の平松国王を出迎える新邪馬台国の首脳たち

の衣裳を着てそのまま論争会場を後にした。遅れてはならないと小走りに走り、途中こけそうになったが、平松国王を待たせるわけにはいかない。

　さすが大分国の平松国王。出迎える人も予想以上に多かった。予定になかった到津公齊宇佐神宮宮司や副首相の矢口力さんの顔も見える。神宮関係者も数人きていた。そうこうするうち平松国王陛下が黒塗りの公用車で到着である。

　車から降りるやいなや、満面の笑顔で「やあ」とみんなに手を上げた。みなさんにそれぞれ握手して前に進む。私の前が永岡光治首相。「その衣裳、よく似合いますよ」と平松さんが永岡さんへエールを送る。永岡さんも笑みで応じた。

　私の番である。平松さんは私を一瞥し、ちょっと頭を下げたが私をスルーし、横に並んでいた卑弥呼の侍女たちへ握手を求めたのだ。私の手は宙に浮いてしまっていた。彼は大分の文化創造シンポジウムのことをまだ根に持っていたのだ。

清張さんのこともあり、しばらく気分が悪かった。明らかに蟷螂の斧ともいえるが、この日から私は、後に〝国王〟から〝天皇〟になっていく平松知事への批判分子となっていった。

世紀のお見合い⁉

園遊会は定刻に開始。総勢百五十人の大人数となった。参加者は女優の緋多景子さんや舞踏家の藤間勘左さんをはじめ県庁幹部、マスコミ人やムラおこしリーダーなど多士済々。もちろん金のない主催者としてはしっかり会費制で賄った。

まず最初に国歌斉唱並びに国旗掲揚。能舞台のメイン会場から菱形の池をのぞみ、西の方角に国旗掲揚台がある。みなさん、静粛にそちらの方角を向くと、私たちがつくった新民謡のソウチコばやしの10番が編集で切り取られ会場に流れる。この10番こそが新邪馬台国の国歌だ。

♪ドンドンドンドン、ピーヒャラピーヒャラ
しのぶ～卑弥呼よ～邪馬台国の　コリャサ
　息吹く昔の　ヤレ　夢がわく　ソーチコナー　ソーチコナー
宇佐は　ふるさと　エー　そりゃあ　よいとこな～

　会場いっぱいに荘厳というより、軽妙な音頭調の国歌が流れた。

　最初に第四代目の女王卑弥呼（貞清かすみさん）と永岡首相の歓迎挨拶。それに続き平松大分国王と随行の吉村益次大分国商工大臣（大分商工会議所会頭）に来賓挨拶をお願いした。

　それから乾杯に移ったのだが、乾杯の発声は国民会議議長の秋吉太郎さんだ。秋吉さんは普段人を食ったところがあり、豪気で大言壮語を旨としている。

　しかしながらこの日はなぜか朝から緊張しており顔色を失っていた。

世紀のお見合い⁉　宇佐市の永岡市長（左）と岡山県和気町の藤本道生町長

第二回 春の叙勲式（第一回 春の園遊会）
左から豊田清孝氏、椎原ムツヨ氏、姫野良平代理、矢幡治美氏、脇屋長可氏

それでも秋吉さんは簡単な挨拶を無事に終え、「それでは新邪馬台国の発展とみなさま方のご健勝をご祈念致しまして」と言い、最後に「カンパ〜イ、カンパ〜イ、カンパ〜イ」と乾杯を三唱してしまった。

緊張のあまり、万歳三唱と勘違いしたのだが、そこはそれ、私たちはタダでは起きない。

私が来場のみなさんに、「実は新邪馬台国は、昔から乾杯は三唱するのが正式であります」といったら会場からどっと笑い声が上がった。「禍転じて福となす」。以来、新邪馬台国では乾杯の発声は三唱が定番化した。

この園遊会もいろんなドラマがあった。

特筆すべきは、のちに姉妹都市の提携を結ぶことになる、宇佐市長と岡山県和気町長との初めてのお見合いの場でもあった。

第二回 春の叙勲式（第一回春の園遊会）
ステージに卑弥呼の左となりに大分国の平松国王も

左に新邪馬台国がお世話になったTOSテレビ大分の岡崇也氏　中央が自称卑弥呼ババアの作家・小郷穆子氏

吉村益次大分商工会議所会頭（左）と今戸公徳氏

これも私たちの話題づくりの一環だ。

少し歴史を紐とくことにする。

弓削道鏡と宇佐神宮の話はみなさんご存じだと思う。

奈良時代の神護景雲3（769）年、称徳女帝（孝謙天皇の重祚）が宇佐八幡より「道鏡が皇位に就くべし」との託宣を受けて、「弓削道鏡が天皇になろうという野望を抱き、紛糾が起こった事件、これが世にいう「宇佐八幡宮神託事件」。別名道鏡事件とも呼ばれる。

このとき、女帝より宇佐八幡の神託を確かめに派遣されたのが和気清麻呂だった。清麻呂は「わが国は開闢このかた、君臣のこと定まれり。臣をもて君とする、いまだこれあらず。天つ日嗣は、必ず皇緒を立てよ。無道の人はよろしく早く掃除すべし」という大神の神託を大和に持ち帰り奏上。そして道鏡の野望をくじいた。

だから和気清麻呂は、皇国史観の戦前は教科書にも常連で載っていたし、お札の顔でもNo.１だった。

この歴史上有名な神託事件にゆかりのある大阪府八尾市（道鏡の出身地）の市長と岡山県和気町（和気清麻呂の出身地）の町長を宇佐の園遊会にお招きし、宇佐市長の計らいで〝歴史的和解〟をするという企画を考えた。そしてそれぞれ相互に姉妹都市になれればとの私たちの狙いだった。

この交渉は岡山大学哲学科を卒業したひょうたん屋の溝口栄治さんが担当してくれた。あいにく八尾市長は今回所用でこられなかったが、和気町の藤本道生町長は快諾してくれた。そして和気町長と宇佐市長の握手は私たちの思惑通りマスコミの格好の話題となった。私たちは新邪馬台国が仲人を務めた〝世紀のお見合い〟と呼んでいる。これがきっかけで、後に私たちの思惑通りに和気町とは１９８９年に姉妹都市を、そして八尾市とは２００１年から交流

〝卑弥呼の使者〟を名乗って日本全国のマラソン大会に出場し、新邪馬台国をPRした養護学校の豊田清孝氏

都市の提携が結ばれたからだ。

情報発信を絶えず続ける。それもできれば県内版ではなく全国へ向けて。それが宇佐を売る手段なんだといつも言い聞かせ活動に励んでいた。

そうした意味で、私たちはイベントの回数ごとに大きな手応えを感じていた。

ところで女優の緋多景子さんや舞踊家の藤間勘左さんとは園遊会が終了した後、秋吉太郎さんやお二人を呼んでくれた今戸公徳さんを交え文福で懇談をした。

今から考えるとせっかく高名なお二人が遠くから宇佐へ足を運んでくれていたので、簡単なインタビューだけではなく何か出演の場面を考えるべきだったと深く反省している。実は緋多さんからこんな提案もあった。「私の親しい友人に樹木希林さんがいます。交通費でも出していただければ、彼女にもきてもらいますよ」。

今なら交通費くらいならどうにでもなったと思うけど、当時はそうした金すらも支出する余裕はなかった。新邪馬台国の園遊会に樹木希林さんも参加していたなら、さらに楽しいイベントになっただろうにとこれまた残念な気持ちで回想にふけっている。

ＮＨＫ「ルポルタージュにっぽん」

全日本邪馬台国論争大会や園遊会の取材にこられたＮＨＫの「ルポルタージュにっぽん」のスタッフだが、たしかディレクターはＫさんといった。

さすが天下のＮＨＫと思ったのは、スタッフの多さと取材の手間ひまのかけ方だ。九州もいろんな箇所へ取材に訪れていた。

調べてみるとこの「ルポルタージュにっぽん」は１９７８年4月8日から１９８４年3月8日までＮＨＫ総合テレビで放送されていたドキュメンタリー番組。実は私の大好きな番組でもあった。

例えば１９７８年4月15日「ボブ・ディランがやって来た」はレポーターが作家の村上龍。また１９７８年6月10日「明日香マルコ山古墳を行く」は同じく作家の松本清張。１９７８年8月19日「君よ8月に熱くなれ」は作詞家の阿久悠がレポーター役だ。その他にも映画監督の大島渚あり、山本七平あり、橋田壽賀子ありと豪華絢爛たるレポーター陣だった。

私たちが取材を受けた「ヤマタイ国はここだ?」のレポーターはジャネット・チェンさんというアメリカ人女性。知性的でなかなかの美人だった。放送日は１９８２年5月27日（木）で、午後10：00から午後10：29、約30分の番組だった。

　宇佐の論争大会を縦糸に全国の邪馬台国の事象をアメリカ人女性がレポートするのだが、彼女の最後のコメントが今でも妙に印象に残っている。

「それにしてもいろんなところに卑弥呼がいるが、どこの卑弥呼もどうしてアメリカインディアンの女酋長みたいな格好をしているんでしょうね」。

　さてこの「ルポルタージュにっぽん」も最初松本清張氏から話がNHKにあり、番組づくりが進行したようだった。

　もともと論争大会と園遊会も最初は4月3日、4日の両日にわけて予定していた。清張氏がきたいというので、大変だったが清張氏の希望通りの5月1日に急きょ変更した経緯がある。

　あとで知ったのだが、清張氏は私たちが勝手に清張氏へ名誉国民の称号を授与することに対して「ふざけすぎ」といった抗議の書簡を宇佐市長の永岡さんへ送っていたという。だから連絡もせず宇佐神宮の参拝だけすまし、そそくさとメインの会場である安心院の『陸行水行』文学碑の除幕式へ向かったというのだ。

　私たちとしてはわざわざ来てくれるというので、うれしさのあまり、新邪馬台国の名誉国民という私たち流の最大の〝おもてなし〟をしようと思っただけで悪意はさらさらない。当然ながら勲章や名誉国民の称号は春の園遊会といったパロディの中でのお遊びでもあった。だからこそ知事以下みなさん精一杯正装をしてこの席に臨んでいたのだが、彼には理解不能だったようだ。

いろんなことがあったが、論争大会と園遊会が一通り終わった夕方、私はディレクターから取材を求められた。

彼はちょうど祓い所前の〝おこしかけ〟から、大鳥居と神宮のある亀山をのぞんだ場所を背景に私の立ち位置を決めた。そして「論争大会と園遊会を終えた感想を一言」と言われた。

番組の趣旨上、新邪馬台国建設公団総裁の堂々たるコメントを望んでいるようだった。そして口には出さないが、できれば他の候補地、とりわけ安心院町の「卑弥呼祭り」を揶揄したり、批判してくれるともっとうれしいという雰囲気もあった。

今でいう忖度だったが、私もサービス精神から取材意図に合わせるようなコメントを行なった。イベントの感想を一通り述べたのち、私たちを袖にした清張氏へのあてこすりもあって最後にこう付け加えた。

「最近、近くにですねぇ、うちのマネをして卑弥呼祭りをやっているところがあるんですよ。ホントにけしからんと思っています」

ディレクター氏は私の手を握って、何度も「よかったです。ありがとうございました」と言って喜んだ。

後日ロケをすべて終えて、お礼かたがた文福へ挨拶にきたくだんのディレクター氏は改めて清張氏の突然の欠席について、恐縮していた。

そして彼が私に耳打ちしたのは「論争大会の次の日、安心院で清張氏の除幕式があったのですが、ミス卑弥呼以下四名のミスが代わる代わる花束贈呈する光景がとても滑稽でした。だからカットせず、すべて番組で紹介するつもりです」といった話だった。

私の取材のときもそうだったが、このときも清張氏に対する批判が感じ取られた。

それだけ当時の清張氏はＮＨＫを初めとするマスコミ界に隠然とした力を持っていたのだが、彼に振り回されていた現場の人たちの反発も大きかったのだとつくづく感じた次第である。

「松本清張センセ事件」の顚末

第二回春の叙勲式の文化勲章は大分県のオピニオンリーダー誌、月刊『アドバンス大分』（参照1）の姫野良平前社長へ授与したことは前述した。

（参照1）　月刊『アドバンス大分』の創刊は1971（昭和46）年で、1997（平成9）年に休刊するまで実に二十六年間にわたって発行されている。特筆すべきは1996年に開催された

第12回ＮＴＴタウン誌フェスティバルで、参加した７１４誌の中から大賞を受賞しており、全国的にも高い評価を受けた地域誌であった。

また、姉妹誌として、地域経済を中心とした月刊誌『ＡＤ経』（アドケイ）を、１９８５（昭和60）年１月から１９９３（平成５）年４月まで、通巻１００号にわたり発行していた。

（ウィキペディアより）


実はこのとき代理で叙勲式に臨んでいたのは、姫野豊吉社長だったが、その随行で参列したのが後に『ＡＤ経』の編集長となる矢田照久さんだった。

彼は論争大会や園遊会にも参加していて、早くも松本清張氏がきていない異変に気づいたようだ。そして私にいろいろ質問をしてきた。

ジャーナリストの勘所とでもいうのだろうか、「地方」がこうした東京の有名人に翻弄される実態を月刊『アドバンス大分』に書き残しておきたいと思ったようだ。

新邪馬台国の歴史の重大な事件なので、ここに矢田さんの記事の一部を転載した。

月刊『アドバンス大分』１９８２年７月号

「地方の有名人招待を考え直す①」～清張先生、あんまりイナカをなめるなよ～

〈メインゲストがいない！〉

（略）

〈機嫌を損じた清張センセ〉

一切の困難を排除して、清張招致を決めたままでは実によかったのだ。しかし、問題はそこから後に起きるのだった。ある件を境に清張の態度が急変、硬化するのだった。ある件というのは、実はこんなことだ。彼らのこの春の園遊会の目玉行事として春の叙勲式というのがあるのだが、それは県内で頑張っている人たちを、各部門毎に選んで顕彰しているもので、因みに今年の叙勲者は、政治勲章が脇屋長可別府市長、産業経済が矢幡治美大山町農協組合長、婦人が椎原ムツヨ前地婦連会長、話題が豊田清孝さんという養護学校の先生、そして文化勲章は恥ずかしながら姫野良平アドバンス大分前社長だったのだ。そしてその他に新邪馬台国特別名誉国民証の授与もあった。選ばれたのは、日本コンサルタントグループ主宰者の萩原茂裕さんだった。この地域づくりの専門家はこれまでも新邪馬台国宇佐とは縁があり、その功労を讃えてのものだった。

さて、この萩原さんに贈ったものと同じものを彼らは松本清張にも出そうとしたんだそうである。ところが、これが清張センセイにはお気に召さなかったらしい。永岡市長に宛ててこんな手紙を送ってきていたのだ。

拝復
「資料」を拝受しました。

例の「邪馬台国公団」が「叙勲」を小生にすることを一方的に発表したのは、不愉快です。ユーモアとかジョークとかは、スマートでなければならないと思います。「公団」のやり方は、いささか悪乗りした感じです。もっと節度が欲しいと思います。

よって小生は「園遊会」には顔を出しますが、右のような悪ふざけは一切受けません。

またいわゆる「シンポジウム」には出席しませんので、御諒承願います。

それよりも宇佐神宮の拝観を重点的にし、できたら御許山登山をしたいと思いますので、その節はお世話になりますのでよろしくお願い致します。


（略）

四月二十五日　　松本清張

永岡光治様

「悪乗り」「悪ふざけ」は「不愉快」といい、園遊会には顔を出すが、論争大会には出席しないと、清張センセイ一方的に言い出したのである。

それにしても、清張センセイが不愉快なのは叙勲のはず、ならばその叙勲式のある園遊会に顔を出し、そういうセレモニーとは無関係の論争大会に出席しないというのは一体どういうつもりなのだろうか。

「これは僕の推理なんですけどね」と言いながら、高橋さんはこう続けた。

「要するに僕らは、安心院PRのためのいわば刺身のツマだったわけです。清張が安心院PRのために一肌脱いだんですね。今回、彼は文春とNHKも動かしてるわけですよ。NHKの『ルポルタージュ・にっぽん』の人が清張に言われて、まず下見に来たんですね。そのときは僕らは4月3、4日にやる予定だったし、安心院の卑弥呼祭りの方は5月2日ですから、取材ができにくいわけですよ。しかも、卑弥呼祭りだけでは番組が作れないらしいんですね。それでNHKから『高橋さん、5月1日にしてもらえないでしょうかね』という話が、例の清張から知事、知事から市長に電話がある前にすでにあってたんですね。勿論、僕ら『その話はちょっとムリだ』というたんですけどね。そうしたら『番組は作れんなあ』と言ってましたよ。要するに狙いは卑弥呼祭りなんですね、それで番組を作るためには、どうしても僕らの祭りをドッキングさせなならんということになったんじゃないでしょうか。そういうことでNHKが清張に伝え、清張から知事の方に電話をしたということじゃないでしょうか」。

ナルホド。言われてみれば清張センセイに同行取材していたNHKと文春、NHKの方は内容の方はともかく、ルポルタージュ・にっぽん『邪馬台国はここだ⁉』で宇佐も安心院も取り上げていたが、文春の方は、宇佐は切り捨て、『陸行水行　清張の道』（5月20日号）というグラビアで、安心院だけを取り上げていたのだった。

県内的に見れば、安心院だけでも紹介されてよかったということになるのかも知れないが、さんざん気を遣わせられた彼ら公団、宇佐の人びとにとっては許しがたいことだった。

それにしても、当日は出席するはずだった園遊会にも出席せず、神宮の参拝だけすませるとあとはさっさと御許山（おもとやま）登山、そして翌日は安心院の卑弥呼祭りで、愛想よくふるまっているのだから彼ら公団側が憤慨するのはよく分かる。

〈この怪物ぶり⁉〉

仲間の一人で、宇佐の村おこし運動のリーダー格でもある溝口栄治さんはこう言って怒る。

「僕ら意外だったのは、清張センセイは非常に手続きにこだわるんですね。彼はすごく権威主義なんですよ。例えば自分で来たいって言っときながら、招待の旨は正式文書で市長名で寄こせとか、それから日程についても何で俺に断りもなく論争大会の時間割を決めたとか、とにかくいろいろ言うて来たらしいんですね。それもですよ、僕らからの連絡じゃダメなんですね。真相は何事も市を通じてという手続きを踏まないとダメだという言い方をしてくるんですね。真相はわかりませんよ。全て間には安心院の矢野町長が入ってることですから。矢野さんが、『私が仲つぎをやります、だから誰も直接には交渉しないで下さい』ということで入っているわけですから」。

清張センセイ実にうるさい人だったというわけ。さらに、〝怪物清張〟論は続くのだ。

「何も僕ら有名人を招ぶにしても、その人の全てが偉いという捉え方はしてないわけですね。ところが、これはこの前来た清張さんの怪物ぶりがほんの一端なんですけど、あの人は宇佐神宮の大鳥居の中で車に乗ったんです。宇佐神宮の参道の大鳥居のところにちょっと段があるんですけど、そこから先は普通、車を入れてはいけないんですよ。

勅使であるとか、よほどの場合はそこに敷物をしいて車を乗り入れるってことはありますけど、普通は決して入れないんです。清張はそれを神宮庁の前まで車を乗り入れて来てるんですね。僕は入ってくるときは見てないんだけど、帰るとき清張が車に乗ったのは確かに見たんです。

宇佐神宮の歴史的な背景というのは清張自身ちゃんと分かってるわけですからね、僕はやっぱりそういうところで車に乗ってもらいたくないですね。いくら有名人といっても人間なんですから、神に対して不届きなことですよ」。

（略）

〈「事件」の教訓〉

さて、この「松本清張事件」だが、何も清張さんを非難しようというのが目的ではない。狙いはむしろ「事件」の教訓にある。この事件は地方に住む私たちに実にいろんなことを問いかけていると思うのだ。大げさな言い方だが、地方人の心の在り方が問われているといっていいのではないか。

いつの頃からか、この大分県でも何かイベントをやろうとするとき、中央から誰か有名人を連れて来て、それを目玉にして動員しようという考え方が定着してきている。講演会も盛んなご時世になっている。それが必要のないことだとはいわないが、その招び方、姿勢が安易にすぎるという面は出てきているのではなかろうか。何かをやろうとするとき、ともかく有名人さえ連れて来ていれば、という発想では、何も生まれてはこないはずだが、ついつい中央の有名人という看板に頼ろうとする弱さを持っている。そんな風潮に対するこれは警鐘となる事件ではなかったろうか。

「僕らこれまでいろんな文化行事をやりながら文化の革新を訴えようと、そして新しい宇佐文化を創ろうじゃないかということでやってきたわけですけどね。僕らには権威も何もないわけです。ゼニもなければ地位もない連中がやってるわけですからね。どうしてもマスコミに頼らざるをえないわけです。マスコミの権威を借りて自分たちを浮き上がらせるというのか、そういう方式を取ってきたキライはありますよね。で、マスコミというのは何かマスコミ受けすることがないと乗ってきませんからね、そこで例えば目玉になるのをいくつか考えますよね。その中に清張もあったたってことですよ。ところがまあああいう事態になったわけですけどね。そこら辺のこれまでの軌道修正も今後はしなきゃならないだろうなあ、と思いますね」。

高橋さんは、そういって自己批判もしているが、こうした弱さは地域づくり、まちづくりを考えているところはどこでも持っているものと思う。他山の石として、自らの問題としなければ必ずや第二、第三の「清張事件」は今後も出てくるだろう。何かことを起こそうとするとき、いかに主体性をもってやることが大事かということをこの「清張事件」は再認識させてくれたのではないか。

清張事件の後日談

さてこの「清張事件」の後日談を。

『アドバンス大分』の「地方の有名人招待を考え直す」~清張先生、あんまりイナカをなめるなよ~は思わぬ展開を見せた。

私が邪馬台国の論争大会で最初の時期からお世話になっていた福岡の梓書院発行の季刊誌『邪馬台国』の責任編集者、安本美典氏（参照1）からある日電話があった。

（参照１）安本美典（やすもと・びてん）　１９３４年旧満州生まれ。京都大学文学部卒、文学博士。日本古代史の学者でもある。元産業能率大学教授。「邪馬台国の会」を主宰し、自身は三十数年来「邪馬台国＝甘木・朝倉説」及び「大和への東遷説」を主張し続けている。著書に『神武東遷』（中公新書）、『卑弥呼の謎』（講談社現代新書）、『邪馬台国への道』（梓書院）、『巨大古墳の被葬者は誰か』『応神天皇の秘密』などがある。（ウィキペディアより）

安本氏は、第三回目以降の全日本邪馬台国論争大会のコーディネーターとして宇佐へも何度も訪れている。特に私が印象に残っているのは古田武彦氏との『東日流外三郡誌（つがるそとさんぐんし）』の真贋論争だ。真書派の中心であった古田氏と偽書派の中心の安本氏の論争はＮＨＫの番組にもなって、丁々発止とやり合う論争を私もたまたまテレビで観たが、自分の人生の中でこれほど手に汗を握る緊迫した論争を観たのは初めてだった。心理学や統計学がもともと専門の安本氏の理詰めの論法に、古田氏がうろたえている光景が今でも私の脳裏に鮮明に残っている。

閑話休題。

安本氏からの電話の用向きは、月刊『アドバンス大分』に載った「清張事件」を是非季刊『邪馬台国』に転載させて欲しいというのだ。

アドバンス大分は大分の雑誌。しかし季刊『邪馬台国』は全国の古代史研究家・邪馬台国研究家が広く読む雑誌だ。発行部数も断トツ違う。

まあ、私たちにとっては覚悟を決めた暴露話だったので、それが大分県内だろうと全国だろうとかまうことはない、と思った。

ただ心配なのは、季刊邪馬台国の方だ。

「安本先生、これを載せて清張の耳に入ると、どんな仕打ちをされるか分かりませんよ。大丈夫ですか？」とお尋ねしたら、

「うちはもともと清張サンとは付き合いはないし、なんら問題はないんです。むしろ面白いので是非転載させて欲しい」との意外な回答。

アドバンスの記者である矢田さんにお尋ねしたら笑いながら「かまいませんよ」。

ということでこの「清張事件」は全国にも発信されてしまった。

それから程なくして、大分県の広報広聴課のT氏とお会いしたときに「清張サンはあの『清張事件』をいたく気にして、公団を誤解していたと反省していた」とのことだった。

T氏も逝去されて久しい。それが事実かどうかは今となっては確かめようがないが、有名人招致に関し、私たちが学習した大きな教訓だった。

第八章　ミニ独立国をリード

第五回　うさ音楽祭「僕は卑弥呼の歌を聴いた」（１９８２年６月17日）

建国の一番最初のきっかけが音楽活動だったので、特に「うさ音楽祭」には思い入れも深い。第一回は正月の元日、小雪混じりの身も凍える寒い日に開いた、フォークロックの野外コンサートだった。

第二回は夏越し祭りの花火大会のある夜、建国式典に合わせて開いたロックコンサート。鮎川誠たちサンハウスなども演奏した。当時ロックコンサートといえば、不良の音楽といったステレオタイプな親もいて、会場にいた女子高生を無理やり連れ戻そうという光景もあったが、建国式典にはふさわしい盛り上がりを見せた。

第三回は国東の盲僧琵琶法師・高木清玄氏を招いて、本殿前で神様への奉納読誦と夏越し祭りのお祭り広場の特設会場で行なった、参拝者への一般公演だった。

そして第四回目が、東京の稲荷台小学校のジャズバンド「ニイニイゼミポップスオーケストラ」と地元の伝統和楽との競演だった。

第五回 うさ音楽祭に出演したシンガーソングライターの三上寛氏（中央）コンサートのタイトルはズバリ、「僕は卑弥呼の歌を聴いた」だった

これらのコンサートは、すべて地域性を考えながら新邪馬台国らしい音楽祭を開催し、地元の人たち、特に若い人たちに生の音楽に触れる場を提供したいと考えて開催していた。

そろそろ第五回の音楽祭を企画しなければならない頃だった。ちょうどそのとき、福岡のＫＢＣ九州朝日放送のディレクターから電話があった。６月にフォークシンガーの三上寛が歌のルーツを求め、九州コンサートツアーを行なうので、同行取材をして一本番組を作るという。その際、邪馬台国候補地の宇佐で是非「僕は卑弥呼の歌を聴いた」のタイトルでコンサートを開いていただきたいというのだ。当然、宇佐で開かれたコンサートの風景を番組に盛り込みたいと言う。

三上寛さんといえば、青森県出身でちょっと風変わりなフォークシンガーであり、曲も個性的なものが多い。

自作歌詞による「夢は夜ひらく」や、当時映画の挿入歌として流行っていた「典子は、今～

愛のテーマ」などは、皆さん方もご存知のはず。でも私は彼の曲の中では、吉野屋の牛丼はなかなかにうまい！　から歌がはじまる「なかなか」とかシュールな歌として評判のよかった「オートバイの失恋」など、彼の個性あふれる楽曲のファンだった。

そう高くないギャランティだったので、渡りに船とKBCのディレクターの申し出に私は快諾した。

三上さんは多芸多才のシンガーで、当時お会いするのを私も楽しみにしていた。

コンサートの日時は6月17日、18時30分。場所は宇佐神宮の能舞台。

このイベントで私は何かサプライズができないかを考えた。いつもながらの話題性だが、思いついたのは三上寛さんの当時のウリは何といっても映画「典子は、今」の挿入歌、「～愛のテーマ」がヒットしていたことだ。この映画は前の年に封切られていた。

サリドマイドの影響を受け、両腕のない状態で困難を克服し、26倍の難関を突破して熊本市役所の職員採用試験に合格し、市職員として働く辻典子さん。彼女の半生を本人の主演で描いたものだ。邦画部門の興行収入で「男はつらいよ」をしのいだほどだ。

私は勇気を出して、ダメモトで熊本市に在住の典子さんへ連絡してみた。

典子さんは、見ず知らずの相手に快く対応してくれたが、やはり急な申し込みで予定が立たないからと丁寧に断わられてしまった。まあ仕方ないのだが、これも50年史のいい思い出となっている。

さてコンサートの当日がやってきた。

当日は梅雨のシーズンで、雨が一日降りしきるあいにくの空模様。「この雨の中をやって来た皆さんこそ、真の文化人です」と、三上さんはまず会場の皆さんへリップサービスを行ない、だんだん三上ワールドへと誘っていった。

激しい雨音もなんのその。三上さんの声量がはるかにそれをしのぎ、会場は興奮のるつぼと化した。あたりはすっかり日が暮れ、八幡神発現伝説のある菱形の池の中にある小さな島に常設された能舞台だけがスポットライトに照らされ、ぽっかりと浮かび上がっている。

ときどき三上さんの体に卑弥呼が憑依し、時空を超えて歌っているような錯覚を覚えたコンサートであった。

最後の曲はやはり「典子は、今~愛のテーマ」である。

野外コンサートとしてはベストコンディションとはいえない環境だったが、逆にこの雨が大きな効果を生んだともいえる。会場にいらっしゃった皆さんにも、十分満足していただけたと思う。

『レッツ・ラブ運動の展開　新・地方の時代』（1982年9月1日）

論争大会、園遊会、叙勲式などのイベントの情報発信は県内版から全国版へ徐々に移行していく段階で、全国からいろんなヒト・モノ・カネ・情報の「四大経営資源」が薄ぼんやりだったが見えるようになっていた。

そしてこの頃から、新邪馬台国を紹介するムラおこし関係の本も、あちこちから出版されるようになった。一番注目されたのは、やはり『レッツ・ラブ運動の展開　新・地方の時代』だろう。平松知事との確執がはじまった「おおいた文化創造シンポジウム」で基調講演をされた扇谷正造氏が編集をしたものだ。

この本が出版されたのは、1982（昭和57）年の9月のことである。ちょうど第一回春の園遊会で、名誉国民証の授与を巡って松本清張と物議を醸してから四か月ほどたった頃だ。「新邪馬台国誕生す」のタイトルで日本ふるさと塾主宰の萩原茂裕氏が取材して書いてくれた。『新・地方の時代』の冒頭を飾ったのが新邪馬台国で、31頁にわたってこれまでの活動の歩みを載せてくれている。しかも萩原さんの文章は分かりやすく、ムラおこしの初心者には評判がよかった。それに、萩原さんは講演に呼ばれて行った各地で新邪馬台国を紹介するものだから、あちこちの団体や個人が新邪馬台国へ研修に見えるようになった。観光協会や商工団体をはじめ、地方議員の委員会研修や会派の視察もあった。またこの頃から邪馬台国の作家や研究家、古代史ファンなども、毎日のように訪れるようになった。直木賞作家の志茂田景樹氏や『逆説の日本史』で有名な井沢元彦氏も突然訪ねてきたりした。

さてこの「新邪馬台国誕生す」で、まず萩原さんは昭和57年5月13日号の某週刊誌に「いつまで続くか？『邪馬台国』ブーム」の見出しで掲載されていた次のような記事を紹介する。

「いま日本に『邪馬台国』はいくつあるか？　物好きの計算によれば、なんと五十ヵ所だそうである。古くは新井白石の畿内説と本居宣長の九州説の対立があるが、いまでは四国の阿波説なども加わって、ますます乱戦模様。とにかく、唯一の手がかりは『水行十日、陸行一月』などと『魏志倭人伝』に記されたわずか二千余の〝暗号〟なのだから、おいそれと結論の出ようはずもない。きっと癌の特効薬が発明されても依然、邪馬台国論争は続いていることだろう。

シロウトでもいっぱしの邪馬台国研究家になれる。相当な大ボラを吹いても大丈夫である。これを『古代史のロマン』と呼ぶ。ロマンはカネ儲けになる。たとえば、大分県宇佐市の『新邪馬台国』造りがそれである。都会からUターンした若者達が市長をかつぎ出し、美人コンテスト並に女王卑弥呼を選んで、つまりは観光客集めの話題作り。もっとも、町の若者たちは、これをパロディだと称して涼しい顔である」。

この週刊誌の記事は私も読んで知っている。この週刊誌の記者は宇佐にはきていない。恐らく新聞や雑誌で新邪馬台国のニュースを見て、この記事を書いたと思われる。都会でぬくぬくと暮らしながら、人のやっていることの揚げ足を取り、飯のタネにしている悪質なフリーのライターの持ち込み原稿を週刊誌の編集部が買ったのだろうと思う。私たちは、こんな連中に沈滞していく地方の悲しみがわかってたまるものかと憤慨していた。

右に志茂田景樹氏、中央が大分県観光協会事務局長の伊藤氏。背後に立っているのが若き日の筆者

萩原さんは全国の町や村を飛び回りながら、まちづくりのコンサルタントを業となさっている。だからこそ崩壊していく地方の苦しみや悲しみがわかっているのだろう。この週刊誌の記事に対して「これを書いた雑誌記者は、弓削道鏡の子孫ではなかろうか。恨みでもあるかのようだ。だからなおのこと来年は仲直りの必要がありそうだ。仲直りの行事の時には、この雑誌社に特別席をあげてみようではないか。初めてパロディがわかってくれるだろう」と提案する。

実は萩原さんは5月に行なわれた「第一回新邪馬台国春の園遊会」に参加した際、私たちが和気清麻呂と弓削道鏡の時代を超えた〝和解〟をもくろんでいたが、道鏡の関係

特別勲章を受章した日本ふるさと塾主宰の萩原茂裕氏

者が参加できず、実現できなかったことを知っておられて、そのことを言っているのだ。

私たちの運動に対しては、この頃すでにちらほらだが、批判的な意見がマスコミの中にもあったのは事実。某週刊誌のように完膚なきまでに貶めようとするものさえあった。それは地元でも同じことで、四バカをはじめ協力者はだんだん増えていったが、その反動か、全く私たちの活動に協力しない人たちから、さまざまな悪口を言われることも多くなった。

やれ売名行為だ、金儲けだとの中傷だけでなく、逆に「あいつは仕事もせず商売そっちのけで遊び回り、生活者ではない」などと、人格まで否定されるようなそしりも受けてきた。何かの会合に参加すると、それまで談笑していたにもかかわらず、私が行くとシラーッとした空気になったり、口をきいてもらえないこともあった。

私たちの活動も成功すればするほど、このように地元の風当たりが強くなった。これも運動が大きくなる一過程で仕方がない、気にしないようにしようと自分に言い聞かせていたが、心が折れそうになることもしばしばだった。が、そういう気持ちを萩原茂裕さんのこの「新邪馬

郵便はがき

料金受取人払郵便

812-8790

博多北局
承認
0612

169

福岡市博多区千代3-2-1
麻生ハウス3F

差出有効期間
2024年8月
31日まで

㈱梓書院

読者カード係　行

ご愛読ありがとうございます

お客様のご意見をお聞かせ頂きたく、アンケートにご協力下さい。

ふりがな お名前	性別（男・女）
ご住所 〒	
電話	
ご職業	（　　歳）

梓書院の本をお買い求め頂きありがとうございます。

下の項目についてご意見をお聞かせいただきたく、
ご記入のうえご投函いただきますようお願い致します。

お求めになった本のタイトル
ご購入の動機 1書店の店頭でみて　2新聞雑誌等の広告をみて　3書評をみて 4人にすすめられて　5その他（　　　　　　　） ＊お買い上げ書店名（　　　　　　　）
本書についてのご感想・ご意見をお聞かせ下さい。 〈内容について〉 〈装幀について〉（カバー・表紙・タイトル・編集）
今興味があるテーマ・企画などお聞かせ下さい。
ご出版を考えられたことはございますか？ ・ある　　・ない　　・現在、考えている

ご協力ありがとうございました。

台国誕生す」は払拭してくれたし、勇気を与えてくれた。そして改めて宇佐のために何があっても頑張り抜こうと決意したのもこの頃である。

「動く広告塔？　総裁公用車を購入」（１９８２年）

のちに「昭和の街」として売り出すことになる豊後高田市に、昔のミゼットを売っている自動車修理工場があるという話を聞いたのは１９８２年頃のことだった。

さっそく知らせてくれた友人と見にいった。

私は若い頃からガラクタを含む古美術が大好きで、小遣いを貯めてはいろんなものを収集。部屋は足の踏み場もないほどだった。

その修理工場では、ミゼットともう一台、スバルＮ３６０が売りに出されているではないか。この車もミゼット同様、生産終了後も１９６０年代を代表する車種として知られておりどちらを買うか、はたまた両方購入するか迷ってしまった。

値段はたしかミゼットが四十万円、スバルＮ３６０が三十万円の計七十万円だったと記憶する。

思い切ってどちらも購入することに決め、後日、代金を払い、ミゼットを私が、スバルＮ３６０を友人がそのまま宇佐神宮まで運転して帰った。途中、すれ違う車や歩道を歩いている

ボンネットに卑弥呼のマークが入った総裁公用車

後方には、普段乗っているセドリック

人たちから驚きの眼で見られた。

珍しい間はしばらく両車とも乗っていたが、そのうちミゼットは車検が切れたのと同時に、店頭でのディスプレイ用に据えることとし、スバルは色を八幡様の朱色に塗り替え、「総裁公用車」として〝動く広告塔〟の役目で動かすこととした。

私用には黒い日産セドリックを愛用していたが、何かのイベントやPR用には、この公用車に乗ることにしていた。

ところが、この公用車の方はしょっちゅう不具合を生じ、修理代がかさんだ。またよくエンストも起こし、道路の真ん中で立ち往生したこともあった。

そのうち乗らなくなり、文福の横にそのまま路上駐車していた。

何か月かそのまま放置していたら、何だかおかしい。だんだん方向指示器やミラー、フレームと、部品がなくなっていく。それからしばらくして知らない若い男が文福へ私を訪ねてやってきた。

「あのう、外に置いてあるスバル３６０のことでお話ししたいのですが」

何のことだろうと思って話を聞いたところ、

「外に置いてあるスバルは部品もあちこちないようですので、売っていただけないでしょうか」という。

ハハ～ン、少しずつ部品を盗んでいたのはこいつだなと思いはしたが、何の証拠もない。

このままみすぼらしい状態のスバルを店の横に置いておくのも景観に悪いとの思いもあり、とうとうこの若い男の術中にはまり、彼の言うまま二万円で手放してしまった。

動く広告塔として購入した総裁公用車も結局大して乗らず、このように高いものについた次第。

東京で三国巨頭会談（１９８２年10月）

一本の電話があった。

「新邪馬台国、吉里吉里国、ニコニコ共和国の首脳のみなさんで、巨頭会談をお願いしたいのですが」

1982年10月、東京の共同通信社からだった。会談場所は、たしか東京都港区虎ノ門の共同通信会館だったと思う。

ミニ独立国では新邪馬台国が先行していたが、井上ひさしの『吉里吉里人』がベストセラーになって、この年、岩手県大槌町に吉里吉里国が建国されて以来、だんだん全国にミニ独立国とかパロディ王国と称するもじりの王国や共和国が誕生するようになった。福島県の二本松市では、観光協会が中心となってニコニコ共和国も独立した。そこで三か国のミニ独立国首脳が東京に集合して「レジャー共和国首脳会談」を開くこととなった。そしてこの会談の内容は紙上鼎談として、わが郷土の大分合同新聞をはじめ全国の地方紙やブロック紙に載るという。

つまり共同通信社が正月の特集記事として、地方紙に配信するための企画である。実はこの話も私にとっては〝僥倖(ぎょうこう)〟だった。当時、日本各地に増えつつあったミニ独立国に呼びかけ、世間をあっと言わせる大きな構想を発表する機会をうかがっている時期だったからだ。

首脳会談のため上京した。大学を卒業して私にとっては久しぶりの東京だった。友人にも会い、墨田区の親戚の家にもお邪魔した。そして当日、営団地下鉄銀座線虎ノ門駅で降り、徒歩で共同通信会館へ。

会館の玄関から恐る恐る入ると、担当の方が出てきて案内をしてくれた。すでにニコニコ共和国大統領の木村四郎氏と、吉里吉里国外務大臣の山崎茂氏は先に訪れていた。

会談前にそれぞれの首脳と面談し、簡単に自己紹介。

「それでは皆さん、まず正装に着替えていただいて、国旗を持ってこちらの部屋へお入りください」と共同通信の担当者から案内があり、別室にて持参した総裁の衣裳、衣冠束帯に着替えた。宇佐神宮の神職にお借りしたものだ。

総裁の正装を身にまとい、会談の行なわれる部屋へ入ったところ、共同通信のスタッフも先に着替えていた二か国の首脳もオオッと驚嘆の声を上げた。

私の計算は見事的中したと内心ほくそ笑んだ。こんな企画では目立ってなんぼの世界。大いに宇佐を宣伝してやろうと思っていたので、まず衣裳の選択は成功した。

ミニ独立国運動を主導していることもあり、センターを新邪馬台国総裁の私が取り、いよいよ共同通信社の司会により巨頭会談が始まった。

会談の内容については、正確を期すために翌年元日に発行された正月特集「レジャー共和国首脳会談」を参考にしたいと思う。

司会者からさまざまな質問があった。

まず「独立のきっかけ」を聞かれた。

ニコニコの木村大統領は「東北新幹線の開通で在来特急が二本松市に停まらなくなった。岳温泉が沈没してしまう恐怖心がきっかけだった」という。吉里吉里の山崎外務大臣は、「白河(しらかわ)

東京で三国巨頭会談 左からニコニコ共和国の木村四郎大統領、新邪馬台国の高橋総裁、吉里吉里国の山崎茂外務大臣

三国巨頭会談の広報を兼ねて新邪馬台国国民に発行した年賀はがき

以北（いほく）ひと山百文（やまひゃくもん）と、東北はバカにされていた。そこに井上ひさしの小説『吉里吉里人』が出た。観光だけではない一種の精神の高揚があった」という。最後に新邪馬台国総裁の私は「大学を終えて帰ってきたら故郷は文化の砂漠だった。行政に頼らず、自分たちの手で地域を起こそうとやり始めた」と自説を語った。

次の質問は「独立には根底に危機感があり〝村興し〟の思いが基本になっているということか」だった。

これに対し私は「独立国ブームは新ルネサンス運動といえる。東京には中央集権国家の位置づけがあり、独立国にはローカリズムの第三の波がある。主体的に自分たちの地域をつくっていきたい」と答えている。

また吉里吉里の山崎外務大臣は「日本政府は地方分権というが、一向に実行されているとは思えない。だから独立国ができる。われわれのような国造りが地方文化を守る。吉里吉里とニコニコ独立で東北は初めて自己主張した」と深刻な地方の実情と日本政府に対する不満をぶちまけた。

さらに質問は続いた。

「独立国には、単に観光イベントのようなものから、伊勢湾共和国、佐渡国のように、かなりラジカルな主張を持った国まであるようですが…」と司会者は私に水を向けた。

私は「まあ、独立国の存在自体がラジカルだというとらえ方もあるんじゃないですか（笑い）」といなしたところ、さらに司会者は「となると、独立に際して外圧というか、ニッポン国から圧力がかけられるようなこともあったのでは？」とたたみかける。

これにはまずニコニコ大統領が「圧力といえるかどうか分かりませんが、ガソリンスタンドに『アラブ首長国連邦』の看板を出したら、ニッポンのお役所から『国際問題になるとまずい』といわれ『アブラ首長国連邦』と変えました」（笑い）

私も新邪馬台国の例として「天皇さんに園遊会の招待状を差し上げたら、招待状に名前を連ねていた宇佐市長の進退問題にまで発展したことがある」と言ったら会場大爆笑。ただこれはニッポン国の圧力ということではなく、逆にニッポン国に気を回し過ぎてずっこけた例だった。

教育問題にも質問は及んだ。

「地続きのニッポン国は校内暴力とか非行とか、教育問題にまでなっていますが、独立は子供たちにどんな影響を与えていますか」の質問に吉里吉里の外相は「うちの国は頭が悪いから身体で頑張ろう、ということで、スポーツ振興がすごい。ニッポン国の野球大会奥羽代表に出たりサッカーをしたり…、塾へ行って、いい学校へ入るより、体を鍛える方に生きがいを持っている」と健全な精神は健全な肉体に宿るといった体育立国を主張。

またニコニコの大統領は「ニッポン国の子供たちはかわいそう。うちの国はいわゆるレジャーランドには反対で、遊びに参加させることでお客さんと国とが一体になる。例えば、丸太きり大会というのをやったが、直径三十センチの丸太を五歳の女の子が四十分かかってとうとう切り終えたときは、お母さんが涙をポロポロこぼしていた」とインドアではなくアウトドア派というか、自然派の子供を育てる持論を展開した。

私は「新邪馬台国を愛する子供を増やしていくのが一番の関心事。校内暴力はない」と言い切ったら吉里吉里の外相が「それでも文化侵略は防ぐことはできない」と現実論を説く。私もムキになって「外国からの文化侵略はニッポン国からが多いが、逆に新邪馬台国の文化を東京へはね返していく、伝播していく文化を作ろうという気でいるので、ニッポンの文化侵略は怖くない」と応戦。

年長のニコニコの大統領が二人の激論を冷静に聞きながら「一番大切なのは環境の美化です。町が汚れていたら評価はゼロです。ゴミ箱も据えつけていないのにゴミがない、というのがわが国の自慢の一つです」と教育問題から環境問題へ話を飛ばし、ちゃっかり自国の売り込みを忘れない。

「外国から見たニッポン国のおかしな面を一つ…」と司会者はさらに質問を続ける。

これに吉里吉里の外相は「あまりに豊かになりすぎた。つくっては壊している。これの繰り返しで大きくなっている。上野に着いてリズムに乗るのに二時間かかる。吉里吉里はのんびりと牛みたいに歩いているが、日比谷はカモシカみたいで、時間ボケが起きる（笑い）」

私は「テクノロジーの分野では日進月歩。が、精神文化は全然進歩していない。東京では道を聞くのもつっけんどんに言われ怖い。精神的な部分がニッポンでは荒廃している」と素朴な文明批判を行なった。

ニコニコの大統領はこの質問に対し「友好国なのであまりいえないが、日本の政府には社会奉仕という考えがない」と手厳しい。

話が佳境に入ってきて、いよいよ今回の首脳会談の山場である。

質問者も満を持し、こう質問した。

「ここらで新年の各国の〝施政方針〟をお願いします」

吉里吉里の外相は「我が国は吉里吉里の地名を心の支えとして、国を存続させればいい。精神文化の核は自然です。外務大臣として自然保護を諸外国に訴えてきたが、自国の所得が豊かになることも望みます。今年は、文化政策の一つとして、共通語である吉里吉里語の辞典を作る予定です」と吉里吉里国の国語の存続事業に乗り出すようだ。

ニコニコの大統領は「わが共和国には〝本当の空がある〟。この空を守る。環境の美化なくして私たちの国は成り立ちません」とあくまで環境立国を強調した。

私は待ってましたとばかり、今後もミニ独立国をリードすべく次の構想をぶち上げた。

「井上ひさしさんの『吉里吉里人』が出版されて以来、全国にミニ独立国があちこちと誕生しています。一度ＵＳＡである宇佐へこれらの独立国首脳に集まって頂き、第１回の「後進国首脳会議ＵＳＡサミット」を開催したいと思います。吉里吉里国、ニコニコ共和国の首脳の皆さんにも是非ご出席を賜りたい」と熱い思いを伝えた。もちろん二人は賛成してくれた。

興が乗っていたのだろう。実現不可能な新邪馬台国の夢のような構想までこの首脳会談で大ボラを吹いてしまった。

「古代、三世紀の史実にならって、五代目卑弥呼を中国の洛陽に国賓として送り込みたい。現地の革命委員会も、きっとロマンとパロディを理解してくれると期待しています（笑い）」と大きく踏み込んでしまったのだ。

まあ、夢や計画は大きいほど面白い。そんな軽いノリで言ったのだが、当時の私は有言実行を旨としていることもあり、その後、大まじめにその構想を考えた。

二か月ほどがたち、１９８３（昭和58）年の新年がやってきた。

最初に言ったように、共同通信の配信で全国の地方紙やブロック紙に２頁にわたって「レジャー共和国首脳会談」と、全国のミニ独立国の特集記事が出ている。

私の住んでいる大分県の郷土紙である「大分合同新聞」にも当然ながら載っていた。

そして隣にはマンボウ・マブゼ共和国の北杜夫主席の写真入りコメントも載っている。

北杜夫氏といえば、第一回春の園遊会にご案内の電話をしたところ「マンボウ・マブゼ共和国はただ今鎖国中です」と一方的に言って突然受話器を切ったあのドクトル・マンボウである。「あちこちで独立国が出てきたのは、ニッポン国へのいろんな欲求不満からだ。こうした国が多いことは面白いことに違いない。一回くらい、ニッポン国が消滅してもいいのではないか。いまの政治家にはチャーチルのようなユーモアが皆無だ。しかし若い人はユーモアを解してきた。ニッポン人がユーモアを解さないというのはウソだ。

江戸時代にはけんらんとして誇った文学や川柳がニッポン人の根底にあった。明治になって富国強兵策がとられ、ニッポン国からユーモアがなくなった。以来抑圧されていたが、それがいまになって出てきた。新しいユーモアだ」となんだかエールをいただいている。

この記事が出てからというもの、さらに大きなうねりが新邪馬台国へ押し寄せてきた。

ルンルン共和国国務長官来邪（1982年12月25日）

三国巨頭会談を終えて二か月後、突然、大阪からわけの分からぬ風体の男性が新邪馬台国を訪ねてきた。名刺には東田義幸とあり、「ルンルン共和国国務長官」の肩書きが書いてある。

さて、ルンルン共和国の国務長官は、持参した「親書」をいきなり私の至近距離で朗々と読み上げ始めた。

「このたび貴国の遊びの精神に学び、大阪アメリカ村にルンルン共和国を開国する運びとなりました。

そこでぜひとも貴国と相互友好条約を結びたく、ルンルン共和国国務長官東田義幸を貴国に派遣する次第であります。

できれば、わがルンルン共和国の開国記念式典を飾るべく閣下のメッセージをいただければ幸甚であります。

貴国の益々のユーモアを祈ってやみません。

一九八二年十二月吉日

ルンルン共和国建国準備会長

宮本悦也

追記　親書とともに、私の著書を貴国国立図書館に謹んで献呈いたします」。

まあ、私も一国の総裁を以て任じている。少々なことでは驚かなくなっているので、大阪から来邪した、一見不審者たるこのルンルン共和国特使の登場にも鷹揚な微笑で応えた。

そしておもむろに「ところでルンルン共和国の詳しい内容は」と聞いたところ、大統領に漫オコンビのザ・ぼんちのおさむとまさとの二人が就任するという。

当時日本列島は漫才ブームの絶頂期。

このコンビは前年の1981年、シングルレコード「恋のぼんちシート」を発売し、売上約80万枚に達している。オリコンチャートでは最高位2位を記録する大ヒット曲となり、同年全国7か所縦断コンサートを開催。最終日の7月21日には日本武道館で公演。武道館でコンサートを開催した、初の漫才師となったことはあまりにも有名だった。

いただいた宮本悦也氏の著書はよく覚えていないが『流行学〜文化にも法則がある』『情報の流行学〜意外性の構造』などだったと思う。東田特使は、宮本氏の流行学研究所が発行している月刊モドロジーも数冊置いていった。

宮本氏が提唱する流行学、つまり流行を科学として捉える考え方は私も興味があった。流行も法則があると言われているからだ。ファッション業界など、この法則を知っていなければ死活問題にもなりかねないだろう。

私もミニ独立国のブームや邪馬台国ブーム、それから大分県での血液型ブームを仕掛けてきた手前、好むと好まざるとにかかわらずこの流行の法則、ブームの法則を実感してきたし、関心を持たざるを得なかった。

所望されたルンルン共和国の開国記念式典へのメッセージも、卑弥呼と総裁連名で署名捺印し東田義幸氏へ翌日渡して帰国してもらった。たしか酩酊した頭で深夜、ウンウン言いながら書き上げたのを覚えている。

ただ残念なことにルンルン共和国の大統領、ザ・ぼんちのお二人からはその後何の音沙汰もなかった。

11PM　おらが町さの卑弥呼自慢（1983年2月3日）

翌1983年の正月は前述した共同通信の配信「三国巨頭会談」の記事（見開き2頁）が、全国の地方紙を賑わした。西日本新聞はこの記事のほか、新邪馬台国の歴代女王特集までやっている。

この頃大阪の読売テレビから一本の電話があった。

プロデューサーの方だったと思うが「11PMで『おらが町さの卑弥呼自慢』というタイトルで、どこが一番の卑弥呼かコンテストをやりたいのですが…。是非スタジオへ新邪馬台国の卑弥呼をつれてきてもらえませんか」という。

11PM（イレブン・ピーエム）という番組は、今の若い人は知らないだろうが、私たちの思春期から大学時代にかけて絶大な人気があり、私も熱心に観ていた番組だ。日本テレビと読売テレビの制作で、1965（昭和40）年から1990（平成2）年まで、約二十四年半にわ

粉雪舞う中で、このような夏仕様での卑弥呼行列だった

たって放送されていた深夜番組で、日本初の「深夜ワイドショー」でもある。

　この頃は私たちのミス卑弥呼にならい、全国の邪馬台国候補地で行政や観光協会等がミス卑弥呼コンテストを行ない、ミス卑弥呼を選出するイベントが花盛りとなっていた。流行にめざとい11ＰＭのディレクターが、そういう全国のミス卑弥呼を一堂に集め、日本一を決めようという〝陳腐〟な企画だった。

　この企画に読売テレビから白羽の矢が立ったのは、宇佐新邪馬台国と大和郡山市、徳島市、それに福岡県甘木市のミス卑弥呼四名だった。卑弥呼役の貞清かすみさんに相談すると、ありがたいことに貞清さんは職場に了承をもらい、大阪の読売テレビまで行ってくれるとのこと。

ところで読売テレビのお願いがもう一つあった。

2月3日の放送に卑弥呼が生出演することともう一つ地元の紹介をするので、事前に宇佐市に取材に訪れ宇佐の見所や「卑弥呼行列」を撮影したいという。撮影日は決まっており1月22日だった。

この要請はテレビ局から宇佐市に持ち込まれたが、結局、お膳立ては私たち四バカが中心になってやることになる。当時の商工観光課は人材もまだ育っておらず、私たちにおんぶにだっこ状態だった。

最終的にこの22日の午後3時頃、新邪馬台国首相の永岡光治市長、国民会議議長の秋吉太郎市議会議長を先頭に大傘を差し掛け、輿に乗った女王卑弥呼、和間小学校のお囃子クラブ、高橋ツイ会長を初めとする宇佐市地婦連、それから柳ヶ浦高校の生徒ら総勢百五十人が古代衣裳に身を包んで行進した。

この日は寒冷前線が九州に停滞し、粉雪舞う寒い一日だった。予算の都合で夏仕様の衣裳しかなかった古代衣裳に着替えていたみんなは、この寒さに震え上がっていたのを、今でもハッキリ覚えている。

2月3日、いよいよ放送の当日がやってきた。

審査員は司会の藤本義一氏を加えて四人おり、そのうちの一人が第一回の全日本邪馬台国論争大会でコーディネーターを務めていただいた豊田有恒氏だった。

打ち合わせ会場には、宇佐市以外の地域からもそれぞれ卑弥呼と関係者がきていた。宇佐市は関心がないのか予算がないのか、私にお任せ状態で、私と貞清さんのたった二人。その他の三地域からは、自治体の職員や観光協会の職員が大挙してきていた。それだけ人気番組である11ＰＭの影響力を考え、皆さん期待していたのだろう。

さて午後11時になった。シルエットのラインダンサーが踊るアニメーションをバックに、スキャットによるオープニングテーマ（「11ＰＭのテーマ」）が流れ始める。

私はスタジオの脇からハラハラしながら、卑弥呼の貞清さんの動向を眺めていた。四人のミス卑弥呼のインタビューが始まった。貞清さんは最初緊張しているみたいだったが、難なくインタビューを終えた。それから四地域の紹介が始まる。総勢百五十人が参加した例の震え上がった卑弥呼行列のシーンも流れている。

そして最後は卑弥呼対抗歌合戦である。

事前に「四人の卑弥呼さんには、最後歌を歌っていただきますので選曲をお願いします」と話は聞いていた。

だがちょっと待てよ。実は私、貞清さんの歌は聴いたことがない。

そのときの私は、彼女のインタビューの受け答え以上に緊張しながら歌を聴いた覚えがある。

が、これも杞憂。彼女の声量は思った以上の及第点だった。

さていよいよ審査結果の発表だ。

四人の審査員はそれぞれ一票を投じた理由・根拠を展開した。それぞれ一票ずつ大和郡山市、徳島市、甘木市の三地区に票を投じていた。宇佐市はまだゼロ票だ。やきもきしていたが最後に票を投じたのはくだんの豊田有恒氏。

新邪馬台国卑弥呼のいいところを縷々述べてくれ、宇佐市に一票を投じてくれた。

つまり四地区の卑弥呼はそれぞれ一票をいただき、痛み分けとなった。まあ、最初から一位、二位なんて序列をつける予定はなかったようだ。

こんなことなら貞清さんも私もそんなに緊張することはなかったのに…。番組が終了してこんなことを話しながら二人で大笑いした。

サミットに向け国家整備事業（１９８３年２月）

井上ひさしの『吉里吉里人』出版以来、ミニ独立国が全国に産声を上げていた。そこで東京の三国巨頭会談にのぞんだ私は、第一回のミニ独立国の「ＵＳＡサミット」を宇佐で開催する提案を行ない、ニコニコ共和国と吉里吉里国の首脳に承認された。これはひとり新邪馬台国の国威発揚のみならず、地方の時代を内外ともに発信するイベントとして、ミニ独立国全体にとって大変有意義だと考えていた。

私は先進国首脳会議の向こうを張って、「後進国首脳会議」と呼称することにした。後進国というのは差別用語だからよくないとか、あえて自分たちを辱める呼び方はやめようという正当な意見もあったが、私はこの「後進国」という呼称にこだわった。

なぜなら工業化された先進国が抱えている様々な問題がこの頃露呈し、にっちもさっちもいかない袋小路に陥っている様相があったからだ。

東西冷戦や核保有競争、経済優先による地球温暖化や公害問題、ゴミ問題、原子力をはじめとするエネルギー問題、人口爆発や逆に少子化といった人口問題等々先進国にはさまざまな問題が山積していた。

経済発展をとげ、早く進むことに意義を見いだせない私は、もっとゆっくり進むことを提案したかった。「スローライフでいいじゃないか！」といった開き直りである。そもそも大分で起こったムラおこし運動の根本理念はそこにあったと思うからだ。

また今でこそ「○○サミット」というイベントはあちこちで催されるようになっているが、当時民間のイベントで「サミット」を使用したのは、このイベントが初めてであることも特筆しておかねばならない。

まず例の四バカで後進国サミットの日程を決めた。この年行なわれる第9回先進国首脳会議は、5月28日から30日までアメリカのウィリアムズバーグで開催されるとのことだった。だからそれに真っ向勝負する形で、われわれの後進国首脳会議はウィリアムズバーグ・サミットに先立ち開催しようということになり、結局4月3日に決定した。

だから1983（昭和58）年は、年頭から新邪馬台国の国家整備事業の推進を、急ピッチで進めなければならなかった。

まず公共機関を初めとして、神宮周辺にある既存の建物に看板を上げる作業である。いくら私たちとはいえ、勝手に看板を取り付けるわけにもいかず、そこは新邪馬台国のパロディ精神を理解し、協力してもらえるところというしばりもある。

看板の文字は、ひょうたん屋の溝口栄治さんが書いてくれることになった。

看板を掲げる建物を慎重にリストアップし、それらの所有者や管理者にお願いして回った。だんだん協力者が出てきて、当時の宇佐公民館の玄関には「新邪馬台国国会議事堂」の看板を、そして旧宇佐参宮線の宇佐八幡駅があったが、ここには「新邪馬台国駅」の看板をつけさせてもらった。また中津信用金庫南宇佐支店は「新邪馬台国国立銀行」、宇佐郵便局は「新邪馬台国郵政省」、宇佐商工会のあった商工会館には「新邪馬台国商工省」、現在JAのふれあい市場の場所に農協の食糧倉庫があったが、その場所には「新邪馬台国食糧庁」の看板が上がった。

主な閣僚にも看板が与えられた。ちなみに文福の入り口には「新邪馬台国建設公団総裁」の看板が当時燦然と掲げられていた。

「ミニ独立国合同大使館」も設置した。

場所は商工省（宇佐商工会館）のすぐ隣で、私が所有している古い空き家だった。そこにUSAサミットに参加するミニ独立国の国旗やパスポート、紙幣、ポスター等々を展示した。それからその国々のさまざまなグッズやパンフレットなども紹介した。

文福の外壁には参道からよく見える位置に大型の丸時計を取り付けた。新邪馬台国の標準時間である。この横には同じタイプの時計を並列に置き、1時間だけ新邪馬台国標準時を進めている。

そしてその横には次のような説明文をつけていた。

「新邪馬台国の国民は性格がおおらかで時間の観念も希薄です。ですから日本国標準時より一時間ほど時間を早めています」。

新邪馬台国の国旗もこの時期、思い切ってデザインを一新し、何十枚か印刷してあちこちに掲げてもらった。それからパスポート（旅券）や紙幣も発行した。

パスポートには「新邪馬台国独立憲章」や国家の組織図、面積、人口、名誉国民や特別名誉国民の氏名、国歌、国花、年表、地図を載せている。

そのパスポートの「効力（VALIDITY）」には「この旅券手帳は貴君と新邪馬台国と

の間に友情が存在する限り、効力は失われません」とあり、新邪馬台国のフレンドリーな外交方針が示されている。

そうそう、ＵＳＡサミットを前にこの年の３月に通貨の発行も企てた。レートは友好国のニッポン国と同じレート。卑弥呼の呪術＝シャーマニズムから「シャーマ」という単位にした。だから１シャーマは一円。新邪馬台国国立銀行で作ったのは、１００シャーマと５００シャーマの二種類。事前に宇佐商工会で日本円と交換していただき、宇佐神宮仲見世会や市内の商店街で使えるように考えた。のちに地域通貨という考え方が生まれ、全国いたる所で発行されるようになるが、この新邪馬台国の通貨はその走りだった。よほど珍しかったのだろう、６月に九州貨幣史学会発行の『貨幣史の研究』第２２３号にもこの「シャーマ」が紹介されている。

ミニ共和国合同大使館　各国のパスパート、紙幣、ポスター、パンフレット、グッズ等を紹介した

サミットを盛りあげる企画でもう一つ紹介しなければならない。このアイデアは確かちょうちん屋の谷川忠洋

さんからだったと思うが、「ＳＵＭＭＩＴまであと○日」の表示を国道10号線沿いに掲げたらどうかというものだった。

その候補地まで自分で見つけ、谷川さんはＵＳＡサミットまであと○日の部分を毎日日めくりのように替える役も買って出た。

3月15日、この模様を事前に大きく報じたのが西日本新聞だった。谷川さんがお母さんの指図を受け、『ＵＳＡサミットまで、あと○日』の部分を差し替えているシーンが写真入りで載っている。

この記事にはこう書かれている。

「全国各地でぞくぞくと名乗りを上げている独立国。そのトップを切って産声をあげたのが『新邪馬台国』だ。

『先進国に負けてなるものか』と第一回後進国首脳会議（ＵＳＡサミット）を開催することになった主催国にとっては受け入れ準備に万全を期さねばならない。各国の首脳にも、さすがは宇佐だと評価されなければ……。

その大任が官房長官役の谷川忠洋さん（45）だ。

わが子の任務にいささかでも落ち度があってはならない—と、今年八十二歳になる母のキシヱさんはサミットまであと○日の看板を見届けるのが日課。愛犬の剛（ゴウー）がま

「USAサミットまであと○日」の看板を報じる西日本新聞の記事

西日本新聞　昭和58年3月15日（火）朝刊より転載

新邪馬台国国立銀行から発行された500シャーマ　1シャーマは1円　宗主国の日本の円と同じレートだった

たおばあちゃんのお供―と谷川家では一家をあげてＵＳＡサミットの成功に期待をかけている」。

第一回後進国首脳会議（ＵＳＡサミット）もこうして日増しに盛り上がりを見せてきた。

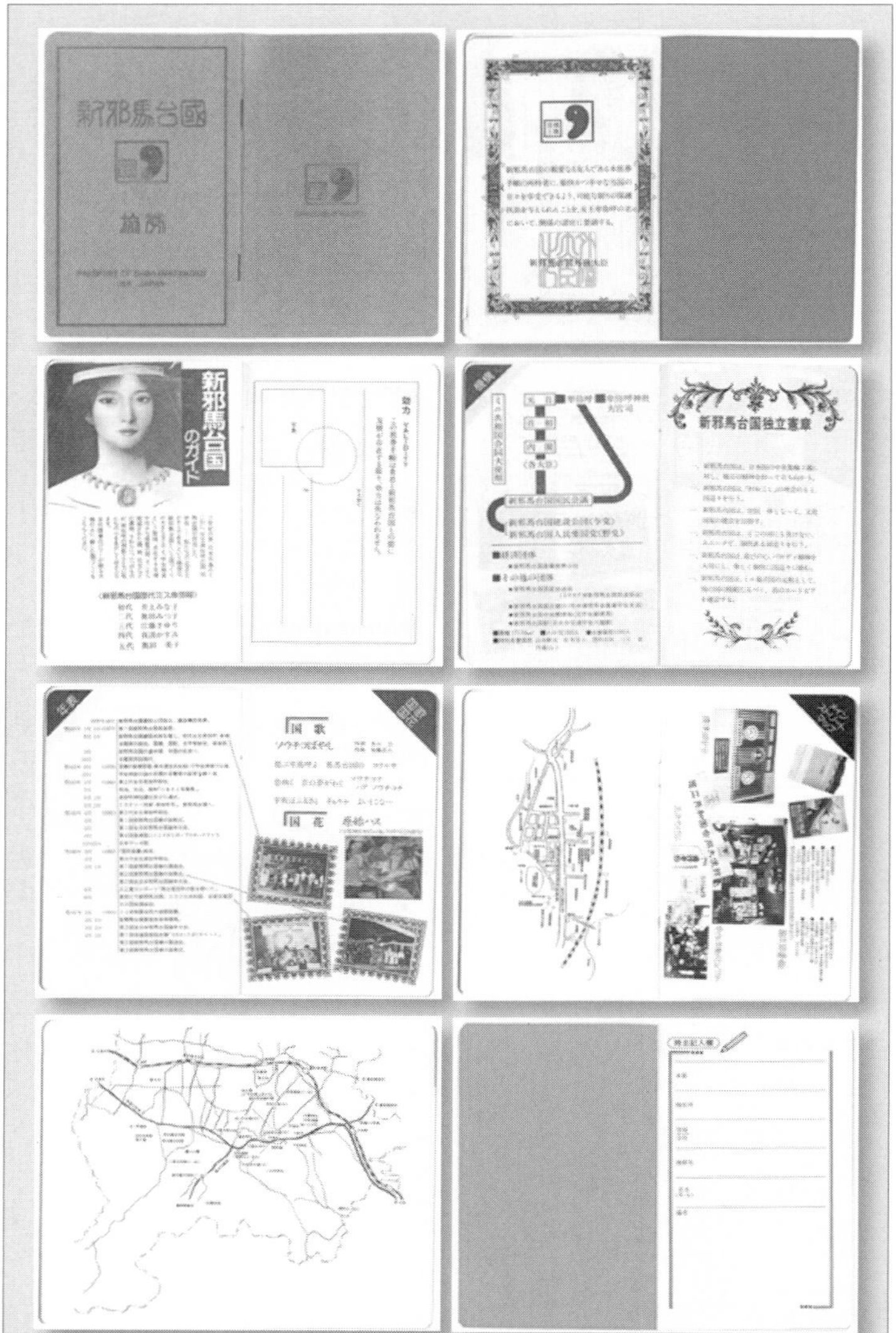

新邪馬台国のパスポート

第九章　〝一等国〟へまっしぐら

新邪馬台国放送協会（ＳＨＫ）開局（１９８３年４月１日）

この頃もう一つの大事業が控えていた。それは新邪馬台国の国営放送局である「新邪馬台国放送協会（ＳＨＫ）」の開局だ。

このアイデアは北九州市の針尾清さんからもたらされた。「東京の青山で最近ミニＦＭ局を開局しています。新邪馬台国でも始めませんか」と。

ミニＦＭ？　私はこの放送局のことをほとんど知らなかった。

つまりミニＦＭとは、電波法に規定する免許を要しない無線局のうち、微弱電波でＦＭ放送の周波数帯を使用して放送するもののこと。微弱無線局であるため、無線局免許状や無線従事者は必要なく、放送法上の放送局でもないという。

機材も手持ちのステレオに微弱電波を送信することができるＦＭステレオ送信器（ＦＭステレオトランスミッター）を差し込めばこれで完了。簡単に送信できた。

これまで私たちのイベントはオリジナルを旨としており、人の真似はしないことを活動の理念としていたが、西日本で初ということと、ミニ独立国ではもちろん初めてということと、そして何より〝国営放送局〟という夢のある企画に食指が動き、針尾さんの勧めるミニFM局の開局に向けて動き出した。

計画が決まれば行動は誰よりも早い。まず放送局の場所を文福の奥の空き地に建設する計画を立てた。

それから大分合同新聞などでスタッフの募集を始めた。

送信は移動局、つまり車に搭載してもOKだが、営業用にしたりお金を取ってCMを流したりしたらダメ。また既存のFM放送局の邪魔をしてはいけないので、これに近い周波数は使えない。

ちなみにNHKFMの周波数は88.9メガヘルツだったので、SHKは78.135メガヘルツにした。だからステーションブレイクでは、いつも「78.135メガヘルツ、名はヒミコでお送りしております」とアナウンスしていた。

放送時間は土日の各二時間だ。

音楽を流しながらDJをやるほか、宇佐神宮に参拝する観光客の情報も流す。ときどき観光客をハントしてはスタジオに招いて生でやりとりすることも企画にあった。

そして毎回お昼には宇佐市を中心としたローカルニュースを流すので、取材力も必要だ。

開局の日はエイプリルフールの4月1日。

なぜなら第三回の全日本邪馬台国論争大会を、4月2日の午前11時から午後3時までと決めていたからだ。その夜は文福で第1回後進国首脳会議の事務レベル協議もある。

次の4月3日は、今回メインイベントの第1回後進国首脳会議「USAサミット」が午前中にあり、午後から第二回新邪馬台国春の園遊会と第三回の叙勲式とイベントを予定していたからだ。

それぞれ単発で行なうよりイベントを輻輳させ、より発信力を高めるというわれわれの戦略もあった。

SHKのスタッフは、応募が殺到した中から十名程度を仲間として採用することとなった。OLの塔鼻圭子さん（22）や無線機オタクの日本文理大生・南徳泰さん（21）、日本道路交通情報センター大分でラジオやFMで道路情報を流している女性レポーター・姫野ひとみさん（24）もいた。それから宇佐高校の私の同級生で建築士・山内英生さん（31）や建設会社に勤めている音楽好きな会社員・本多英一さん（24）も参加した。

4月1日を前に打ち合わせを何度も行なったが、彼らの他にもいろんな若者がこのSHKには日替わりで出入りするようになっていた。

いよいよ4月1日の当日がやってきた。この日の午前11時に開局である。

新邪馬台国国営放送
（SHK・FMラジオ）開局

この日は開局記念番組が中心だった。谷川流行性官房長官も公務多忙の中、オープン式典に駆けつけ、来賓祝辞をお述べになった。取材のラジオ局やテレビ局のインタビューもSHKで生で流したり、早めに来邪した各国の首脳を拉致状態でSHKに呼んでは、今夜開かれる事務レベル協議や明日の首脳会議の意気込みなどをインタビューしていた。

いったん午後1時でこの日の放送が終わると、明日以降ニュースの時間に流す分の音録りが控えている。明日はまず全日本邪馬台国論争大会が午前11時から開催され、同夜、文福の二階では明後日開かれる後進国サミットの「事務レベル協議」が開かれる。その模様を国営放送としては是非取材しなければならないからだ。

いずれにしても宇佐という田舎に、若者文化の拠点ができたことに、私としては大きな幸せを感じていた。

舞台裏はもう大変！（１９８３年４月１日）

ＳＨＫの開局放送が終わると、翌日は朝から全日本邪馬台国論争大会が待っている。しかも夜は首脳会議の事前の事務レベル協議だ。

明日夜開かれる共同声明の原案作りがまだ終わっていなかった。しかも論争大会についてもまだ最終的な詰めが終わっていない。

やることが多すぎて、手も頭も回らないのだ。

平和友好条約、通商条約と貿易、合同大使館の設置、国際機関（新国際連合）の設立等の原案は事前に作成していたが、共同声明の原案はなかなか作ることができなかった。また、そんな時間的余裕もなかった。そこで二、三日前、私は一計を案じた。

ムラおこしの取材でじっ懇になっていた方の一人に、読売新聞西部本社の参与をしておられた鈴木敬一さんという方がいた。小柄でガッチリしているので、会社の皆さんは通称タンクロウさんと呼んでいた。古代史関係の著書も何冊かあり、歴史に造詣の深い記者だった。私も古代史が好きだったせいか、何故かウマが合い、かわいがってもいただいた。新邪馬台国のこれまでの活動も好意的に論評してくださっていた。

だから思い切って、鈴木さんにサミットでの共同声明文の原案をつくって欲しいと懇願したのだ。

「いいですよ」

鈴木さんは笑いながら、あっさりと引き受けてくれた。

突然のお願いなのに厚かましくも注文もつけさせていただいた。共同声明文にはあくまでもムラおこしの理念と「発展途上国」とせず、あえて「後進国サミット」と銘打った理由も盛り込んで欲しいと依頼したのだ。そして最後に「格調高く」ともう一つお願いした。

鈴木さんから共同声明の原案ができたと電話をいただいたのはSHK開局の当日、4月1日だった。

ちょうど昼過ぎだったと思う。まだSHKではDJの生放送中。そこに文福からSHKに電話が回ってきたのだ。私はちょうどその生放送に出演中で、溝口栄治さんに代わって聞き取ってもらった。

番組終了後、書き写した原稿に目を通した。さすがタンクロウさん。私の要望通りで、痒いところにも手の届く文章となっている。早速折り返しお礼の電話を入れた。

これでまず一安心。ずーっとこの原稿のことが頭にあり、気になっていたからだ。

この時期私だけでなく、他の三バカもほとんど文字通りの不眠不休状態だった。今から考えるとよくもまあ、あんなエネルギーがあったものだと今さらながら感心する。

しかしＳＨＫの開局が無事終了したこの夜、また新たな事件が持ち上がった。

明日の論争大会と事務レベル協議二つのイベントを控え、文福で打ち合わせを行なっている四バカのところへ、秋吉太郎国民会議議長と松原一郎事務総長が少し酔いもあったのか、タクシーでやってきて突然話があると言い出した。

夜の８時頃だった。

話の内容は、第三回の邪馬台国論争大会で自説を発表する論者の問題だった。

私は宇佐の論争大会を、邪馬台国論争の拠点というかメッカにしたかった。プロ・アマ問わず邪馬台国研究家が、いつも宇佐を訪れ自由に邪馬台国や古代の謎を論じ合う場にしたかったのだ。それが宇佐の論争大会のアカデミズムだと信じていたからだ。だから邪馬台国論争も、宇佐説に囚われない中立な立場で開催したいと思っていたのだ。

今回は論者を募集した中に有力な宇佐説がなかったこともあって、意見発表する論者の選考の中に宇佐説の人はいなかった。

まあそれが、お二人にはお気に召さなかったのだ。邪馬台国論争は日本の成立や日本人のルーツとも大いに関係することもあり、ある種の地域ナショナリズムがある。だから自分の郷里に邪馬台国を比定することに情熱を燃やす人も多い。

秋吉さんも松原さんも新邪馬台国の〝国士〟ともいうべき愛郷精神に満ちた方々で、宇佐や宇佐神宮に強い誇りを抱いている。だから私財をなげうって、宇佐神宮の放生会を再興し保存してきたのである。

私の考え方をお二人に説明したが、最後まで理解はしてもらえなかった。

お二人は私たち新邪馬台国の運動にもこれまでも協力的で、大変感謝していたのだが、なにぶん論争大会は明朝11時に開始する予定となっている。今更論者を差し替えることは物理的に不可能である。

この辺を説明し何度も謝り、次回にはまた有力な宇佐説の論者を招聘することを約束してお引き取り願った。

日ぐれて道遠し。二人が帰ったあと疲れがどっと出て、まだ詰めなければならないこともあったが、早々に散会することにした。


民族衣裳をまといマスコミへ宣伝隊！（１９８３年４月２日）

次の日の４月２日、四バカは二手にわかれた。

宇佐に残って邪馬台国論争大会を担当する組と、明日３日に行なわれる予定の「第１回後進

（四重奏）

◇…「新邪馬台国の春の開幕会に出席しませんか」―。"全国の"独立国"の首脳を招いて三日、宇佐神宮で「USA（宇佐）サミット」が開かれるが、この首脳らを交えた開幕会が同日午後一時から神宮の境内で盛大に開かれる。

◇…このサミットは、観光開発、村おこし運動などの目的で全国各地に誕生している"独立国"が集まり、独立国としての意義や地域づくりなどについて話し合う。ユーモア精神を忘れず、会議終了後には"平和条約"や"通商条約"などを結び、共同声明を発表する。参加する独立国は大阪の「ルンルン共和国」や「そやんか合衆国」、沖縄の「トカシク共和国」、福島の「会津若松国の牧藩」など十六カ国。

これらの国の代表はそれぞれの民族衣装で開幕会にも出席、サミットを盛りあげる。サミットや開幕会の主催者の新邪馬台国は「日本国の人も一人五千シャーマン（五千円）の入国税を払えば、どなたでも参加できるのでどうぞ」と呼びかけており、前日の二日には大分合同新聞本社を訪れPRした。

（写真はサミットに出席する"独立国"の首脳たち）

1983年4月3日
大分合同新聞　朝刊より転載

国首脳会議『USAサミット』」をさらに盛りあげるため、宣伝隊として大分のマスコミ回りを行なう組である。

論争大会には四バカのうち、私と溝口さんと谷川さんの三人が張り付き、宣伝隊は三和酒類の当時専務をしていた教育大臣の西太一郎さんが買って出た。

1979年、西さん肝いりのむぎ焼酎「いいちこ」が発売されたが、この時期はまだまだ爆発的なヒットとはなっておらず、西さんにも時間的余裕のあった頃だ。

ただ西さんは、四バカの中でも当時から謹厳実直を絵に描いたような人物で、あとの三人とはちょっと異質なほど生真面目でピュアな方だった。

今からは考えられないけどマイクロバスを仕立て、西さん自ら邪馬台国ルックと呼んでいた新しい新邪馬台国の衣裳を着込んで大分市へ繰り出した。この応援隊に参加した各国首脳は大阪の「ルンルン共和国」と「そやんか合衆国」、沖縄の「トカシク共和国」、福島の「ジパング国」などだった。

表敬したマスコミは大分合同新聞をはじめ、全国紙の大分支局、それからＮＨＫ大分放送局やテレビの民放各社だった。

西さんは後進国サミットの宣伝のみならず、その後に予定されている春の園遊会の宣伝にもこれ努め、「春の園遊会は日本国の人も一人五千シャーマ（五千円）の入国税を払えば、どなたでも参加できるので是非おいでください」といたるところで呼びかけたという。

じっ懇にしていたある新聞社の記者は、「三和酒類で有名だった〝営業の西さん〟はここでも健在だった」と笑いながら話してくれた。

当時の新聞報道の記事が私の手元に二紙残っている。

その新聞に掲載されている写真を見るに及んで、まだ若き日の生真面目な西さんが宣伝隊として先頭を切っている光景や、新聞社で売り込みに懸命な姿を目の当たりにして、今、改めて感謝の気持ちでいっぱいだ。

第三回　全日本邪馬台国論争大会（1983年4月2日）

邪馬台国論争大会はおかげで年々盛況となっており、全国のアマチュア研究家が手弁当でも参加したいイベントとなっていた。全国から多くの研究家がいろんな研究資料を送ってきたり、直接文福へお越しになり、アピールする方も多くなった。

ただ選考はあくまで厳正で、公正中立に論文選考を行なっていた。

コーディネーターをどうするかで悩んでいたが、清張事件で「月刊アドバンス大分の記事を『季刊・邪馬台国』（参照1）へ転載させていただきたい」と連絡をいただいた、この雑誌の責任編集者、安本美典氏にお願いすることにした。

（参照1）『季刊・邪馬台国』は、福岡市の梓書院が発行している古代史専門の歴史雑誌。
1979（昭和54）年7月創刊された。責任編集者（編集長）は初代が『草のつるぎ』で芥川賞を受賞した作家の野呂邦暢氏だった。彼は邪馬台国の研究家としても知られていた。
1980年、野呂氏急逝の後は産能大学教授をしていた安本美典氏が引き継いだ。
（ウィキペディアより）

宇佐で行なってきた邪馬台国論争大会は、あくまでもアマチュアリズムで行なうというのを理念とし、ルールとしていた。

意見発表者である論者は、応募者の中から次の五名に決まった。

福岡県山門郡説の夜野皓泰さん（六十歳・熊本市・無職）、熊本説の岩下徳蔵さん（五十八歳・鹿児島市・公務員）、日田説の古村豊さん（四十八歳・福岡県粕屋町・卑弥呼研究会主幹）、フィリピン説の加瀬禎子さん（五十五歳・千葉県八千代市・作家）、博多説の橋田薫さん（五十七歳・福岡県宗像市・陶器販売業）。

残念ながら今年は畿内説がいなかった。

その理由として、西日本新聞は「過去二回の大会で論議を呼んでいた畿内説は根拠となっていた『近畿地方周辺に多く出土する三角縁神獣鏡は魏の国から倭国へ贈られた』とする学説が中国の学者により否定されたためか、今回は全く登場せず〝九州説優位〟の論争大会となった」と推理し、報じている。

たしかに三角縁神獣鏡＝魏鏡説の当否については、中国の研究者をも巻き込んだ議論が当時起こっている。なかでも、中国社会科学院の王仲殊氏が提起した「呉の工人が亡命先の倭で製作した」とする「日本製説」は、学界に大きな衝撃を与えたことも事実。

しかしこのセンセーショナルな学説の発表は二年前の1981年だったので、直接これが禍いしたとは考えにくい。

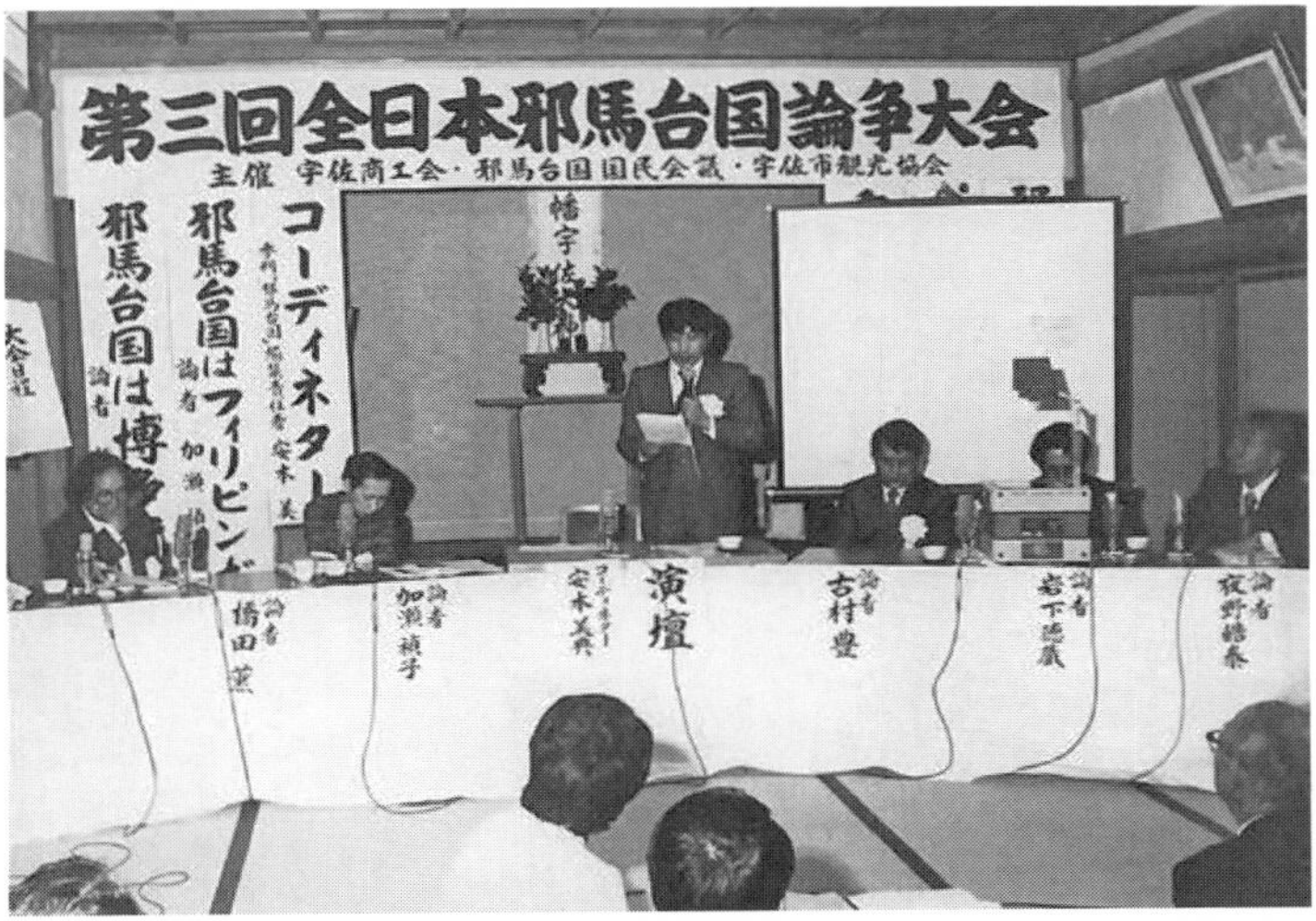

第三回 全日本邪馬台国論争大会

ただこれからも宇佐説や九州説といった〝地域ナショナリズム〟にとらわれず、公平無私な立場でこの論争大会を開催したいと考えていたので、畿内説や海外説も大いに結構だと研究家の皆さんには折に触れて伝えていた。

この第三回論争大会では、九州農政局鹿児島統計事務所の技官をしていた鹿児島市の岩下さんがパソコンにデータを入れて分析したことが注目された。

彼は九州全域の弥生時代後期（二世紀）の水田面積や収穫量を推計し、統計学から邪馬台国を割り出し「水稲生産力が権力の象徴であり、熊本北部しか考えられない」と熊本説を主張。今では当たり前となったパソコンがこの大会で初めて活用された。

また海外説が初めて登場したのもこの大会

だった。

童話作家の加瀬禎子さんのフィリピン説は大変インパクトがあった。

邪馬台国論争は主に位置の特定に大きな争いがあるのだが、『魏志倭人伝』の記述が漢語にしてわずか二千文字あまりで、曖昧な点が多い。距離や方角を額面通りにたどっていくと九州を通り越して南の海の中に浮かぶ島ということになってしまう。勢いジャワ・スマトラ説があったり、フィリピン説も出てくる。

大会ではこのフィリピン説に疑問が相次いだ。「魏志倭人伝には『倭の地は温暖で、冬でも夏でも生野菜を食べる』と記されているが、フィリピンには冬はなく、温暖というより熱帯ではないか」などの批判が相次いだ。これに対し加瀬さんは「当時は小氷河期でフィリピンは今より寒かった」など応戦に懸命だった。

結局、この大会も結論は出なかった。だが、過去二回の論争大会は「魏志倭人伝」の解釈を巡るものが多かったが、今回は所在地を推定する意見が目立った。

会を重ねるごとに突っ込んだ論争になってきた。

事務レベル協議（1983年4月2日）

この頃は四バカもまだ若かった。私が三十歳。溝口栄治さんは私よりちょうど十歳上の四十歳。そして西太一郎さんと谷川忠洋さんが四十五歳。みんな脂が乗って心身ともに力がみなぎっている年齢だった。

論争大会を終えるとその日の夜は後進国サミットへ向けての「事務レベル協議」が待っていた。事務レベル協議といってもそこは〝後進国〟。

各国の財政状況はそれぞれ逼迫しており、来邪の人数も各国元首が一人できたり、二人できたり。大勢きたといってもせいぜい首脳の数人どまりだ。ましてや官僚を派遣できるほど財政的に豊かな国はない。

だから勢いこの事務レベル協議にも元首をはじめ、各国の首脳が疲れていても自ら出席する以外にはないのだ。

主にこの協議では各国首脳の顔見せと、明日のサミットで出す共同声明の最終的な詰めを行なうことであった。

さあ、いよいよ午後の7時から文福で協議が始まった。

今回サミット参加予定国は十五か国なのだが、宿泊するホテル代を辛抱して当日やってくる国もあり、この会議に参加したのは主催国の新邪馬台国の他、ニコニコ共和国、そやんか合衆国、ジパング国会津芦ノ牧藩など十か国。

明日ホントにやってくるのかも疑わしい雰囲気もあったが、この期に及んで心配するのはよ

事務レベル協議を早々に終え、歓迎レセプションへ。テレビ等の取材もあり各国首脳も大変忙しい

しにした。

事務レベル協議の議長役は、溝口栄治さんに任せ、進行してもらった。

まず自己紹介を簡単に行ない、早速7項目の打ち合わせ事項（①平和友好条約 ②通商条約と貿易 ③合同大使館設置 ④国際機関の設置 ⑤国づくり、地域づくりの問題 ⑥明日の会議の流れ ⑦共同声明）の説明に取りかかった。

ところが、この事務レベル協議は新邪馬台国の提案通り、何の異論もなくどんどん進んだ。

どうも皆さんお腹がすいているようで、会議の内容より早く宴会へ移行して欲しいというのが本音だったかも知れない。

ということで会議を早々に切り上げて歓迎レセプションへ移行した。

この事務レベル協議や歓迎レセプションにも、何社かテレビ局や新聞記者が取材を兼ねて会場へきていた。

昨日開局した新邪馬台国放送協会（ＳＨＫ）のスタッフも、「おはよう！ ナイスデイ」の荒川強啓氏らに混じって互角に取材している。大変誇らしく思ったことを今でも鮮明に覚えている。

第一回　後進国首脳会議「ＵＳＡサミット」（１９８３年４月３日）

さあいよいよ今回のメインイベントの当日がやってきた。

新邪馬台国の国威発揚という点では、これこそクライマックスと言っていいのではないか。

当初の参加表明はオブザーバー国を入れると十六か国だった。

以下が参加を表明してくれた国。北からアホーック共和国（北海道）、吉里吉里国（岩手県大槌町）、ニコニコ共和国（福島県二本松市）、ジパング国会津芦ノ牧藩（福島県会津若松市）、伊勢湾共和国（名古屋市）、ルンルン共和国（大阪市）、そやんか合衆国（大阪市）、カニ王国

第一回 後進国首脳会議「USAサミット」 左から卑弥呼、総裁の筆者、新邪馬台国首相の永岡宇佐市長、国民会議議長の秋吉市議会議長

第一回 後進国サミット 卑弥呼の左にそやんか合衆国、ルンルン共和国
秋吉国民会議議長の右がトカシク共和国、サンサン王国

（兵庫県・城崎町）、阿波邪馬壹国（徳島市）、ユーモリスク共和国（北九州市）、新邪馬台国（宇佐市）、テンプランド共和国（豊後高田市）、ヨロンパナウル王国（鹿児島県・与論島）、サンサン王国（鹿児島県・奄美大島）、トカシク共和国（沖縄県・渡嘉敷島）、それにオブザーバー参加の巌流島王国（下関市）だ。

サミット開始の午前10時前には、十三か国の首脳が自国のプレートが置かれた席に着いた。しかしサミット開始の時間が近づいてもまだ四つの国がやってきていない。10時になり見切り発車となった。

司会は流行性官房長官の谷川さんだ。

自己紹介の順番は、ニッポン国の通常の習慣とは逆に、南からやっていただいた。トカシク共和国やサンサン王国、ヨロンパナウル王国と自己紹介が進む…。

途中、ユーモリスク共和国の女性大統領が得意の英語でスピーチを始めたものだから、司会者から「皆様にご注意申し上げます。発言は唯一の公用語の日本語でお願いいたします」とたしなめられる場面もあった。

のれんを大統領の衣裳に仕立てた「そやんか合衆国」大統領の北浦浩氏は、大阪人らしいノリツッコミで笑いを連発。大きく両手を拡げると〝そやんか合衆国〟と大書された文字が出てきてまた爆笑。

「そやんか合衆国」の北浦浩大統領

「カニ王国」の増田毅一国王

自己紹介の途中でそっと戸を開けて会場に入ってきた国がある。王冠に金の杖、カニマークのTシャツに派手なガウンという絢爛豪華な衣裳を身にまとった兵庫県・城崎町の「カニ王国」の国王以下主要閣僚だ。

ああ、時間制限1分の自己紹介もなかなか時間通りにはいかない。

その他「二百年前の復元を目指します」というかみしも姿の「ジパング国　会津芦ノ牧藩」や、「愛らしさがモットー」というタキシード姿のトカシク共和国なども笑いをとり、会場は笑いの渦に。

自己紹介で一番人気をさらったのは、遅れてきて各国の耳目を集めた「カニ王国」国王の増田毅一氏だった。

自己紹介になってこれまで忘れていたのか、つけていなかった立派なつけひげをやおらつけながら、「これで正真正銘のカニ王国の国王となりました」と笑いを誘い自国をPRし始めた。「えー、うちは特産のカニPRのための国です。漁期の終わった昨日閉国したばかりでして……」とユニークな発言に会場はまたまた爆笑。

遅れてきたのも演出の一部だったのだろうと、うがった見方をする首脳もいたほどだ。

会場からあふれるほどの新聞、テレビ、雑誌の取材クルー

この和やかなムードで一、平和友好条約の締結　二、各国の産業振興と通商条約、貿易振興　三、相互協力と合同大使館の設置と国際機関の設立を話し合った。

この三点については、ムラおこし精神による国づくりの考え方を基本として討議事項の中に盛り込むことは、事前に例の四バカで決めていたのだ。

おかげでこれらの三点は、新邪馬

USAサミット会場の看板前で記念撮影の各国首脳

そやんか合衆国の北浦大統領

台国が用意していた内容でほぼ合意ができた。

いよいよ共同声明文のすりあわせである。昨夜はこの原案も大して異論はないようだった。

ところがここで問題が勃発した。

「共同声明」の字句を巡って、伊勢湾共和国の杉浦登志彦大統領からクレームが出たのだ。

「単なる観光や遊びのための独立国運動には反対する。運動はしっかりした政治理念を持たなければならない」というのだ。

自主自治の問題、平和や非核の問題を話し合おうというのだ。

これに対し、多くの観光立国組が「パロディと遊びの精神こそが大切だ。政治色は要らない」と反論する。

さらに伊勢湾共和国の大統領から共同声明の中に「日本国の解体」を入れるよう注文があっ

た。これに対しては、わが新邪馬台国の永岡首相が即座に立ち上がり「日本国の解体なんてもってのほか。そんな文言をこの共同声明に入れるなんて絶対反対だ」と気色ばんだ。永岡首相は現職の宇佐市長。いくらパロディのサミットとはいえ、日本国の解体を認めたら大変なことになると考えたのだろう。普段柔和な永岡氏が鬼のような形相をしていた。

これを引き取ったのが、そやんか合衆国の北浦大統領。

「『日本国解体』なんて言わず、『日本国を買いたい』にしましょう」と提案し、緊張感のみなぎっていたサミット会場は、突然の緊張緩和でまたまた大爆笑。

結局伊勢湾共和国の主張は認められず、共同声明の最後にこうした問題（日本国の解体）が出されたことを付記するとの一文を入れるということで落ち着いた。

残念ながら伊勢湾共和国は〝名誉ある不調印〟の態度をとった。

残りの十二か国（結局、北海道のアホーック共和国と岩手県の吉里吉里国は不参加だった）が戦力の永久放棄と自国文化での防衛を骨子とした平和友好条約、共存共栄の精神での特産品の交流を織り込んだ通商条約、さらに新国際連合の設立と合同大使館の設立を締結した。

そして「中央集権の中で置き去りにされてきた地方は行政に頼らず自主、独立の精神で地域を豊かにしなければならない。この暮らしの中に生まれた生活文化を見すえる〝ムラおこし精神〟を大切にしよう」という内容の「共同声明」にも調印した。

議長である私から共同声明の発表をし、次回開催地をニコニコ共和国に決めて後進国首脳会議の閉会となった。このあと引き続き会場にて共同記者会見。

このサミットにはテレビ、新聞、雑誌と会場に入りきれないくらいの取材クルーが押し寄せていた。ブームを先取りする気分は実に爽快だった。周回遅れの先頭走者ではあったが、新邪馬台国は押しも押されもせぬ、後進国の中でトップを走っていた。そしてそれは名前を全国にとどろかせるよすがともなった。

第二回　春の園遊会（1983年4月3日）

後進国首脳会議USAサミットを終え、各国の首脳は桜の花の咲き始めた宇佐神宮神苑を楽しみながら園遊会会場へと向かった。菱形の池の中にある島にしつらえた能舞台がその会場だ。すでに宇佐市地婦連会長の高橋ツイさん率いる婦人会の方が中心となって、郷土の料理の持ち込みを終了させ、受付開始の午後12時にはすでに準備万端整っていた。

午後12時から園遊会の受付を開始。

一般参加者、報道関係、叙勲者、招待者（各国首脳）と受付を仕分けしていたが、それぞれ長い行列ができるほど盛況だった。メインゲストとして町づくりコンサルタントの萩原茂裕さんと代議士の田原隆氏がかけつけてくれた。

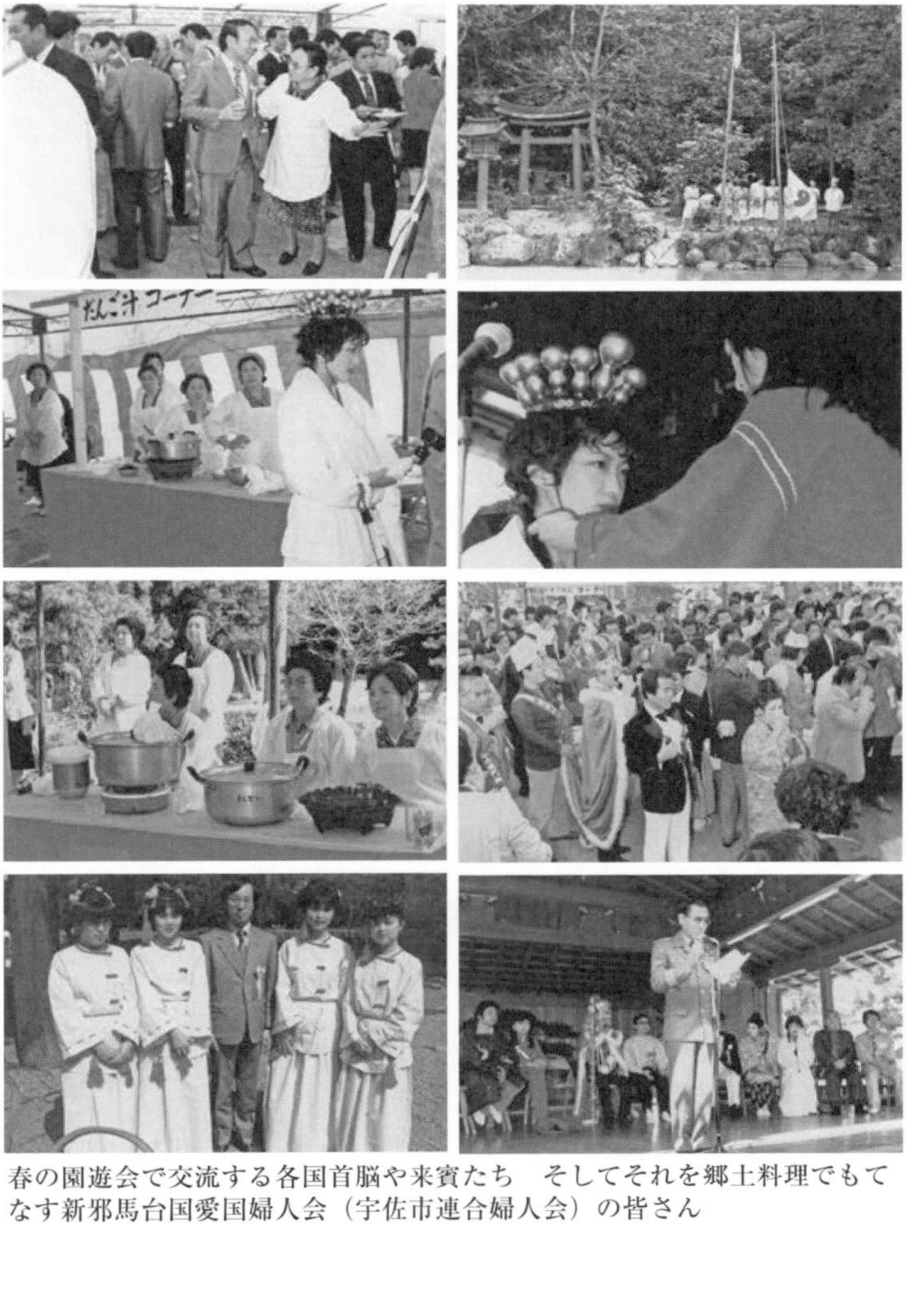

春の園遊会で交流する各国首脳や来賓たち　そしてそれを郷土料理でもてなす新邪馬台国愛国婦人会（宇佐市連合婦人会）の皆さん

午後1時前、この二人のゲストと総裁、首相、国民会議議長、副議長、到津宮司は舞台上へ整列。

そしてややあって、女王卑弥呼（貞清かすみさん）が侍女を従え回廊より登場。司会はいつものように羽織袴姿の西太一郎さんだ。西さんは相変わらずくそ真面目にこの役を演じきっている。

いよいよ開会。

矢口力国民会議副議長がまず開会の挨拶をし、国歌斉唱と国旗の掲揚。

まず女王卑弥呼の歓迎のお言葉をいただき、永岡首相から歓迎の挨拶があった。続いて来賓の田原隆代議士より祝辞をいただいた。

それから女王卑弥呼の戴冠式が続く。

第四代の卑弥呼から第五代の卑弥呼へ、ひょうたんで作った冠の授与がなされた。

ここで祝電披露。

そして午後1時30分となり、ようやく乾杯の儀となった。舞台にいた人たちも一斉に舞台下へ下りた。

乾杯の発声は秋吉太郎新邪馬台国国民会議議長（宇佐市議会議長）だ。

今回もプログラムにハッキリ「秋吉国民会議議長の音頭で乾杯三唱」となっている。

諧謔好きな秋吉さん、最後に「かんぱ～い、かんぱ～い、かんぱ～い」とやったものだから、会場のみなさんも大いに盛り上がり、乾杯三唱。

このあと会場へいらっしゃった約二百名で会食が始まった。

会場で振る舞われた郷土料理は、宇佐婦人会のみなさん方の協力でできたもので、会食が始まった直後にメニューが披露された。

このときの郷土料理のメニューが残っているので、ここに記しておく。

「邪馬台国（盛り合わせ）」

海・山そして里、神話と伝説に充ちた宇佐地方（宇佐・安心院・院内）の産物を材料としたお料理を盛り合わせにしました。

「お造り（宇佐市）」

豊前海でとれたすずき、さよりをお造りに。

「お吸物（宇佐市）」

本県五十六年度郷土料理コンクールに入選した作品。

「すっぽんの寄せ鍋（安心院町）」

安心院町は昔からすっぽんの産地として全国的に有名。

「焼き物（安心院町）」

新鮮な魚を当地の手作り味噌に漬け、焼いたもの。

「和え物（院内町）」

院内町特産のゆず・生しいたけ等を材料に使用し、味噌・マヨネーズで調味。

「セロリ飯（宇佐市）」

農村の銘品「セロリのもろみ漬け」を宇佐米にちらした風味のある新しい郷土料理。

香の物は、自然薯の梅酢づけ、当地特産の玉葱の粕漬け。


以上が園遊会のお品書きだが、宇佐の婦人会のみなさんが全国からお越しのみな様方へ、精一杯手作りでおもてなししたことがわかる。

午後1時30分から第1回後進国首脳会議（USAサミット）の共同声明の発表。

日本全国から参集した各国首脳が壇上に上がる。

声明文は、後進国サミットの次期開催国に決まった、ニコニコ共和国の木村大統領が参加国を代表して発表してくれた。そして松村放送庁長官から各国首脳のインタビューが始まった。

ところが残念なことに参加した十四か国のうち、一か国だけがこの園遊会に参加していない。

あとでわかったのだが、それは伊勢湾共和国の杉浦登志彦大統領だった。サミットでは共同声明文を巡り最後まで「日本国解体」の文言を入れることを主張した。ところがわが新邪馬台国の永岡首相などの反対もあって、共同声明文に入れないことを決めたところ署名を拒否したラジカル派の大統領だった。

人間がテキトーにできている私としては、後進国サミットを盛りあげる彼なりの〝演出〟と思っていたのだが、どうも本気だったようだ。

今となっては確かめようがないのだが、もしそうであったのならば、永岡首相の判断は正しかったと言える。

沖縄民謡を踊るトカシク共和国のお姫様

引き続いて舞台上では独立国の民俗芸能の披露があり、トカシク共和国からいらっしゃったお姫さまが沖縄民謡を踊ってくれた。南国情緒豊かで会場はいっぺんに沖縄のムードが漂った。

そして予定になかったが、ここで突然、例のそやんか合衆国の北浦大統領が、またまた呼ばれもしないのに登場。

サミット参加国を盛り込んだメッセージ「後進国首脳サミットに寄せて」をみなさんに披露したいという。

せっかくなので彼のメッセージもここに全文を記す。

「後進国首脳サミットに寄せて」
　春風にきりきり（吉里吉里国）と舞うさくら花
　　国をつくる人々ここに寄りて　きびきび（吉備王国）と働き
にこにこ（ニコニコ共和国）とほほえみ　世論をわかす
行きかう人も自然にルンルン（ルンルン共和国）と口ずさむ
此国へ来るあいつのために　伊勢湾（伊勢湾共和国）よりの
　カニ（カニ王国）を天ぷら（テンプランド共和国）にしようと
そのあわてた仕草が何とおかしくユーモリスク（ユーモリスク共和国）か
　アホーック（アホーック共和国）だと笑われても
そやんか（そやんか合衆国）と答えながら
サンサン（サンサン王国）と輝く太陽のもと
　　あこがれの新邪馬台国へいそぐ
　そや元年四月吉日
そやんか合衆国大統領
　　　ジョージワシントン北浦Ⅱ世　花押
　　　　右代筆　黒幕　落款

ここでも北浦大統領は会場の笑いをとっていた。あとで読み直し、最後に「右代筆　黒幕」とあるのが気になったが、大統領は大言壮語する割には恐妻家のようでもあり、恐らく令夫人のことだろうとみんなで推察をした。

第三回 春の叙勲式　1983（昭和58）年4月3日

このあと午後2時からアトラクションとして、宇佐神宮の巫女たちによる浦安の舞が披露された。

アトラクションでもう一つ披露されたのは、昨年度の大分県神楽大会で第一位となった神楽社の神楽舞だった。いずれも宇佐神宮の能舞台で演じるにはぴったりの余興であり、参加者から大変喜ばれた。

さて午後2時30分からこの園遊会のメインイベントである第三回春の叙勲式が始まる。

今回の受章者は、政治勲章に〝家一棟運動〟などを提唱し、地域林業の振興に功績があったとして上津江村長の井上伸史さん。彼は今、大分県議会議員として活躍をしている。

産業経済勲章には大分県商工会議所連合会長の吉村益次さんへ。昨年平松知事とわざわざ園遊会へ足を運んでくれたので、そのお返しの意味もあったが、全国商工会連合会の会長という重責を果たしておられ、この受章は誰からも異論はなかった。

文化勲章は挾間町の民謡研究家の加藤正人さん。県下の埋もれた民謡の採譜をしたり、長年の民謡研究の功績と何といってもわが新邪馬台国の国歌、「ソウチコばやし」を作曲してくれた功績は大きいからだ。

婦人勲章は作家の小郷穆子さん。小郷さんは昨年、初めて園遊会に参加して大いに新邪馬台国を堪能し、大分合同新聞のコラム「灯」にも〝卑弥呼ババア〟というタイトルで紹介していただいた。児童養護施設「栄光園」の園長であり、九

アトラクションは昨年度大分県神楽大会で第一位となった神楽社の神楽舞

州沖縄芸術祭文学賞を受賞した作家でもある。その活動に対して敬意を表しこの勲章を差し上げた。

スポーツ勲章の受章者は、マラソンの西村義弘さん。新日鐵大分陸上部（当時）に属し、この年の2月6日に行なわれた、第32回別府大分毎日マラソンで優勝を果たしている。

叙勲式が終わると今回特別に「新邪馬台国特別名誉国民賞」の授与式がある。

新邪馬台国がかくも後進国をリードする超大国になれたのは、推理作家の高木彬光氏のおかげであるとの認識のもと、氏に特別名誉国民賞を差し上げようとの気運が盛り上がった。つまり新邪馬台国の建国の発想や新邪馬台国が市民権を得るきっかけとなった「ミステリー列車卑弥呼号」の発想はすべて高木氏の著書『邪馬台国の秘密』からきているからだ。

ただこの頃、高木氏は脳梗塞の後遺症で、宇佐までこられるような状況にないことは昨秋上梓された氏の『甦える（脳梗塞・右半身麻痺と闘った９００日）』に詳しく書かれていた。

この日、受賞会場へこられなかった高木氏に代わり、うちの流行性官房長官の谷川忠洋さんが代役を務めた。

会場ではミニ独立国やムラ起こし運動のリーダーなど、参加者たちの交流も進みすっかり打ち解けていた。

午後３時過ぎ、お名残り惜しかったが万歳三唱で締めくくった。

引き続きみんなで宇佐神宮へ参拝した。首相、議長、総裁、卑弥呼を先頭に参加者全員で隊列を整えての行進だ。宇佐神宮の特別なお計らいで、普段は通すことのない回廊に入れて頂き、回廊から参拝する昇殿参拝を行なうことができた。これで長かった一日の終了である。

独立国の首脳も、園遊会の参加者もお名残り惜しそうに別れを告げていた。新邪馬台国の閣僚や黒子で支えてくれたスタッフも心地よい疲労感に酔っていた。

世界が一変⁉

後進国サミットの当日までにもさまざまなマスコミの取材があったが、翌日から自分を取り巻く環境がさらに一変した。後進国サミットが新聞・テレビ・雑誌とさまざまなメディアに取り上げられたからだ。

当日夜の報道番組や翌日の『おはようナイスデイ』（荒川強啓氏が密着取材をしていた番組）など、当時のワイドショーはほとんど総なめ状態で報じていた。

新聞メディアを見てみると、それぞれの地方版や全国版の社会面に掲載されたのはいうまでもないが、朝日新聞は夕刊コラム「今日の問題」にもじり独立国と題し後進国サミットを取り上げた。また読売新聞は一面コラムや「記者レポート」で、「USAサミットその後ブーム超え地域密着」とのタイトルで論評を載せたり、一面コラムの「よみうり寸評」でも扱っていた。

写真版では、読売新聞ニュースに「日本中の〝独立国〟が大集合」のタイトルで、時事通信フォトサービスには「〝おかしな国〟のサミット開く」のタイトルでサミットを紹介。

普段なじみのない日経流通新聞でさえ、一面コラムの「暖流寒流」に後進国サミットのことが紹介されていたのだ。

それから日本経済新聞のコラム「ひろば」にも「遊び心で探る地域振興の道」と題し、後進国サミットの論評が載った。

情報が情報を呼び、『週刊現代』や『プレイボーイ』をはじめ、さまざまな週刊誌に特集記事が出たり、また『月刊宝石』やファッション雑誌の『メンズクラブ』、旅行雑誌の『読売旅行』『旅の手帖』、はたまた『ショッピング』などの婦人月刊誌、あるいは『商工日本』など機関雑誌等にも私個人や新邪馬台国の特集記事が載るようになった。

共同通信社の配信で全国の地方紙にも新邪馬台国をはじめ、ミニ独立国特集が掲載されたり、日本農業新聞の一面に新邪馬台国の特集を組まれたりもした。

マイナーだが新日本製鐵化学工業の月刊誌『かがく』に新邪馬台国訪問記が掲載されたり、前にも述べたが、九州貨幣史学会発行の『貨幣史の研究』第２２３号に新邪馬台国の紙幣「シャーマ」が紹介されたりもした。

果てはアメリカの日系人やアメリカ人に日本を紹介するための新聞『Ｌｏｏｋ Ｊａｐａｎ』にもＵＳＡサミットのことが大きく紹介されている。見出しが刺激的で面白い。「ＵＳＡ Ｌｅａｄｓ Ｊａｐａｎｅｓｅ Ｔｏｗｎｓ Ｔｏ 〝Ｎａｔｉｏｎａｌ Ｉｎｄｅｐｅｎｄｅｎｃｅ〟」。つまりアメリカが日本の町を民族独立に導いているというのだ。

本文を読むとＵＳＡは宇佐と呼び、私たちが開催した第１回後進国首脳会議ＵＳＡ（うさ）サミットのことが書いてある。

この『Ｌｏｏｋ Ｊａｐａｎ』は、ハングルにも訳され韓国人向けにも発行されたようだ。

今でもいただいた英語版とハングル版の新聞が手元にシッカリ証拠として保存されている。全国紙のいわゆる「人欄」にも読売新聞をはじめ、毎日新聞や日本経済新聞等に載せていただいた。何故だか地元紙の「人欄」に載るのはまだだいぶ先のことだった。

いずれにせよ、このように一夜明けると異次元の世界にワープしたまさに〝シンデレラボーイ〟にでもなったような気分だった。これは私の人生において初めての経験である。USAサミットののちあちこちからさまざまな電話がひっきりなしにかかってきて、しばらく仕事もままならない状態だった。うんざりした気分で対応に追われる日々だった。

第二回　後進国サミットへ参加（1983年7月21日）

福島県二本松市の市街地を通り、車で約二十分ほど行くとあだたら高原・岳温泉に至る。ここに「ニコニコ共和国」がある。

第一回の後進国首脳会議の興奮が冷めやらぬわずか三か月のちに、第二回目の後進国サミットが福島県二本松市のニコニコ共和国で開催されるとの通知をいただいた。

卑弥呼の奥田美子さんは仕事の都合で参加できなかったが、とりあえず後進国サミットの提唱者である私が出席しなければ話にならないと思い出席することにした。

こうした費用はほとんど私の貯金かポケットマネーで出した。母が「うちのバカ息子、バカ息子」と周囲に愚痴をこぼす理由がここにあった。

ニコニコ共和国の国土はわずか2５．2５平方㎞、人口は千二百人。その中心にいるのがUSAサミットにも参加してくれた木村四郎大統領だ。

日本国とこの岳温泉のニコニコ共和国の国境には国境を守る国境警備隊員がおり、まずビックリした。井上ひさしの『吉里吉里人』に出てくる国境警備隊を彷彿とさせ、まずこの徹底ぶりに度肝を抜かれた。

ミニ独立国の西の雄が新邪馬台国とすれば、恐らく東の雄はこのニコニコ共和国というべきだろう。

この国が独立宣言したのは新邪馬台国の建国五年後、１９８２（昭和57）年4月28日であった。

「独立憲章」にはこう書いてある。
一、国民はいつもニコニコ。笑顔であいさつします
一、健（すこ）やかな心と健やかな体。国民の目標です
一、こどもは共和国の未来。お年寄りは共和国のたから。ほんとうの、青空の下で、仲よく過ごそう
一、岳（だけ）の自然を大切に。野山の木は折りません。ゴミはすてません

一、酒を愛し、歌を愛し、女を愛する

わかりやすくて大変いい。とりわけ最後の一文は心に響くものがあった。新邪馬台国でクーデターが起これば、ニコニコ共和国への亡命も考えてみたいと思ったほどだ。

ニコニコ共和国の誕生は観光協会が中心となっており、観光客誘致を最大の目標にしてやってきたミニ独立国という印象があった。木村四郎大統領も、もともと観光協会長をなさっており、閣僚もほとんどが観光協会の人たちである。

だからすべてがパロディ仕立てで徹底している印象があった。閣僚も自薦他薦で七十人以上いる。通りはさまざまな花の名前で統一している。旅館の名称は「樅の木離宮」「ハメハメハ宮殿」「ホワイトハウス」などがあり、看板めぐりをするだけでも楽しい。

食堂も「議員食堂」「ひげ殿下の店」などの屋号があり、感心することしきりだった。

またガソリンスタンドも「アブラ首長国連邦大使館」となっており、この岳温泉という小さな地域が全体としてテーマパークであり、〝異国情緒〟たっぷりなのだ。

圧巻はホワイトハウス風な白い建物の「国会議事堂」。

中は観光協会の事務所となっているが、ニコニコ共和国のランドマークでもある。

観光客はここで記念写真を撮っている。

わが新邪馬台国も、そこここに国立銀行や新邪馬台国駅、国会議事堂、合同大使館等を三拝九拝し、新邪馬台国の看板を掲げさせていただいた経緯はあるが、ここまでの徹底さはない。当時の新邪馬台国は敵意をむき出しにする人までいて、薄氷を踏む緊張関係の中にあったものだから、ニコニコ共和国の一枚岩ぶりに圧倒される思いがした。そして心に焦燥感と新たな対抗意識がふつふつと沸いてきた。

さて第二回の後進国サミットは「ＮＩＫＯ　ＮＩＫＯサミット」と名づけられ、主催国のニコニコ共和国のハメハメハ宮殿で開かれた。

テーマは〝二十一世紀のコミュニティづくりをめざして〟。

参加国は北から、なかしべつ・ゆう・もあ王国臨時政府をはじめ、吉里吉里国、ぷーたろ村、あやまおとぎの国、ジパング国　会津芦ノ牧藩、ラヂウム共和国臨時政府、カセットボーイ共和国、銀杏国、アルコール共和国、サンテラス共和国、そやんか合衆国、ルンルン共和国、新邪馬台国、ヨロンパナウル王国、そして主催者であるニコニコ共和国と十五か国の多数に及んでいる。

議論の内容は主催国には失礼だが、ちょっと月並みだった。

せっかく後進国サミットと銘打っているのだから、日本国を含めた先進国の抱えている問題点をえぐり、後進国の生きる道を探るといった議論を期待していたのだが、全く出なかった。

ニコニコ共和国国会議事堂前で木村大統領と

中央筆者の左は会津芦ノ牧藩の姫様、右は福島県郡山市の広告代理店「企画室コア」の三田公美子社長　ニコニコ共和国の企画を担当していた

ＵＳＡサミットでも感じたことだが、住民の行政に対する要求が多様化していることと、財政負担の増大に十分には対応できなくなった行政の相克とがあり、自治体や観光並びに商工団体等が、新たなポテンシャルを求めてこのミニ独立国運動に立ち上がりつつあるとの印象を受けた。

また単なるブームの便乗ではダメで、ブームが去った後の状況を見据えながら、地域の歴史や風土、伝統などに根ざした独自文化、産業の創造を目指していくといった、より地道な活動が求められるとも肌で感じた。そのことは残念ながら事前に作り上げていた「サミット宣言」の中には盛り込まれなかったけれど、後進国サミット提唱者として、十五か国の首脳のいる会場でハッキリ発言させていただいた。

このサミットで熱心な取材を受けた雑誌の記者が二人いた。

一人は『ショッピング』の記者で、話の合う私好みのかわいい女性だった。

もう一人は男性記者で、ニコニコ共和国のサミット会場で名刺交換をして、サミットが終わり投宿予定の東京に電車で戻るまで同行取材を受けた。撮影カメラマンを従えての取材で、ニコニコサミットの取材ではなく、後進国サミットの提唱者として、私個人の取材だったので、多少サミットの内容に物足りなさを感じていたこともあり、この記者へ私の不満をぶちまけた記憶がある。

ライターの名前は確か浅野恭平さん。上野駅についてもお互い話し足りず、夜、投宿先の新宿で一杯やろうということになった。

新宿の「とど」で看板まで飲み、何軒かはしごのすえ、ベロンベロンになりながらホテルに帰り朝まで爆睡した。

彼とはその後も年賀状のやりとりを続けていた。

雑誌編集者や週刊誌記者を続けたのち、フリーのライターになったようで、書店で彼の著作にときどきお目にかかることもあった。

こののち浅野さんが書いた記事は雑誌に大きく載った。

「『独立国』症候群　シンドローム　の仕掛け人　約40の後進国サミット提唱者◎高橋宣宏」の見出しでかなり突っ込んだ内容が盛り込まれている。

ニコニコサミットで「中曽根首相に会見を申し込み、ミニ独立国の承認を認めさせよう」とか、「新国際連合を設置して、独立国の検定制度を発足させよう」などと過激な発言をしたこともこの雑誌を読み返し、思い出す始末。

それから宇佐神宮の境内で「一村一品縁日万国博覧会」を開催することもアピールしていたし、私の将来の夢も語っていた。

それは私が新邪馬台国を建国して以来ずっと温めている計画だった。

古代三世紀の邪馬台国の女王卑弥呼は、魏の国の都洛陽へ使節団を送ったのだが、新邪馬台国は女王卑弥呼自ら使節団を編成し、現在の中国洛陽市へ訪問させようと考えていた。

遣唐使ならぬ現代版の〝遣中使〟である。そんな夢のような構想まで恐らく酔いに任せてしゃべっていたようだ。

閑話休題。

その後、私が後進国サミットに参加したのは、翌年1984年4月22日、佐渡ニューホテルに設けられた特設会場で開催された、第三回アルコールサミットとその翌年東京八王子市で開催された第五回銀杏サミットまでである。

先進国サミットに対するアンチテーゼとしてのミニ独立国サミットといった、当初の理念も忘れ去られ、サミットのたび毎に「ブームの去った後の地道な地域振興を連帯しながら乗り切っていこう」と、私が提案してもほとんど耳を貸してくれる首脳はいなかった。

だからマスコミに対する、単なる受け狙いの仮装大会に参加することに、だんだん耐えきれなくなっていったというのが本心だ。

新邪馬台国が何でもネタに（1983年10月16日）

この頃になると、大げさに言えば新邪馬台国の一挙手一投足が注目されるようになっていた。特にマスコミは、何でもネタにするのが常態化していたといえる。

例えばこんなことがあった。

「新邪馬台国建設公団」の名前と電話番号が建国六年目にして、五十音別電話帳に登場し、西日本新聞のコラム「超短波」に載ったのだ。内容は以下の通り。

「○…ムラおこし運動で今春、第一回後進国首脳会議『USAサミット』を開催して世間をあっといわせた宇佐市のムラおこしグループ『新邪馬台国建設公団』（高橋宣宏総裁）の名前と電話番号が〃建国〃以来六年目にして、五十音別電話帳に登場＝写真＝、関係者を喜ばせている。

○…この電話帳記載は三年前にも地元電話局に申請されたが『政府の外部団体と誤解されやすい』との理由で見送られていた。今回は九州電気通信局とも慎重審議の結果、掲載OKとなったもので、背景にはサミット開催に伴う同公団の知名度向上や地元の観光宣伝への配慮もあるようだ。

○…これまで同公団の活動を報じる新聞切り抜きを電話局に持ち込むなどして同公団の〃社会的意義〃を説き続けてきた高橋総裁は苦節三年の悲願達成に『感無量。運動が認知された満足感さえあります。次は五十人近い閣僚の番号案内も一挙に並べたい』と大喜び。そして『外部からの問い合わせのたびにご迷惑をかけてきた番号案内（１０４）のお嬢さんも喜んでくれるでしょう』と感謝の弁しきり。（大分）」

この頃はまだ電信・電話事業は日本電電公社の時代。ＮＴＴとして民営化されたのは二年後の１９８５年だった。

だからパロディとはいえ、電話帳に公団の名称を使うことは、なかなか認めてもらえなかった。しかし、番号案内に新邪馬台国建設公団の名称で毎日のように問い合わせがくるものだから、電電公社も認めざるを得なかったというのがホンネかも知れない。

しかしながら公団名が電話帳に載って以降、たまに業者の営業とおぼしき電話が何度かあった。当時はまだ、日本鉄道建設公団や日本道路公団を初めとする道路関係四公団も民営化されていなかった。

だから電話局の心配したように、「政府の外部団体と誤解」した営業マンが、まぬけな電話をしてきたのだろう。実害はなかったので笑い話ですんだ。

またこんなこともあった。

総裁の名刺はちょっと変わっていてマッチ型名刺だった。社会を明るく照らすようにとの思いがあったのと、たまたま当時、文福のマッチがなくなっていて、新しく作りかえる必要があったのが理由だった。

ただその名刺の住所欄には正式の住所ではなく、「新邪馬台国卑弥呼通り一丁目一番地」と記していた。パロディは徹底しなければならないというこだわりと、新邪馬台国の住所でいつかは文物が届くように有名になりたい。この一心だった。

ある日、横浜市の神奈川県商工会連合会から、A４判のクラフト封筒で資料が送られてきた。住所は「新邪馬台国卑弥呼通り一丁目一番地」、宛名は「新邪馬台国建設公団総裁　高橋宣宏」となっている。こんな住所でなんと横浜市から私の手元に届いたのだ。

このニュースも、大分合同新聞をはじめいろんな新聞に紹介された。

卑弥呼通り一丁目一番地で郵便物が届いた理由は、後から分かったのだが、郵便番号を書いていたのがミソ。

日本の郵便番号のスタートは遅く、１９６８（昭和43）年。

最初、３桁もしくは5桁の郵便番号が導入された。

その後30周年を迎えた１９９８（平成10）年には、それまでの郵便番号の末尾に4桁または2桁を付け加え、現在のような7桁の郵便番号が導入開始となり、町域や大きなビルの階層までも個別に、郵便番号で指定できるようになった。

新邪馬台国へ神奈川県商工会連合会から郵便物が届いた頃は、正確な郵便番号があればある程度の郵便物が届くということを知らずに、これを見た人は一様に驚いて、「おーっ、大したもんじゃ。新邪馬台国の名前も全国にとどろいちょるのォ」と賞賛のあらしだった。

この話が新聞等で紹介されたものだから、それ以来、みなさん卑弥呼通り一丁目一番地で郵便物を送る始末。

しばらくそうした郵便物を卑弥呼の家の壁に貼り付けていたが、そのうち壁いっぱいになり、手に負えなくなって廃棄してしまった。

ただ最初に新邪馬台国の住所で届いた、くだんの神奈川県商工会連合会のA4のクラフト封筒だけは額入りにし、卑弥呼の家に記念としてしっかり展示している。

アメリカのレーガン大統領に書簡送付（１９８３年年10月20日）

それは10月20日だった。県や県観光協会などが、在日外国人を中心に招待した「レッツラブ大分ツアー」の一行を迎えての歓迎の夕べが、城島高原グランドホテルで開かれた。

躍進する大分を世界の人たちに知ってもらおうという狙いで、ジャーナリスト、外交官、商社マンなど、世界19か国から参加した外国人七十名に国内の旅行代理店、報道関係者ら三十七名が加わって、一村一品料理や郷土芸能を堪能していた。

特別招待客に、作詞家阿久悠さんも平松知事の友人として出席し、「いま大分は人間の祭りが始まった。衝撃と感動を与えた一村一品運動を一段と盛りあげてほしい」と激励した。

県から、総裁の私もホストの一人として出席して欲しい旨の依頼があり参加した。事前に、ゲストとして、アメリカ大使館副領事アン・M・カンバラ氏が出席するとの情報をつかんでいたので、かねてより私が考えていた夢の構想を実行に移すことにした。

実はアメリカのレーガン大統領に、あるお願いをするため、私の親書を橋渡しする人を探していたのだ。親書の内容はこうだ。

拝啓　大統領閣下、初めて手紙を差し上げます。

（略）

さて、私は日本の中で最もオリジナルな地域、事実上、日本国の発祥の地ともいわれる地域の代表として、閣下に是非聞いていただきたい話があります。

私の住む大分県宇佐市は、東京から西南に千キロ以上離れた場所にあります。発音表記は「ＵＳＡ」で、貴国とは奇妙な縁で結ばれています。第二次世界大戦後、日本を占領した米軍兵士は、列車で宇佐を通過する際、駅名板に書かれた「ＵＳＡ」の文字を見て、故国を懐かしがり涙を流す者もいたといいます。

また戦後、真実は謎の中ですが、宇佐の食品会社がアメリカ向け食用蛙の缶詰に「メイドインＵＳＡ（宇佐）」の表示を付し、裁判沙汰になった「ＭＡＤＥ　ＩＮ　ＵＳＡ事件」もあったと聞いています。

この宇佐には、千七百年ほど前の紀元三世紀に、女王卑弥呼をいただく邪馬台国が存在し、西南日本の約三十か国の上に君臨し、中国の洛陽に都を置く魏帝国と正式に国交を結んでおりました。このことは中国の正史である「三国志」の魏志倭人伝に明記されています。

この邪馬台国こそ日本国の前身であることは、歴史家も異存のないところでもあります。

私は七年前の１９７６年10月、宇佐の仲間と語らい、新邪馬台国建設公団を設立し、翌77年に日本国から独立を宣言しました。初代女王卑弥呼陛下が即位し、首相以下閣僚は五十名を超えています。

そして今や、私たちの〝パロディ王国〟に共感して、日本各地に50近くの自称独立国が誕生し、各国がそれぞれ独自に個性ある国造りをめざしています。

実は今春、わが新邪馬台国の提唱で、これらの主だった国、14か国がわが国に結集し、「第一回後進国首脳会議・ＵＳＡ（うさ）サミット」を開催致しました。貴国のウィリアムズバーグで先進国首脳会議が開かれた一か月前のことでした。

前置きが大変長くなりましたが、この度、第5代女王卑弥呼陛下をはじめとして、私たち新邪馬台国首脳は、貴国アメリカの旅行を計画しております。明治4年に明治新政府が派遣した「岩倉使節団」のように、新興国家である新邪馬台国が貴国の独立精神とユーモア感覚を学ぶためであります。

もし大統領閣下が私たちのために、たとえわずかでも時間を割き、お会いする機会を与えていただけるなら、旅行計画をその指定された日時に合わせる用意があります。

世界で最も多忙な閣下にぶしつけなお願いではございますが、ご承諾いただけましたら幸甚に存じます。是非是非、国民一同心よりお願い申し上げます。

新邪馬台国建設公団総裁　　高橋　宜宏

1983年10月21日

アメリカ大統領閣下
ロナルド・レーガン　殿

この内容は一見お遊びだが、読み方によってはかなり過激な部分もある。果たしてアン・M・カンバラ氏はどういう態度に出るか。彼を仲介してくれたのは、西日本新聞の山浦修記者だった。彼はまだ若手の記者だったし、こういう話には誰よりも乗りがよかった。

でも、心配は無用だった。やはりアメリカ人は諧謔を解する国民だ。英訳文を読むなり、

「ハハハハハ。OK、OK。責任を持って届けさせます」

と快諾してくれた。

ところでこのパーティの主催者代表は、当然平松大分県知事。彼との関係は大分文化創造シンポジウム以来ギクシャクしていた。

しかし、私も何とか関係修復を模索していた頃だったので、このパーティで知事と楽しい会話を交わし、何とか失地回復を図ろうと考えていた。

ところがである。

たまたま副領事のアン・M・カンバラ氏にレーガン大統領への親書を渡している際に、山浦記者が近くにいた平松知事を呼び止め、事情を説明した。平松知事も笑顔で応えてくれたが、その話が終わったあとに、山浦記者は冗談のつもりで、

「あっ、そうそう。知事、今度総裁が知事選に出馬すると言っていますよ」と笑いながら知事

に告げた。

「えぇっ！　ウソですよ」

私は即座に否定したが、時すでに遅し。平松知事は、むっとした顔を残像として私の網膜に残したまま、次の席へとそそくさと去っていった。

あーあ、全身から力が抜けていく思いだった。

後年、山浦記者に会う機会があり、このときの話をしたが、当の本人は全く覚えていなかった。

本当に迷惑千万な話である。

さて翌年（１９８４）の1月18日、ホワイトハウスから私宛に、一通の手紙が届いた。

「レーガン大統領との首脳会談実現か！」と、はやる気持ちを抑え、息をのみながら開封した。

Dear Mr. Takahashi：

The President has asked me to thank you for your letter requesting an appointment when you and your corporation officials are in the country.

Although the President would enjoy seeing you, unfortunately, the demands of his heavy schedule preclude a meeting. However, he appreciates very much your thoughtfulness and sends his best wishes.

Sincerely, FREDERICK J. RYAN, JR.
Director, Presidential
Appointments and Scheduling

Mr. Yoshihiro Takahashi
President
Shin-Yamataikoku Construction Company
1-1, Himiko Street
Shin-Yamataikoku 872-01
Japan

差出人はレーガン大統領の秘書。

内容はかいつまんでいうと、「大統領はあなたに会うのを楽しみにしているが、会見はヘビースケジュールのため困難だ」と体よく断わっている。しかし、こうした返信がきたということは、副領事のアン・M・カンバラ氏は、一介の青年の私との約束をキチンと果たしてくれたようだ。

情報発信を旨とする新邪馬台国は、このホワイトハウスからの会見お断りの返信も、新聞のみならず平凡パンチなど週刊誌にも記事として紹介していただいた。

まあ、新邪馬台国は転んでもただでは起きないのである。

一村一品縁日万博開催（1983年11月5日）

新邪馬台国の建設運動は、国内外のさまざまな人々に支えられてきたが、外からの協力者の中に、〝新邪馬台国信託統治領高等弁務卿〟の肩書きを持っていた人がいた。

福岡県糟屋郡の後藤完一さんがその方だ。

通称「ゴトカン」。私は「完ちゃん」と呼んでいた。

彼と最初に知り合ったのはハッキリ覚えていないが、ムラおこしの初期のシンポの会場だった気がする。

完ちゃんは直入郡の出身で、福岡大学法学部を卒業後福岡通産局に入省。のちに商工部消費経済課長、鉱山部石油課長、総務部開発業務課長、総務企画部地域振興課長、同部調査課長等を歴任するが、この頃は前年１９８２（昭和57）年11月に、福岡ムラおこし研究交流集会を主宰している。地域づくりは「交流・他流試合」がモットーで、フットワークも軽く、ほとんど九州で行なわれたムラおこしシンポには顔を見せていた。

著書も多く、『九州のやきもの』『九州の工芸地図』『日本の技』『ザ・ムラおこし』『ガンバレ地方』『地域づくりは連合・交流の時代』などがある。その他伝統工芸、地場産業、地域づくりに関する論文も多く執筆していた。

役人らしくなく、気安さと人なつっこさで私とも肝胆相照らす仲であった。

ＵＳＡサミットでも福岡からわざわざやって来ては、高等弁務卿としてボランティアで雑務

ゴトカンこと
後藤完一氏

をせっせと手伝ってくれた。ただ後で彼の出版した本を読んでみると、中にはしっかり彼が見聞きした新邪馬台国の活動の情報も載せていた。

彼としては、各地で活発に活動を始めたムラおこし運動を、リアルタイムで取材したいとのホンネもあったのかも知れない。

だからこの年9月18日、八女市で行われた八女ムラおこしシンポジウムに私が講師として出席するときは、私を福岡市にある自宅へ泊めてくれ、翌日、八女シンポジウムの会場まで案内してくれたりもした。

彼の持論に「縁日産業論」がある。

昔、縁日には沢山の店が並んでいた。映画『男はつらいよ』でお馴染みのフーテンの寅さんの〝職場〟でもある縁日のような空間を作り出し、地域の中で生産されたモノを流通に乗せ、経済活動の場にしようというのである。

「そこは生産者と消費者だけでなく、地域の人々のコミュニケーションの場ともなり得る」と完ちゃんは力説する。

そしてこの完ちゃんの「縁日産業論」を具現化したのが、11月5日に宇佐神宮参道で行われた「一村一品縁日万博」だった。

私はある講演で完ちゃんからこの「縁日産業論」を初めて聴いたとき、ピンとひらめいた。

ミニ独立国が増えれば、さらにいろんな発想が広がる。ＵＳＡサミットを提唱する以前から、実はミニ独立国の万国博覧会やオリンピックも構想としてはあった。でもそれを提唱し、成し遂げるには今以上の大きな国力がなければムリだと悟っていた。

だから縁日産業論からヒントをいただき、妥協案として思いついたのが、大分県の一村一品を持ち寄った縁日万国博覧会の開催だった。それは同じ会場で完ちゃんの講演を聴いていた溝口栄治さんも同じように感じたそうだ。

宇佐市は全国八幡宮の総本社の宇佐神宮という、縁日の環境には持ってこいの場所。そして１９８３年当時、大分県は一村一品運動が大きく花開きつつあった。ちょうどアイデアから製造、製造から流通をめざす段階だった。

だから県下58市町村の一村一品を集めた〝ふるさとパビリオン〟をそれぞれの自治体に縁日の屋台風に出店してもらい、全国に一村一品を発信し、流通ルートの拡大を図るというアイデアが出てきたのだ。

この企画はひょうたん屋の溝口さんが中心となり、大分県や県商工会連合会に折衝し実現させていった。彼はこうした企画のエンジン役として大きな力を発揮していた。

この「第１回豊の国物産フェア・一村一品縁日万博」は11月５日と６日の両日に渡って開催

されたが、初めての一村一品の縁日万博ということもあって、二日間で数万人という正月のような賑わいだった。

このあとこの企画は商工会連合会の主催で九州物産フェア、全国物産フェアを開催することとなった。

この縁日万博の考え方が呼び水になったのかどうかは知らないが、１９９０年代以降若者・ファミリー向けの「フリーマーケット」（略称：フリマ）が日本各地で開かれるようになった。

一村一品の船（１９８３年11月9日〜13日）

大分県がらみのイベントもこの頃多く、「一村一品縁日万博」が終わった四日後、大分県下のふるさと産品を積んだ「大分県一村一品の船」のイベントが始まった。

県の一村一品運動で生産された多種多彩な産品をチャーターしたフェリー「さんふらわあ7」に満載し、大分港から神奈川県横浜港まで行き、横浜市民と交流しようという企画だ。地域づくりの活動家ら約五百人を乗せてのまさに「豊の国船」だった。この企画も先日行なわれた縁日万博同様、一村一品の流通や販路開拓が重要な使命だったと聞いている。

そしてもう一つの理由は、昭和60年代早期に就航が見込まれている大分―横浜フェリーの布石もあるとのことだった。

実はこのイベントの前年、大分県は東京で商品市のようなイベントを開催して大成功していた。

１９８１年、東京で開催された「大分フェア」である。

一流ホテルといわれるオークラの大広間「平安の間」を借り切り、ここに水槽を持ち込み、親交のある官界、政界、経済界、文化界、マスコミなどの著名人、約千名を招待。

平松知事自身ハッピを身につけて、「関さば・関あじ」はじめ、大分県の一村一品の売込みの陣頭に立ったことは、今でも語り草となっているほどだ。

この大分フェアの大成功に気をよくした平松知事が、次の行動目標にしたのがこの「一村一品の船」だったという。６月に公表し、９月には県市長会、同町村長会、県観光協会など県下の諸団体を網羅しての実行委員会を組織し準備した。

地域づくりの活動家の一人として、私もこの「一村一品の船」の４泊５日の研修旅行へ参加要請を受けていた。

さて11月９日、10時30分から催された出港式のあと、大分県警音楽隊の吹奏する「蛍の光」に送られて出航。

四バカの宿泊場所は、一等船室で広々とした場所を用意されていた。

脳天気な私は「おっ、素晴らしい。海でも眺めながら４泊５日の、のんびりした旅を楽しもう」なんて気楽な気分でこの旅を考えていた。

ところがである。

行事予定表を見せられて暗澹たる気分になった。研修会やシンポジウム、セミナーなどぎっしり詰まった超過密スケジュールとなっている。

出航後まもなく「知事と地域づくりを語る会」があり、知事の講話のあと、ムラおこしのリーダーや各地の代表二十五名のパネラーらによるシンポジウムがあった。

その夜は交歓会のあと18時から「地域づくり夜なべ小屋」で焼酎を酌み交わしながらの〝夜なべ談議〟。

翌10日の午前中、船内のホールで「豊の国づくり自慢―洋上シンポジウム」が催された。このシンポジウムは、地域づくりの活動家たちが実践例を報告する場だったようだ。

知事が講評で話した言葉が印象深かった。

「皆さんの話は大変面白く有意義だった。人作りのため、県はこれからもお手伝いをします。情報も提供します。しかし過保護な援助はしません」ときっぱり言い切ったのだ。

自立自助を言い表すことわざに「天はみずから助くるものを助く」がある。実はこれは英語のことわざ「Heaven (God) helps those who help themselves」の翻訳で、日本に輸入されたことわざだ。他人に頼らず、自立して努力する者には天の助けがあり、必ず幸福になるという意味で使う。

このことわざをもじってのちに知事は、「県はみずから助くるものを助く」と言っていた。行政といえば公平無私であまねく広くが鉄則の時代だったが、平松知事はおんぶに抱っこに肩車といった住民の甘えを退けたのだ。そして自立・自助を促した。

さて11日の当日。

朝起きて横浜港を見ると、大桟橋のフェリーステーション上屋に〝ようこそヨコハマへ 一村一品の船〟の歓迎横断幕があがっていた。

そして、午前8時40分からこの大桟橋で横浜市主催の歓迎式が開かれた。

まず音楽隊による歓迎は最初、大分県ゆかりの荘重な「荒城の月」の曲だった。荒城の月はいつ聴いても賛美歌のようで心が落ち着く。

続いて一転して軽快な曲「ブルーライトヨコハマ」が演奏された。この曲は、いしだあゆみが歌い大ヒットした都会のメロディで、ああ、横浜に着いたんだとの思いを新たにした。

歓迎に応えて平松知事は「60年に横浜港と大分がフェリーで結ばれると、横浜市民の台所に新鮮な大分の特産品をお届けできる。今日は一村一品とともに、大分県民の心意気も見てください」と挨拶をした。

レセプションの始まる前、知事、県議会議長、大分市長、農協組合長、漁連会長、地婦連会

「豊の国づくり自慢－洋上シンポジウム」で発表する筆者

船の中の夜なべ小屋にて、夜なべ談議

長など一行は、神奈川県庁へ長洲一二知事を表敬している。

ちなみにこの長洲知事も、私たち地域の活動家にとって記憶に残る政治家だ。

１９７０年代はじめから新聞やテレビで目や耳にするようになる「地方の時代」は、この長洲一二氏、埼玉県知事の畑和氏、広島県知事の宮澤弘氏など地方自治を担う、何人かの首長によって提唱されており、昭和54年に流行語ともなっている。

また１９７８年７月に「第一回地方の時代シンポジウム」が横浜市で二日間にわたり開催され、長洲知事は「地方の時代とは、政治や行財政システムを委任型集権制から参加型分権制に切り替えるだけでなく、生活様式や価値観の変革をも含む新しい社会システムの探求である」

と定義づけた。

私が東京を捨て郷土宇佐へ帰ってきて、町づくりを始めた動機の一つがこの「地方の時代」というキーワードだったとすれば、その「地方の時代」を単なる思想や理念ではなく、「一村一品運動」や「ムラおこし運動」といった形で実践しているのが大分県であり、平松知事と民間の私たちでスクラムを組んで行なっているのだという高揚した気分があった。

このあと10時から11時20分まで、横浜港の大桟橋ホールで横浜の若手商工業関係者と大分のムラおこしリーダーとの出会いの会、「横浜・大分　地域づくり懇談会」があった。

昼のレセプションは午前11時30分。場所は「さんふらわあホール」の特設会場。

佐伯市出身の御手洗毅キヤノン会長、岸本泰延昭和電工社長、大慈弥嘉久アラビア石油社長ら財界人やムラおこしリーダーなど三百名が出席した。

県下の一村一品２５０点や、宇佐市の文化財である五百羅漢像の実物も展示コーナーに据えられている。

またテクノポリスやマリノポリスなど、将来の大分の振興ビジョン図なども展示されており、会場を訪れたハマッ子は、一様に圧倒された面持ちでレセプションに臨んでいる。

乾杯の音頭で御手洗キヤノン会長は、「一村一品運動は今や世界的な広がりの中にある。貴重な一村一品のノウハウを公開して、日本の活性化に役立てて欲しい」と挨拶。

その後会場のハマッ子たちは、所狭しと並べられた大分の味を堪能。特に目を引いたのは水槽に入れて運ばれた大鯛の活き造りやふぐ刺しで、あっという間に彼らの胃袋に収まった。

一村一品運動はこの頃、アイデアから製造、製造から流通へと着々と地歩を固めつつあった。

１９８０年に提唱したこの運動だが、わずか三年でこのように大きく前進した。「知行合一」を唱え、実践する平松知事に対するあこがれと反発といった、二律背反の感情が芽生えていたのもこの頃だったように思う。

豊の国づくり塾（1983年8月〜）

平松知事のすごさは、一村一品の究極の目標は人材の育成だと一村一品運動の提唱からまだ間がない頃から考えていたことだ。

それが証拠に、この年の7月に「豊の国づくり塾」の開設を決め、8月頃から「豊の国づくり塾」の開設骨子について検討をスタートさせたことでもわかる。塾長は平松知事。県内を12に分け、この年の11月21日には県下のトップをきって日出塾を開塾している。塾生は三十一人で講師に評論家の高橋武彦氏を起用。

続いて12月には日田塾、翌１９８４（昭和59）年1月に佐伯塾…と開塾を重ね、中津塾はこの年の6月26日、そして宇佐塾は翌１９８５（昭和60）年４月25日に開塾している。

それぞれの塾の講師は、大山町農協組合長の矢幡治美さんや湯布院の中谷健太郎さん、溝口薫平さんら県下の地域活動家が担い、塾生会総会や合同塾、合同卒塾式などではニュースキャスターの筑紫哲也氏、評論家の佐高信氏や福岡政行氏、はたまたウシオ電機の牛尾治朗会長といったジャーナリストや財界人を呼んでいる。

「豊の国づくり塾」はその後、２００３年10月にＮＰＯ法人「豊の国づくり塾生会」が発足。農業後継者の「21世紀大分農業塾」をはじめ、肉用牛生産者のための塾、林業経営者育成のための塾、商業後継者のための塾など個別の塾も誕生した。

また環境保全活動の実践リーダーを養成する「おおいた環境塾」、ＩＴ化社会に対応できる人材を育成する「豊の国ＩＴ塾」など、バラエティに富む塾なども開講し、人材育成に努めている。

「ＵＳＡサミット」が10大ニュースに

私の人生でもっとも慌ただしかった１９８３年。この年もようやく暮れようとしていた。

このころ宇佐神宮の仲見世は、正月の準備等で一層慌ただしさを増す。

私ときた日には、ほとんど仕事をほっぽり出してイベントや取材、講演、執筆等々でしょっちゅう飛び回っていたものだから、母も従業員も最初はブツブツ言っていたが、この頃はもうあきらめ顔だった。

私としては、せめて正月の準備くらいは真面目にやろうと殊勝な面持ちで、店舗の掃除や正月商品の仕入れ、メニューの入れ替え等に精を出していた。ある日、仕事の合間、休憩かたがた文福で購読している12月23日付けの読売新聞を開いてビックリした。

それは「'83ニュース&人」という、今年の大分県10大ニュースのコーナーだった。

その一番目に「ミニ独立国が一堂に」の見出しで、「USAサミット」が取り上げられているではないか。「1ST　USA　SUMMIT」の横断幕のあるサミット会場の写真が大きく載っている。

ま、まさか。確かにテレビ・新聞・雑誌と全国的な話題を呼んだが、大分県の10大ニュースに選ばれるとは考えてもみなかった。

記事を読んでみるとこう書いてある。

「宇佐神宮で開かれた第一回後進国首脳会議『USA（うさ）サミット』は、米国ウィリアムズバーグで本物のサミットが開催される直前ということもあって注目を集め、まずは大成功。しかし、逆にサミットを契機に、ミニ独立国運動の在り方について一石を投じる結果ともなった」と当時のミニ独立国の元祖ともいわれる、新邪馬台国のおかれた微妙な立場を嗅ぎ取っている。

また、ミニ独立国の今後について、次のような私の考え方も紹介している。

「高橋総裁は『目的はそれぞれ違っても、それはそれでいい。しかし、単に独立したというだけでは、もう話題にならない時代。新たな発想、展開をしなければ忘れられてしまう』と提言する。『ブームのあとは必ず落ち込む。だからこそ、サミットでも、地域との精神的な結び付きを大切にしようと訴えたんです』」

そして読売新聞の記事は最後にこう結ぶ。

「来年4月には、新潟県・佐渡のアルコール共和国で第三回サミットが予定されている。新邪馬台国の手を離れ、一人歩きを始めたサミット、独立国の将来はこれからにかかっている」。

ところがである。

翌日の12月24日、西日本新聞にも「'83豊の国反射鏡」のコーナーに、これまた大分県の10大ニュースとして「ＵＳＡサミット」が紹介されていた。

この記事の写真には、ＵＳＡサミットの話題をさらったカニ王国の国王が大写しで載っていた。

第十章　四バカの大航海時代

ひょうたん屋がムラおこしの〝先生〟へ

この頃から四バカはそれぞれ新邪馬台国を離れ、大きく羽ばたいていくことになる。

まず、ひょうたん屋の溝口栄治さん。

彼はこの回顧録の中で最も多く登場するくらい、私の人生に大きな影響を与えてくれた人だ。十歳年上だが、後輩の私を大事に扱ってくれ、思う存分自分のアイデアを発揮させてくれたのは、やはりこの人をおいて他にいない。

商工会内部でも、彼の能力の高さと押し出しの強さは時に嫉妬を買った。反溝口の勢力が一定数いたことも事実だったが、そんなことも気にせずエンジン全開でさまざまな活動を推進していった。私も彼の考え方に共鳴し、行動を共にしていた。

１９８０（昭和55）年1月16日、法政大学の経済学教授の清成忠男氏の指導の下、宇佐郡安心院町（現・宇佐市安心院町）で、「第一回豊の国・ムラおこし研究集会」を開催。このシンポジウムの企画や段取りを取り仕切ったのは溝口栄治さんだった。

このシンポは後に伝説的に語り継がれることになる。というのも日本で最初に「ムラおこし」をタイトルにし、過疎という現状と再生に向き合っているリーダーが数十団体集まって実践例や活動に付随する障害や悩み、逆に達成していく感動や満足感などを話し合う場となったからだ。

その後〝ムラおこし〟の理念と言葉が、まさに燎原の火のように全国へ広がっていくことになる。

前述したように大分県下では、湯布院町、大野郡三重町、西国東郡大田村、豊後高田などでシンポジウムが開催されたが、大分県から他県へ飛び火したのは、安心院シンポジウムからちょうど一年後の１９８１（昭和56）年1月16日に熊本県で開かれた、「第１回熊本ムラおこし研究集会」だった。

主催者は安心院のムラおこし研究集会に参加された、熊本県経済研究会代表の松岡泰輔氏。安心院のシンポジウムで提起した問題は、実は全国の地方が抱えている共通の問題だったようで、その後も福岡県や長崎県で火の手が上がり、全国へ波及して行くのは時間の問題だった。

最初のムラおこしシンポを成功させた、ひょうたん屋の溝口さんは時代の寵児となり、北は北海道から南は沖縄まで、全国あちこちの団体から「ムラおこし運動」の〝先生〟として招かれるようになった。

また、平松知事の提唱する「豊の国づくり塾」に1983年7月の開設決定当時から参画し、湯布院の溝口薫平さん（当時玉の湯社長）が運営委員長、宇佐の溝口栄治さんが副委員長の体制で県の地方事務所のある12か所にそれぞれ豊の国づくり塾を開塾。知事が塾長になって地域づくりやものづくりなど、定期的な学習会を開催することとなる。

溝口さんはその後も豊の国づくり塾で、湯布院の中谷健太郎さん（当時亀の井別荘社長）、溝口薫平さん、大山町の矢幡欣治さん（同大山きのこセンター社長）、姫島村の藤本昭夫さん（姫島村村長）などとともにアドバイザーとして活躍する。

そしてこうしたことが両々相まって、気がつくと溝口さんは、私たちの手の届かないどこか遠くへ行ってしまった。

「いいちこ」が大ブームに

〝宇佐の四バカ〟としてひとくくりにするには、ちょっとはばかられるのが三和酒類（株）の専務をしていた酒屋の西太一郎さんだ。

三和酒類は1958（昭和33）年、赤松本家酒造、熊埜御堂酒造場、和田酒造場の三社で設立した。西酒造場の西さんは、その二年後に三和酒類へ入社。生え抜き社員第一号だったという。

すぐさま営業担当を命じられ、前掛けにはっぴ姿で酒担ぎの生活がスタートした。問屋の計画倒産の被害にあったり、日本酒の低迷時代を経験し大変だったことは、西太一郎聞き書き『グッド・スピリッツ』の中にも詳しく書かれている。

１９７２（昭和47）年、四つの酒造場が企業合同し、西さんを含めた四氏が代表取締役となった。

その後の時系列をざっと見てみよう。

１９７９（昭和54）年2月「いいちこ」発売。4月に平松守彦氏が大分県知事に初当選した。そして秋に「一村一品運動」を提唱。翌80（昭和55）年1月に安心院町で「第一回豊の国ムラおこし研究集会」、同年8月に「ミステリー列車卑弥呼号」を開催。１９８１（昭和56）年、日本酒類販売全体との特約店契約成立が成立。１９８３（昭和58）年4月、「第一回後進国首脳会議」（ＵＳＡサミット）開催。同年11月、三和酒類の山本工場開設。

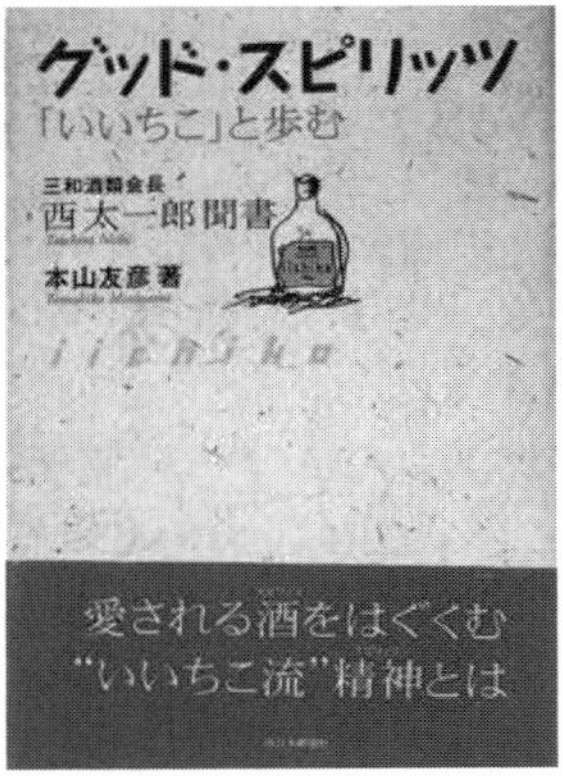

グッド・スピリッツ
「いいちこ」と歩む
三和酒類会長
西太一郎聞書
本山友彦著
愛される酒をはぐくむ
“いいちこ流”精神とは

『グッド・スピリッツ』

翌84（昭和59）年、アートディレクターの河北秀也氏による「いいちこ」の広告戦略が本格的に始まった。

こののちは、誰もが知っている「いいちこ」の快進撃となっていく。そして１９８６（昭和61）年、なんと

「いいちこ」が、この年の本格焼酎（乙類）売り上げトップに躍り出た。

さて、先ほどの時系列の続きをここに記すことにする。

１９８６（昭和61）年、「季刊ｉｉｃｈｉｋｏ」創刊。翌87（昭和62）年「いいちこライト」発売。１９８９（平成元）年9月、西太一郎さんが代表取締役社長に就任。１９９０（平成2）年4月「いいちこパーソン」発売。同年6月、山本の本社社屋完成。１９９１（平成3）年、九州・山口地域経済貢献者顕彰財団「経営者賞」受賞。１９９２（平成4）年「いいちこスーパー」発売。１９９４（平成6）年、メセナ大賞受賞。１９９７年、熊埜御堂宏實氏が代表取締役、西さんは代表取締役会長に。１９９８（平成10）年11月、大分合同新聞文化賞受賞。

その後も三和酒類や西さんの大きな事績は続くが、とりあえずこの辺で一区切りとする。

ことほど左様に、ＵＳＡサミットの前後から西さんは「まるで夢をみているようだった」とご自身も語っているように、高度成長期というベースはあったものの、居酒屋ブーム、チューハイブーム、そして大分や宇佐市の一村一品運動やムラおこし運動といった、時代の目に見えないパワーにも後押しされてすさまじい発展を遂げていく。

四バカの一人である西さんも、「新邪馬台国」どころではなくなって戦線離脱していった。

『グッド・スピリッツ』の出版

その後の西さんは功成り名を遂げて、大分県の経済界の中でレジェンドとなっていく。2005（平成17）年3月、西日本新聞大分総局長のT氏から『聞き書きシリーズ』への依頼を受けたという。

謙虚な西さんは何度も辞退したが、熱心なT総局長の勧めに抗しきれず、結局、最後に「私でよければ…」ということで受けている。

当時、宇佐通信部の記者をしていた本山友彦氏から取材を受け、それを西日本新聞の本紙で連載していくという形式で七か月間ほど掲載された。

タイトルは『グッド・スピリッツ』。

この「グッド・スピリッツ」には、「よい精神」という意味と「旨い酒」という意味があり、いわば掛詞となっている。多くのファンのいる連載だった。

ある日、西さんが訪ねてこられて、この連載を一冊の本にするので「前書き」をお願いできないかと所望された。

それこそ私ごときがと恐れ多い気持ちになったが、是

中央が西太一郎氏　その左がいいちこの商品企画、ポスターなどのアートディレクションを手がけている河北秀也氏、右端が筆者

非にとの要請があり、断り切れずお引き受けした。

この本のゲラをいただき、最初から通して改めて読ませていただいた。せっかくの本を前書きで台無しにしては末代までの恥との思いだったが、締め切りも近かったため、一晩で一気呵成に書き上げた。

西さんに対する正直な思いをこの前書きに書いた。タイトルは「これからも下町の西さんで」。

この本が完成して、私たちはこの本の出版記念祝賀会を開催した。

いただいた本を祝賀会場でパラパラと拾い読みしてみた。私の前書きの後に「おかげさま」のタイトルで西さんが自序を書いている。

出版の経緯とお礼を述べ、そして最後に「巻頭にすばらしい一文を寄せて下さいました高橋宜宏様、本当にありがとう。私は、いつまでも『下町の西』です」と私の前書きに対するまるで〝返歌〟のような序文を書いてくれていた。

西さんは、どこまでも気遣いのできる方なのだなあとつくづく感動した。

ちょうちん屋、障害者福祉の先駆者に

さて、宇佐の四バカといえばもう一人、この人を語らねばならない。

ちょうちん屋の谷川忠洋さんだ。

１９３８（昭和13）年生まれで、三和酒類の会長西太一郎さんや故・到津公齊宇佐神宮宮司と宇佐高校時代の同級生。私より十五歳ほど先輩に当たる。プライベートな話については、多くを語らなかった谷川さんなので、小池亮一著『その発想いただき！』や豊の国づくり運動推進協議会発行の『地域像をデザインする』を参考にしながら認めたいと思う。

谷川さんは、船乗りにあこがれて長崎大学水産学部へ入学したものの、視力に問題があり、船長の国家試験がムリとわかりその後水産加工を目指したという。

大学卒業後、いったん就職したものの、胃と肝臓を患い、一年間ほど療養生活を送り、結局会社を辞める羽目に陥った。

その後、名古屋で和紙ちょうちん屋を営んでいた実兄のもとで、１９６３（昭和38）年から住み込みの丁稚奉公をすることとなった。ものづくりが谷川さんの性に合っていたのか、結局住み込み五年、通い七年と合計十二年間ちょうちんづくりのノウハウを学ぶことになったという。

１９７３（昭和48）年に帰郷し、ちょうちん屋を開業。

この時代、ちょうちんはすでに斜陽産業の代表格だったが、谷川さんは紙ちょうちんではなく、ビニール製のちょうちんに活路を見い出そうとしていた。もともとちょうちんは、祭事などの季節商品だが、屋外で利用されることが多いため、燃えたり破れたりしにくいものが求められていたからだ。

また、商店街の大売り出しや飲み屋の赤ちょうちん、屋上のビヤホールにびっしり灯される色とりどりの小さなちょうちんも、ビニールちょうちんとして大きな需要があることを本能的にわかっていた。

しかしながら、一方では開発途上国の低価格ちょうちんの脅威もあり、予断を許さない状況にあることも知っていた。

そして彼は、この業界で生き残るためには技術革新しかないと考え、一計を案じた。機械化によるコスト切り下げ作戦を考えたのだ。

１９８０（昭和55）年に「ランタニクス90計画」という十か年計画を立てた。ＩＣ制御による生産ラインを設け、人間の手のかかる工程を全体の四分の一程度にし、生産スピードは手作りの十倍、コストも四分の一を目指したのだ。

谷川さんは翌81（昭和56）年、自立支援訓練施設から障害者を雇ってもらえないかと相談を受けた。

意気に感じた谷川さんは知的障害者を採用することを決め、五人の障害者を雇用して「早く一人前にしたい」と熱く仕事を指導した。

ところがである。

熱く指導するあまり、障害者に萎縮され、怖がられることもあって、なかなか定着しない日々が続いた。

谷川さんはこれまでの「教えてやる」「雇ってあげている」といった上から目線を反省し、同じ目線に立つことを心がけ、彼らの能力と働く意欲を引き出すことに努めたという。

こうした試行錯誤の期間があったが、その後、障害を持つ人たちもちょうちん作りのコツを覚え、だんだん戦力となっていく。

１９８４（昭和59）年、これまでの工場に「ランタニクス'90」を新設した。

ランタンとメカトロニクスをかけた造語だが、彼らが作業しやすい理想の環境づくりを目指したという。

そして西さんの三和酒類ほど劇的ではないが、谷川さんの宇佐ランタン株式会社はその後も技術革新を続け、静かに潜行し、ビニールちょうちんの製造分野では国内トップメーカーとなっている。

ひょうたん屋の溝口さんが〝動〟の雄弁家とすれば、谷川さんは〝静〟の雄弁家、あるいは論客と表現できる。

冷静な批評分析にも長け、世の中を少しシニカルに見る向きもあった。

私と溝口さんがイケイケドンドンで盛り上がっていても、彼から冷たい水をザブンと浴びせられることがしばしばあった。四人の中では精神的に老成していた西さんが、温厚な調整役となり、まあまあと取りなす役だった気がする。

こうしてみると、宇佐の四バカはそれぞれ個性と持ち味があり、今から思うと最強のベストメンバーだった。

しかし、それぞれ本来目指すものが違っていたのか、三者三様、講演活動や仕事が超多忙となり、ちょうど「USAサミット」やその後の「縁日万博」の大成功を境に、これまでのように四人で会食したり、酒を飲みながら談論風発する回数は極端に減っていった。

「去る者は日々に疎し」。

一人取り残された感のする私は、正直、新邪馬台国の活動をどう収束させるかだけを鬱々とした気持ちの中で考えるようになっていった。

第三回　春の園遊会と第四回　春の叙勲式（1984年4月8日）

その後四バカはそれぞれの家業を成功させ目指す方向性を見出したのか、ムラおこしの活動もかつてのように何かの目標のため四人で集中して目的を達成するといった〝分進合撃〟からそれぞれが個別に〝ゲリラ戦〟というか〝遊撃戦〟を行なうという案配だった。

こうした状況の中で、第三回春の園遊会と第四回の叙勲式を迎えることとなる。

第四回 春の叙勲式　1984（昭和59）年4月8日

少し疎遠になってはいたもののやはりお互い大人の対応で、一緒にこれらのイベントを行ない無事に終了させることができた。ホッと安堵したことを今でも覚えている。

ただありがたかったのは建国から七年ほど経っていたのだが、この間に市内外に多くの協力者やファンが増えていたことだ。

記録のためにこのときの春の園遊会と叙勲式について簡単に記しておくこととする。

毎度のことだが、園遊会や叙勲式は商工会の桜まつりで開催しており、この年は4月8日だった。

多くの花見客や見物客で賑わう宇佐神宮で行なわれた。

午前9時からミス桜の九名をモデルに撮影会が行なわれ、ミス選彰式では是永美和さん（当時十九歳）が第六代ミス卑弥呼に選ばれ、第五代ミスの奥田美子さん（当時二十一歳）からバトンタッチ。続いて開催された新邪馬台国春の園遊会、叙勲式のホステス役を担った。

新邪馬台国春の園遊会は、これまでは会費制で参加人数も限られていたが、今回からは多くの市民に楽しんでもらおうと、誰でも自由に参加できるようにした。

仮設舞台周辺にはうどんやだんご汁、すっぽんスープ、ぜんざいなどの模擬店が立ち並び、会場で販売するチケットで郷土の味を堪能できるようにした。料金はいずれも一品二百円とお手頃でもあった。

今回の受章者は以下の通り。

まず政治勲章に先端技術産業誘致を行なった国東町長の伊勢久信さん。大分キヤノンの本社誘致の功績等が評価の対象となった。伊勢さんは邪馬台国の研究家でもあり、第一回の邪馬台国論争大会にも論者で参加していただいたこともある。次に産業経済勲章はイワシの丸干しで地域づくりを行なっている米水津村の米水津宮野浦水産加工組合が。文化勲章には１９７２年から開催されていた「城島ジャズイン」（のちに別府国際ジャズフェスティバルに名称変更）の仕掛け人である別府市の得丸泰蔵さん。得丸さんはジャズファンの一人である私にとって若い頃から憧れの人だった。

また婦人勲章は郷土料理の普及に努め、「一村一品の船」などでもだんご汁を郷土の味として横浜のハマっ子へ紹介した大分市の佐藤マスエさんへ。

スポーツ勲章は全国大会で準優勝を果たした大分市の舞鶴高校ラグビー部へ。

それから話題勲章は全国町並みゼミ開催などを成功させた臼杵市の「臼杵の歴史景観を守る会」へ授与した。

そうそう。このとき叙勲式に参加し、文化勲章の栄に浴したジャズの得丸泰蔵さんが、のちに私に話してくれた驚きの体験談がある。

わざわざ私に電話してくれたくらいだから、あながちウソではないと思う。

ことの顛末はこうだ。

春の叙勲で六代目の卑弥呼から金ひょうたんの勲章を首に提げてもらい、いい気分で岐路についた得丸さん。

国道10号線を別府へ向けて、気持ちよく車を吹っ飛ばしていたら、当時あった宇佐駅手前の県北機動隊付近でネズミ取りに引っかかった。

旗を振りながら誘導するお巡りさん。

しまった！　と思った得丸さんだったが、胸には先ほど卑弥呼から授与された金ひょうたんの勲章が輝いていた。わらをもつかむ気持ちで胸の勲章を見せながら彼はこう主張した。

「私は先ほど宇佐神宮の神苑で行なわれた、新邪馬台国春の叙勲式に招かれた文化勲章受章者です。いわば新邪馬台国の名誉国民ですが、それでもキップを切りますか？」

するとお巡りさんは一拍おいて、ハハハ…と笑いながら、「気をつけてお帰り下さい」と敬礼しつつ無罪放免にしてくれたというのだ。なんと、なんと。

あの頃は、時代の鷹揚な空気というものがまだ残っていた。

多くの国民にも交通取締りのお巡りさんにも心にゆとりがあった気がする。小さいことに目くじらを立てない、のんびりした古きよき時代だった。

第三回　後進国アルコールサミット出席（１９８４年４月21日～22日）

ほどなくして第三回後進国サミットが新潟県佐渡郡真野町で開催された。真野町は２００４年に合併して佐渡市の一部になっている。古代には佐渡国の国府がおかれていたことでも有名だ。

両津港ターミナルでは、サミット主催国の「アルコール共和国」の本間俊雄大統領閣下（真野町観光協会長）以下閣僚の出迎えを受けた。

まず本間大統領の歓迎挨拶のあと、参加した15か国を代表して、新邪馬台国総裁の私が古代衣裳を身にまとい、出迎えのお礼とサミットに寄せる決意を兼ねた挨拶を行なった。

「先進国の抱えている経済効率の問題や環境問題など多くの課題を挙げ、私たちは〝後進国〟のプライドを持って、スロースタイルを堅持しよう。そのためにミニ独立国の環を拡げよう」

両津港ターミナルで、出迎えのお礼とサミットの決意を兼ねた挨拶をする新邪馬台国総裁の筆者

とアピールした。

私を含む各国の〝首脳〟らはその後、2台のバスで総理府（同町役場）へ到着。歓迎式典があった。

またオープンカーに分乗して町の繁華街をパレードし、サミットの雰囲気を盛りあげた。

夜は大統領主催の晩さん会。

まずは主催者の本間大統領の挨拶の後、後進国首脳会議の提唱者として私が挨拶。それが終わると、そのまま私と卑弥呼の是永美和さんとで酒樽の鏡開きを行なった。

乾杯があり、佐渡の郷土料理に舌つづみ。佐渡の味を大いに堪能した。

「アルコール共和国」というだけあって、地酒のうまいことこの上なしだった。

日本酒の大好きな私としては、できればこ

の国に一、二年〝亡命〟したいような気分だった。

この国は1983（昭和58）年、地場産業の育成と観光とを目的に佐渡島の西、真野町に独立した。四つの蔵元が中心となり「アルコール共和国」の建国が決議されたという。

道理で晩さん会で出された日本酒がすべて美味しいわけだ。

この国には痛快な飲酒心得六箇条の御誓文というのがある。

恐れ多くも明治政府が新しく発足するにあたって、明治天皇が示した政府の基本方針である「五箇条の御誓文」のパロディだが、面白いのでここに記すこととする。

第三回 後進国アルコールサミットでミニ独立国を代表して挨拶する卑弥呼と総裁

卑弥呼の是永美和さんと総裁（高橋）とで酒樽の鏡開き

第一条　すべての人は飲む飲まぬ自由が認められている
第二条　飲みたくない人に、飲めとすすめてはならない
第三条　酒はつねに自腹でのみ、他人の財布はあてにしてはならない
第四条　酒癖は、あくまでも自分でコントロールしなければならない
第五条　酔った結果の不始末は、自分の責任で処理しなければならない
第六条　酒を飲んだら、絶対にくるまを運転してはならない

アルコール共和国ならではの御誓文だ。酒をたしなむ人の最低限のモラル、コンプライアンスだが、こうして改めて神かけて誓う文書にすると新鮮で、肝に銘じたくもなる。

酒好きの私はこれ以来、アルコール共和国の〝六箇条の御誓文〟を金科玉条としている。さて翌日のサミットでは前夜の酒が肝臓で分解しきれずまだ残っており、会議の模様は正直あまり覚えていない。が、第一回後進国首脳会議「ＵＳＡ（うさ）サミット」同様、最後にサミット宣言文をまとめ主催国の本間大統領が発表した。

次回開催国を大阪の「そやんか合衆国」と決めて、三々五々それぞれの国の首脳たちは帰路についた。

私は期待していた観光もほとんどできず、後ろ髪を引かれる思いで両津港を後にした。

妻との出会い、不思議な縁

長年連れ添っている私の妻の話もここら辺りでしておかないとならない。

１９８０（昭和55）年の秋だったと思う。ちょうど観光ブームのまッただ中、宇佐観光も文福も景気のいい頃で、週に最低でも二日は別府の北浜や元町通りを若い仲間を連れて闊歩していた。

ある日、ホテル「三泉閣」に投宿していて、のちに妻となる麗子と偶然知り合った。

麗子はここのフロントにいる予約係で、ときどき泊まり客となっていた私を覚えていて、それから以降何度か会話を交わす機会があった。

そこである日、「仕事が引けたら一緒に飲みませんか？」と、行きつけのスナックの名前と地図と電話番号を書いたメモを渡した。

この日から麗子と交際が始まることとなる。

翌年の正月に彼女は文福を手伝うことになり、以来同棲生活が始まった。まだまだ小生は二十七歳、彼女は高校を卒業して間がない十九歳だった。

親しくなって驚いたことがある。何故か麗子が宇佐神宮のことに妙に詳しく、神宮界隈のことも子どもの頃から知っていたというのだ。

理由はのちに判明した。

当時、現職で宇佐神宮権宮司をしていた河野八百吉が彼女の祖父で、小さい頃から宇佐神宮へ親に連れられてきていたという。ああ、人が悪い。そんなことも知らずに、私は彼女とデートを楽しんでいたのだ。

河野八百吉は今でいえば〝カリスマ宗教家〟とでもいうのだろうか。彼の偉大さについては神宮関係者からも聞かされていた。

例えば昭和24年から宇佐神宮に奉職して、河野氏を間近に見てきた高津修さんが、父親から聞いた話として「河野権宮司は子どもの頃、大分合同新聞の前身である大分新聞に『日出に神童現わる！』の見出しで記事になったこともある」というのだ。

新聞に載った具体的な理由はわからないが、小さい頃から頭脳明晰で、周囲を驚かせていたのだろう。

家が貧しかったのか、尋常高等小学校しか出ていないのだが、独学で勉強し、戦前、難関と言われていた「神職高等試験」に合格し、神職の道を歩むこととなる。神童たるゆえんかも知れない。

八百吉は宮崎県の都農神社宮司から西寒田神社宮司となり、戦後まもなくして宇佐神宮に迎えられ、権宮司を務めた。

以来、八百吉は宇佐神宮に奉職し続け、到津保夫、到津公齊両宮司に仕えている。

雅号は鉄憲。著作も多く『雑祭祝詞大鑑』『大祓詞新講』『祝詞作文秘訣』『神事由来講演集』『神社と氏子』『時局を語る　非常時日本の指導原理』等々、神職になるための実用書や神官の教養書など多数ある。

晩年も書斎に引きこもりながら原稿を書いている姿が目に焼き付いている。

「何を書いているんですか」と尋ねたら、愛嬌のある顔で微笑みながら『宗教事典』を書いていると言って分厚い原稿を見せてくれた。

趣味は日本画。

私たちが子どもの頃よく遊んでいた、亀山の地下の宝物館に納められていた「宇佐神宮御縁起屏風」はこの八百吉の作品だ。

もう一つ、八百吉の宗教家としての事績を挙げれば、宇佐神宮の信者さんの組織である「八幡講」を作り上げたことだろう。

戦後、観光ブームに乗って右肩上がりに宇佐神宮の観光客は増加した。

それはそれでいいのだが、八百吉は「宗教法人の基本はあくまでも信仰だ」との信念で、それまでなかった信者さんの組織を全国に作り上げていった。

その苦労たるや並大抵ではなかったろうと思う。十年、二十年と辛抱強く全国を歩いて講演してまわり、年々八幡講員の信者さんを増やしていった。特に関東エリアは多く、毎年の例大祭には〝河野信者〟が貸し切りバスで何十台も駐車場に乗り入れる賑わいを見せていた。

孫の麗子が文福にいることを聞いたのだろう。ときどき、文福へ立ち寄っては私と邪馬台国や宇佐神宮の歴史などを話した。明治35年生まれだから、すでに八十歳を過ぎていた。若い精悍な頃の八百吉とは違い、まさに好々爺そのものだった。

趣味の絵の話もしたが、お茶目なところもあって、私に即興で春画を描いてくれて大笑いしたこともある。

いまだにカリスマ宗教家の顔を持つ河野八百吉を慕い、宇佐神宮を訪ねる信者さんも多い。麗子との邂逅には、不思議な縁を感じた私だった。

御成婚記念たばこ、抽選で百名に

麗子との同棲もすでに四年を超えたという頃、国民会議議長の秋吉太郎さんたちから「いつまで彼女をそのままにしているんだ」とお叱りを受けたりしていた。

その反省もあり、区切りをつけなければとの思いで、麗子と一緒に実家である日出町へ挨拶に行った。

緊張していたのかどんな話をしたか余り覚えていないが、彼女の両親も結婚に快諾してくれた。

早速この日から結婚式の準備に取りかかることになるのだが、せっかく新邪馬台国の国造りをテーマにしている手前、私の結婚式も面白いイベントにしようと、あれこれアイデアをこらした。そして「総裁御成婚準備委員会」を結成し、準備に取りかかった。

まず結婚の案内状をイラストレーターの中沢潤一郎さんへ頼むことにした。中沢さんは、かつて湯布院のこじゃれたタブロイド紙のイラストなどを担当していて以前から注目していた。

大まかな注文はつけていたが、彼が描いた案内状のイラストは、期待した以上のできばえだった。日本国国旗の日の丸と勾玉と金印をあしらった新邪馬台国国旗を交差させ、上部中央には宇佐神宮。そして右に宇佐神宮の菱形の池に咲いている原始ハスの花、左に本殿や神輿の中に描かれている鳳凰を配置し、中央には総裁の私と総裁妃である麗子の肖像画がどんと収まっている。そして下の左右には、案内状を出す頃に見頃の桜の花が咲いている構図となっている。

中沢さんが描いてくれたこのイラストを使ってもう一つのイベントを考えついた。

「総裁御成婚記念たばこ」を作って、抽選で百人に一箱ずつ贈ろうというものだ。

１９８５（昭和60）年に民営化され、日本たばこ産業株式会社（ＪＴ）が設立され、現在たばこはここが販売しているが、当時は「三公社五現業」の一つ、日本専売公社が売っていた。ただ民営化される直前ということもあり、たばこの外側のデザインも、一定数の注文があれば要望に応えるように柔軟になっていた。

たしかたばこの銘柄は、マイルドセブンだったと記憶している。

大分合同新聞の「四重奏」の欄に募集の記事が出ると応募が殺到した。残りを結婚式の引き出物にしたり友人知人に差し上げていたら、結局、現在手元に全く残っていない。

何箱か記念として是非取っておくべきだったと後悔しきり。状態次第だが、このときの記念たばこをお持ちの方がいれば、一箱一万円で是非買い戻したいと思う今日この頃だ。

御成婚準備委員会が出した総裁御成婚の案内状　イラストは中沢潤一郎氏の作品

総裁御成婚（1984年6月24日）

結婚式の当日がやってきた。私たち家族は先に式場である別府の杉乃井ホテルへ向かった。媒酌人は宇佐市議会議長で、新邪馬台国国民会議議長の秋吉太郎御夫妻。結婚式の祭主は昔からじっ懇だった宇佐神宮権禰宜の後藤吉雄さんだ。

杉乃井ホテルの結婚式場で滞りなく式がすむと、孔雀の間で披露宴の運びとなる。披露宴は新邪馬台国一色だった。

会場は代議士の田原隆先生、新邪馬台国の首相であり宇佐市長の永岡光治さんをはじめ、宇佐神宮の神職、疎遠となっていた四バカや各閣僚の皆さん、マスコミ関係者、商工・観光関係者等々約二百名弱の招待客でいっぱいだった。

いよいよ秋吉太郎さんの媒酌人挨拶が始まる。秋吉さんはアバウトを人物にしたような愛すべき人だが、挨拶も適当なことで有名だった。

通常、媒酌人の挨拶というのは〝仲人口〟といって、ウソでも新郎新婦を褒めちぎるのだが、秋吉さんの挨拶は無垢な子どもが思ったことを正直に口に出すようなところがあるので、いったい何を言い出すか気が気でなかった。

案の定、私の生い立ちをしばらく話し、卒業した大学の話に移った。

「えー、彼は東京の、中央大学をなまかたの成績で卒業し…」

ここで会場やんやの喝采となった。みんな大笑いしている。

「なまかた」というのは、大分方言でそこそことかある程度という、ちょっと「いい加減」なニュアンスのある言葉だ。

次に来賓の祝辞。

まず東京からお越しの田原隆代議士。

仲人の秋吉太郎夫妻

SHKのサテライトスタジオ　MCは新邪馬台国放送庁長官の松村紅実子さん

続いて新邪馬台国首相（宇佐市長）の永岡光治さん。

彼は、媒酌人の挨拶を引き取って、新郎が中央大学をなまかたの成績で卒業したと言ったが、それはおかしい。新郎は中央大学の法学部。優秀な成績でないと卒業できません。ちなみに私も中央大学の法学部卒業です」と援護射撃をしてくれたものだから、またまた会場が大盛り上がり。

私はといえば、このとき初めて永岡市長が中央大学の先輩であることを知った次第。ああ、市長も人が悪い。

確かに大学は二年生の後半から授業は休みがちで、「私の青春怒涛編」にも書いたが、勉強もせずに軟派路線に堕落していった。

だから秋吉さんの言うとおり、大学は〝なまかた〟の成績で卒業したのが真実に近い。

それでも何とか卒業できたのは学生紛争の余波がまだ残っていた頃で、中大はロックアウトも多く、レポート試験が多かったことだ。

当時から私は、ノンポリというよりむしろ圧倒的少数派の保守だった。学生運動をやっている連中を強く批判していたのだが、辛うじて卒業できたのは、間違いなく彼らのお陰だったと思う。歴史の皮肉としか言いようがない。

閑話休題。

その後乾杯があり、第一回目のお色直し。会場は新邪馬台国一色に変わる。みんなで、国歌斉唱。そして会場に設置した掲揚台には、勾玉と金印をあしらった新邪馬台国の国旗が揚がっていく。

そこで卑弥呼の是永美和さんから、恐れ多いことだが、祝福のお言葉をいただいた。

ところでいくつかあった引き出物で一番ウケたのは、直径30㎝ほどもある丸い大きな粟おこしだった。おこしを包んでいるポリエチレンの袋には「元祖・ムラおこし」のレッテルが貼っている。「ムラおこし」という言葉は宇佐が発祥地だし、その後もブームは続いたので、しまったあのとき商標を取って、宇佐の名物にしていればよかったなぁと少し後悔したほどだ。だから同じ引き出物に入れていた「記念たばこ」同様、もしこのときの粟おこしを保存している方がおられたら、これも一万円で是非買い戻したいと思っている。

第四回　後進国首脳会議「なにわサミット」（1984年8月24日）

この年4月に佐渡のアルコール共和国主催の「アルコールサミット」が終わってまだ間がない8月24日に、今度は大阪のそやんか合衆国の「なにわサミット」が開催された。

第一回後進国首脳会議「USA（うさ）サミット」に大阪から駆けつけてくれ、会議を盛り上げてくれた北浦浩大統領からの招聘だったが、たまたまこのサミットの翌々日の26日から、卑弥呼を団長に使節団を中国の北京と洛陽へ送り込み、交流しようという大きな企画が待っており、残念ながら不参加を余儀なくされた。

北浦大統領には電話で出席できない旨、重々お詫びした。

ただ、この第四回の後進国サミットも40年史を語る上で重要なので、ここにきちんと記録をしておきたい。

のちに北浦大統領から送られてきた、数紙の新聞記事のコピーが手元にあるのでこれを参考にさせていただく。

これらによると、23日の朝、ホスト国のそやんか合衆国は、大阪入りを果たす各国首脳のために国鉄新大阪駅に「出入国管理事務所」を設け、午後1時には全国から民族衣裳を身にまとってやってきた各国首脳を、そやんか合衆国北浦大統領以下閣僚たちが出迎えた。そして入国歓迎式を派手に行なった。

さらに北浦大統領の案内で、5台のジープと2台の二階建てバスに分乗して市内パレード。

その後、大島靖大阪市長を訪問し、星のくにの建国を兼ねた前夜祭に臨んだとある。

そやんか合衆国の概要を三省堂の「にっぽん『独立国』事典」から抜粋することにする。

建国は1983年4月1日。「USA（うさ）サミット」が開かれたのが4月3日だったので、2日前に急きょ建国し、その足で宇佐へ乗り込んだことになる。無謀というか、厚かましいというか…。ま、これが北浦大統領の持ち味でもある。

この年をもって「そや元年」としたという。エイプリルフールに建国というのもこの国らしいが、たった1年でサミットのホスト国に急成長した国もめずらしい。

建国の目的は「若者（バカモノ）による若者（バカモノ）のための国づくり」とか。

憲法も制定しており、その第一条に「大統領は合衆国の元首として国を統治し独裁である」とし、独裁国家をもって任じている。

通貨は「ヤン」。国民には三つの義務を課している。

まず国民である誇りをもって、外国人に対し亡命するよう洗脳する義務。次に終日、合衆国国民であることをいいふらす、教育の義務。もう一つは入国の際、税金を納める義務。

どこまでが本気で、どこまでが冗談か分からない。いやすべて大阪人らしくギャグなのかも知れない。

いずれにせよ北浦大統領のキャラクターで保たれている「そやんか合衆国」だが、その北浦大統領の夢は、でっかい。

「ののしりにも負けず、さげすみにも負けず、すくすくとそやんかの芽は伸びる。そして大きな国を創りたい」とか。

翌日24日に開かれた「なにわサミット」では、国際間の貿易や情報交換について議論を展開したようだ。そして次回の開催国を銀杏国と決めて散会したそうだ。

中国洛陽へ親善訪問（１９８４年8月26日〜9月1日）

新邪馬台国を建国した際、将来実現させたいさまざまな構想があった。実現しなかったが「新邪馬台国振興公社」を設立して、一村一品のものづくりを行ないながら経済活動を目指すこともその一つだった。

またその他にも必ず成し遂げたいと考えていたイベントがあった。

それは邪馬台国の女王卑弥呼が行った魏国との交流の再現だ。

「魏志倭人伝」には卑弥呼のことは次のように書かれている。

「元々は男子を王として七十〜八十年を経たが、倭国に大乱が起こり、『卑弥呼』という女性を王に共立することで混乱を鎮めた。卑弥呼はシャーマニズムに長け、年長で、夫はいなかった。弟が政治を補佐した。千人の下女がおり、宮室にはただ一人の男子が入って飲食の給仕や取り次ぎを行なっていた、宮室・楼観・城柵をおごそかに設け、いつも人がおり、兵士が守備をしている」。

魏と邪馬台国の交流を再現すべく中国の洛陽を訪れた新邪馬台国の一行
北京・洛陽を巡って、親善の輪を広げた。中央は洛陽市の李副市長
1984年8月30日

また「景初２（西暦２３８）年6月に、大夫難升米と次使の都市牛利を帯方郡へ使わし、皇帝へ拝謁することを願い出た。魏の皇帝（明帝）は喜び、卑弥呼を親魏倭王となし、金印紫綬を授け、銅鏡百枚を含む莫大な下賜品を与えた」ことも具体的に書かれている。

この日中交流史の一コマをイベントにしたかった。

つまり古代三世紀の邪馬台国の卑弥呼は、魏国の冊封（さくほう）体制の中で交流を目指したのだけれども、新邪馬台国は対等の立場で交流しようと考えたのだ。

そして今度は卑弥呼自らが使節団の長となり、魏の国の都・洛陽へ訪問できたら何と愉快だろう。

中国の人民とあちこちで交流するのも楽しい。

夢・と・ロ・マ・ン・中・国・の・旅
新邪馬台国北京・洛陽親善訪問
昭和59年8月26日〜9月1日(土)7日間(日)
旅行費用 288,000円
中国
新邪馬台国国民会議
日本交通公社海外旅行福岡支店

新邪馬台国版の旅行パンフ
「古代の中国と日本の交流が現代によみがえる！」と文字が躍っている

できれば中国で中国人の邪馬台国研究家を招いて、邪馬台国論争大会の中国版を開くのも夢があるとの思いもあり、早速計画に取りかかった。

いくつかの旅行会社へこの企画を打診した。一番力になってくれたのが、旅行会社大手のＪＴＢ日本交通公社海外旅行福岡支店。

ミステリー列車卑弥呼号等の実績もあり、その頃は新邪馬台国建設公団はネームバリューもあり、交渉は往時とはケタ違い。トントン拍子で「新邪馬台国北京・洛陽親善訪問」の内容が決まった。

ただ北京での邪馬台国論争大会は私たちでは手に負えないので、西日本新聞社にお任せすることにした。

日程は１９８４（昭和59）年8月26日から9月1日までの7日間。旅行費用は二十八万八千円だった。ＪＴＢに一般参加者のものとは違う、もう一種類の募集パンフレットを作っていただいた。いわば新邪馬台国版の旅行パンフである。

行く先々で横断幕を張りながら記念撮影する一行

「新邪馬台国女王・卑弥呼とともに、北京・洛陽親善訪問！　古代中国と日本との交流が現代に甦る！」とチラシに文字が躍っている。

これを持ってあちこち参加者を募っていった。

七日間の旅。しかも二十八万八千円といえば、当時、そう簡単に参加できる金額ではない。

それでも卑弥呼以下十三名が参加の意思表明をしてくれた。母もそれまでいろんな友人と海外旅行をしていたが、私とは一度も行ったことがなかったので、この際参加しようということになった。ありがたいことである。

発着は福岡空港。初日の26日は北京到着後はしばらく自由時間だった。夜はホテルで歓迎レセプション。皆さん大いに中華料理を堪能した。

新邪馬台国一行は、行く先々で新邪馬台国国旗を翻し、ときどき「北京・洛陽親善訪問団」の横断幕を張りながら記念撮影するものだから、行く先々で中国人民の人垣ができた。

中国人民のさまざまな質問に私たちが答えると、一回一回丁寧にガイドの張さんという女性が通訳してくれた。

一番多かった質問は、「日本の少数民族か？」との質問だった。中国は確かに少数民族が多い。91％の漢民族以外は少数民族という。

次に多かったのは「ムービー（映画）スターか？」との質問だった。一行が見たことのない奇妙な衣裳を着て、しかも私なんぞはみずら風の変なかぶり物をしている。B級映画の撮影とでも思ったのだろう。

その後もいろんな質問があったが、そのうち面倒くさくなって「はいはい、ムービースター、ムービースター」といいながら、往来を歩いて行った。目的の一つであった日中親善に反する行為で、ホテルへ帰ってちょっと反省もした。

三日目は終日、西日本新聞社主催の邪馬台国シンポジウム。

場所は北京の友誼賓館。講師は邪馬台国研究で有名な中国社会科学院世界歴史研究所員の汪向栄氏と日本からは、当時、産業能率大学教授をなさっていた安本美典氏のお二人だ。どちらも有名な邪馬台国研究家だったし、そもそも北京で邪馬台国論争大会を行なうのが私の夢だった。

ただ、参加して感じたのは、私が想定していたようなパネリスト同士の激しい「論争大会」ではなく、むしろお二人の小ぢんまりとした「講演会」だった。

汪向栄氏のお話の中で印象深かった点を記したいと思う。

私たちと洛陽まで同行した国立福岡中央病院神経科部長の安陪光正氏が、のちに西日本新聞の「文化」欄へ寄稿した原稿を参考にした。

以下安陪氏の原稿に基づく汪氏の講演の要約である。

「中国人からすると、邪馬台国が宇佐にあろうと、九州、あるいは近畿地方であろうと重要ではない。当時の日本人がどんな原始生活をしていたかに興味を持つ。そのために魏志倭人伝が役立つと思う。歴史研究の目的が中国と日本では違っていて、私たちは実践を唯一の基準とし、空論はしない」という。

そして「邪馬台国の所在については、日本列島の生産過程を問題にしたい。つまり当時の生産過程が最も進んでいた近畿地方に邪馬台国があったと考えたい」というのだ。

生産過程が進んでいたと推定する理由については「農耕経済と金属器具の進歩からで、弥生中期に中国の先進文化が朝鮮半島を経て日本に入り、初めは北九州、後では近畿に移っていったと思う」と延べ、その理由として「農耕時代には人口の集約が必要だった。狩猟時代は一人でも二人でも生きていけたが、水稲を作るには集団生活が好都合。弥生時代の人口分布についての研究によると、北九州より近畿の方が多くなっている」ということと「金属器具については、青銅器の大型のものは、近畿地方から出土している。大きい青銅器を作る文化の方が小さい青銅器を作る文化より進んでいたと思う」といった要旨だった。

ただ、「今後の研究で、当時の人口密度が近畿より北九州の方が高いとか、大型青銅器が北九州でも出土するようになれば、北九州に邪馬台国があったと考えを変えることはありうる」との立場も明確にした。

汪氏は中国人らしく、唯物論的考察で邪馬台国を論じていた気がした。大型青銅器の差次第で畿内説から北九州説へ考え方を変えるかも知れないなどというあたりはその最たるものだ。もちろん、そうした考え方があることは百も承知だが、魏の国の洛陽へ使節を送り込んだ邪馬台国がどこであったかについて、それは状況証拠の一つであっても決定的な物証にはならない。同時代の日本に、邪馬台国以上の文明を持っていた国があったということも充分考えられるからだ。

まあ、候補地の是非をここで論じるつもりはないが、中国の北京で邪馬台国論争を行なったこと自体、大変価値のあることだと感じた次第。

翌29日は、午前中北京観光をし、私たちは夕方、北京発の寝台列車で洛陽へ向けて出発した。

ここで洛陽へ行く組と他の観光地へ向かう組と二手にわかれることとなった。

洛陽へは新邪馬台国の一行十三名を含む十八名だった。

実はその中に、先ほど紹介した西日本新聞へ寄稿した安陪光正氏もいたわけだ。そしてもう一人、私たちと同行した中に久留米信愛女学院短期大学助教授の中尾泰博氏もいた。

中尾氏は１９８３（昭和58）年３月１日に初めて文福を訪れ、一冊の月刊誌『歴史研究』１９８２年10月号を私に下さったことがある。

李副市長に即席の挨拶文を読み上げる中尾教授

中尾氏が教鞭を執っておられた久留米信愛女学院だが、ご承知のとおりカトリック系の学校法人で、歌手の松田聖子さんや女優の吉田羊さんが在籍したことで知られている。

明るくて、博覧強記。愉快な先生だった。

この中尾氏も私たちと一緒に洛陽の旅に同行してくれて、まさに鬼に金棒となった。

中尾氏は移動の列車の中で、中国人民と交流するため、挨拶文を考えてくれた。

挨拶の内容は確かこんな簡単なものだったと思う。

「3世紀に日本のどこかにあった『邪馬台国』。その邪馬台国は、三国時代の魏の国と交流していたことが分かっています。この交流を再現すべく、はるばる女王卑弥呼とともに、総勢十八名で本日、洛陽へ参りました。これからも日中両国の友好の環を広げ、友好を永遠のものに致しましょう」。

そして最後に「偉大なる中国人民、万歳！」というフレーズも入れた。

この挨拶文をガイドの張さんに翻訳を頼み、中国語の発音指導まで熱心に受けていた。さすが大学教授だけあって習得能力は人一倍高いようで、そのうち、中国人と間違うほど流ちょうになっていった。

8月30日朝、夢にまで見た洛陽へ着いた。

洛陽市では洛陽人民政府で、新邪馬台国首相である永岡光治宇佐市長からの親書とひょうたん、焼酎「いいちこ」、宇佐飴など特産品の贈り物を、洛陽市の武市長へ手渡すことになっていた。

あいにく市長は公務で不在。女性の副市長、李本栄さんが代わりに立ち会った。

紫の衣(きぬ)ばかま姿の岡部忠之文化大臣（宇佐市文化協会長）が代表で親書を読み上げ、通訳の張さんが通訳した。お互い特産品の交換をし、しばらく懇談した。

ここでやおら中尾氏が立ち上がり、例の挨拶を中国語で行なったものだから、李副市長も大喜び。

懇談の中では、日本で起こっているムラおこし運動や一村一品運動、私たちが行なってきた

一行はいたる所で中国人民に取り囲まれ、楽しい交流ができた

ミニ独立国運動の話などもした。

最後に、洛陽側から「宇佐市長の来訪をいつでも歓迎する。今後も友好を保ちたい」との武市長から永岡市長宛のメッセージを預かり、素晴らしい交流の成果を上げることができた。

その後人民政府玄関に下りてみんなで記念撮影。今回の旅の大任を終えた。

午後からは洛陽の市内観光。まず一行は、中国の三大石窟のひとつ竜門石窟へ向かった。

大分県も石仏の多いところだが、竜門石窟は比較にならないスケールだった。

洞窟１３５０余、仏像９万７０００余を数え、北魏の洛陽遷都（４９４年）から唐代中期に至る仏教美術の宝庫である。２０００年には世界遺産（文化遺産）に登録されている。

ところで総勢十八名がここを移動しているとき、突然、中国人の若い男性が「ヒミコ、ヒミコ」と叫んで走ってきた。

この交流の旅の中で、初めての経験だった。中国人で邪馬台国の卑弥呼を知っている人がいるんだといった驚きと感動が去来した。

ああ、この旅を企画してよかったと初めて感じた一瞬だった。

この竜門石窟でも、次の白馬寺でも新邪馬台国一行は行く先々で中国の人たちに取り囲まれ、質問攻めにあった。

その都度、中尾氏は新邪馬台国国旗を掲げ、中国語で例の挨拶をし、中国人から大いに喝采をあびた。

大げさかも知れないが、今でも日中友好の歴史に大きな一ページを書き添えたと私は思っている。

南こうせつ邸で「ムラおこしシンポ」（1985年2月24日）

1985年当時、杵築市に移住してきた南こうせつさんが、まちづくりグループを主宰していてその名前がたしか「こすもす」だった。

「今度、南こうせつさんの自宅で、ムラおこしのシンポジウムを開くから是非きてよ」と住吉浜リゾートパークの社長、工藤弘太郎さんから電話があった。

「県下各地のムラおこしリーダーと杵築の若者がふれあう場を持てれば、杵築のムラおこしに新しい展開が生まれるのでは」と、シンポジウムは南こうせつさんの発案だそうだ。

南こうせつ邸は広い敷地の中にあり、別府湾を一望できる環境で、招かれた県下13市町村の地域リーダーたちもスーパースターの〃家主〃に会えるということもあり、やや興奮気味だった。

大分合同新聞（朝刊）

県下のムラおこし
リーダーが一堂に
杵築でミニシンポ

南こうせつ邸でのムラおこしシンポジウム
南こうせつ邸で開催された「ムラおこし源流探求シンポ」を報じる大分合同新聞の記事
大分合同新聞
昭和60年2月25日より転載

会場では、まず工藤さんが簡単に挨拶をし、続いて南こうせつさんが「県下各地でのムラおこしの状況や秘訣を勉強し、子どもたちが杵築に生まれて良かったと感じるようなまちづくりをしたい」と挨拶した。

その後、参加者の大山町の矢幡欣治さん、安心院町の宇留島虎太郎さん、パリと東京銀座に画廊を持つ日出町の大西利勝さんら杵築市以外の出席者がムラおこしを始めた動機、経過、成果などを報告。

南こうせつ邸でプライベートに開催されたパーティに招かれたときの写真　南こうせつ氏（左）と筆者（右）

私も及ばずながら宇佐へ帰郷したときの寂しい思い、刺激のなさが動機でさまざまな活動を起こしていった話をした記憶がある。

最後に大分県の油布広報広聴課長らがこのシンポジウムを総括し、感想を述べた。

シンポジウムを終えると、みんなで城下町杵築の町並みを散策。夜は市内の若栄屋で昔ながらに再現した武家料理を味わい、さらにムラおこしの交流を深めた。

あの当時は不思議な時代だった。芸能界で不動の地位を築いていた南こうせつさんですら、ムラおこし運動が他人事ではない、身近なものであったことを象徴するシンポジウムだったと思い、あえてこの『50年史』に記すこととした。

第四回　春の園遊会、第五回　春の叙勲式（１９８５年４月７日）

また春の季節がやってきた。春といえば毎年恒例の宇佐観光桜まつりが4月6、7日の両日に宇佐神宮の境内で開催される。

そしてこの桜まつりのメインイベントが7日（日）の春の園遊会と叙勲式なのだが、この日はあいにくの空模様で、普段とは違い盛り上がりが今ひとつパッとしなかった。

低調な理由はもう一つあった。

参加者には失礼だが、私たちもこのイベントに対し少しおざなりになっていたからだ。

四バカもそれぞれ仕事や個人的活動が忙しくなり、この頃は四人が一緒に集まって活動をすることがほとんどなくなっていた。

人生を振り返ってみると〝失敗の本質〟がどこにあったかを冷静に発見できることがある。

新邪馬台国の活動が、一定の評価を受けながらも中途半端に終わった最大の理由は、今から考えると四バカがそれぞれの意思疎通をおろそかにしたことだろう。

各自が超多忙になったことが禍いしたのだが、人間関係を維持するには一見無駄とも思えるこの意思疎通の時間がいかに重要かを思い知った次第だ。

だがこの当時はそんなに大げさに考えていなかったのだ。

もともと新邪馬台国のイベントは、宇佐商工会の桜まつりの予算から捻出してもらっていたが、その予算規模は少なく、邪馬台国論争大会を含めて園遊会も叙勲式も一般参加者から会費をいただいてのイベントだった。いわゆる〝ロスオリンピック方式〟だ。

春の園遊会も叙勲式とセットで、第一回、第二回までは能舞台で単独イベントとして開催できるほど集客力のある催しだったが、だんだんチケットを販売するのが大変になり、第三回春の園遊会の頃から単独開催をやめ、ミス桜選奨会の特設会場の中で、一緒に開催することとなった。

この第四回春の園遊会は、ミス桜十人の中から新たに第七代ミス卑弥呼に相良みつ子さん（当時二十一歳）が選ばれた。

彼女を取材した地元紙の「ひと」欄によると「理想の男性像は『王監督のような人間的な大きさと包容力を持った人』」とか。容貌もいいし、明るいお嬢さんのようだ。

当時宇佐市への進出企業として名高かった九州松下電器大分事業部にお勤めの由。

ところでこの年の叙勲者は以下の通りだった。

まず政治勲章は中津江村長の斉藤隆一さん。受章理由は鯛生金山を活かした観光、地域振興などだ。

産業経済勲章は日出町の二階堂酒造。二階堂酒造は１９７３（昭和48）年に麦１００％の麦焼酎を開発し、麦焼酎ブームの火付け役となった功績だ。この当時、宇佐市の三和酒類とともに大分県経済を大いに牽引した。

次に文化勲章は大分市在住の前大分大学教授、小長久子さん。地方オペラの先駆けとなる県民オペラ協会会長。オペラ「吉四六昇天」の総監督を務めるなど顕著な功績がある。スポーツ勲章は日田市の高瀬里美さん。第68回日本陸上競技選手権大会において、女子走り幅跳び部門で6メートル19の記録を出し日本一となった方だ。もう一人、この年の特別勲章は前緒方町長の波多野正憲さん。波多野さんは緒方町長として長年緒方町の発展に寄与した方で、ちょうどこの年『むらの夜明け：革新町長16年』というタイトルで一冊の著書を発行された。具体的な事績としては町長時代に町有地を無償貸与し、過疎対策としての社会福祉法人「任運社」を誘致し、その先見性が評価されていた。

この任運社の運営は画期的で1997年、福祉の向上に尽くした個人、団体を表彰する毎日新聞社の「第27回毎日社会福祉顕彰」を受賞したほどである。

会場は相変わらずさまざまな模擬店が並び、婦人大臣（市連合婦人会会長）の高橋ツイさんの陣頭指揮で、ぜんざい、おにぎり、だんご汁などを廉価で販売していた。

いつも献身的に協力をしてくれており、頭の下がる思いだった。

第十一章　独立国ブームへの懸念

ミニ独立国常任理事国会議開催（1985年10月27日）

残念なことだが、1975（昭和50）年に宇佐市長に初当選し、3期目の当選を果たした永岡光治宇佐市長が体調不良のため、1985年の10月に任期途中で退任した。

これに伴い市長選挙があったのだが、永岡市長の後任は県福祉事務所長をしていた四井正昭さんが就任した。宇佐商工会長の矢口力さんから数えると、新邪馬台国の第三代目の首相の誕生だ。

この頃になると大分県立芸術会館で、中沢とおる作のミュージカル「宇佐邪馬台国女王・卑弥呼」が上演されたり、名古屋市の名鉄百貨店にて「ミニ独立国フェスティバル」が開催され、ミニ独立国の物産等の展示販売があり、新邪馬台国もさまざまなグッズを出品したり、宇佐邪馬台国やミニ独立国のイベントも目白押しだった。

全国の邪馬台国の候補地でも新邪馬台国に倣ってか、邪馬台国のイベント化がさらに進み、各地で私たちがこれまで宇佐でやってきたような、ミス卑弥呼のコンテストや邪馬台国にちなんだイベントが繰り広げられていた。

全国版の新聞や雑誌、テレビの放送などでミニ独立国がたびたび紹介されたこともあり、ミニ独立国も増加の一途だった。正確な実数はわからないが、おそらくその数１００近くになっていただろう。もちろんこの中には建国したものの、ほとんど活動しないまま休止している泡沫国もある。

ただこの頃は私もミニ独立国の元祖として、またミニ独立国の後進国サミットの提唱者として、全国にミニ独立国を多数蜂起させることに生きがいを感じていた。

シンポジウムや講演会、ロータリークラブ、ライオンズクラブ…とお座敷がかかれば、気安くどこまでも出かけて行くことを心がけていた。

このような状況下で、ある日、農林水産省の担当者から東京の代々木公園で開催されるイベントへ、新邪馬台国総裁として出席して欲しいとの連絡があった。

後進国首脳会議を開催したミニ独立国を中心に「ミニ独立国常任理事国会議」を開催して欲しいという。

最初なんのことだか理解できなかった。

その担当者の説明によると、まず農水省が昨年からスタートさせた「都市と農村の交流促進事業」について説明があった。この事業は、農村・農業が果たしている役割を都市住民に理解してもらい、あわせて農村の発展を図ろうと計画されたものだそうだ。

全国から選定された30程度の優良市町村が、都市側市町村等と交流の提携を結び、農村側市町村に都市側の代表者を加えた「まちとむらの交流実行委員会」を設置する。そして交流に関する企画・立案・交流事業の実行、交流の結果の報告書の作成をさせることが、事業のメインとなっている。

それでもそこにミニ独立国の数か国が参加する理由や合理性がとんとわからなかったが、この年の3月に読売新聞夕刊の「アングル」のコーナーに大きく載った「地方に定着『ミニ独立国』」の記事を思い出し、なるほどと疑問が氷解した。

この記事は農業官僚であり、当時農政調査委員会・国内調査部長をされていた小山智士氏が「都市と農山村の〝接着剤〟に」とのタイトルで話したものを読売新聞解説部の初田正俊記者が記事に起こすという体裁だった。

内容は「パロディ精神、見事に開花」とか「新しいかたちの『村おこし』」とか、「『遊び』を超えて今や地域の活力源」などの見出しが並ぶ。

そして「ミニ独立国をたかがお遊びと見る人も多いようですが、これら非まじめで、非経済的なアプローチこそ、今地方の活性化にとって必要であり、パロディ精神が最終的には地域経済の向上にも結びつくのではないでしょうか」と結んでいる。

全国に百花繚乱と咲き誇るミニ独立国をポジティブにとらえ、農水省の「都市と農村の交流促進事業」の起爆剤にしようとの取り組みのようだった。

この読売新聞の「アングル」には別枠で「元祖新邪馬台国」の紹介があり、次のような紹介記事もあった。

「独立国の元祖、大分・宇佐市の『新邪馬台国』では国建設公団総裁の高橋さんが〝現代の遣唐使〟として〝卑弥呼〟を含む一行十八人を連れて中国を訪問した。魏の都だった洛陽の市長を訪れ、姉妹縁組を結んだ。外交ばかりではなく、内政面では地場産業育成のための、新邪馬台国文化産業振興公社の設立をめざしている。

教育大臣は酒造会社の専務だが、『下町のナポレオンいいちこ』という奇抜な名前の焼酎（しょうちゅう）を売り出し、全国で爆発的な人気を集めている。これは新邪馬台国の国歌からヒントを得たもので『いいちこ』（一番いい）という大分方言とナポレオンを組み合わせたパロディだという」。

つまり全国のミニ独立国の運動を農水省も日本国の農業政策の中に取り込み、活かしていこうとの趣旨のようだ。

小さな試みとして始めたミニ独立国の運動だったが、宗主国ニッポンの国策にも影響を与えるようになったことに対し、誇らしい気分もあり、渡りに船と私はこの代々木公園でのイベント参加に応じることにした。

10月27日、東京の代々木公園に私は立っていた。

参加国はサミット開催国の新邪馬台国、ニコニコ共和国、アルコール共和国、そやんか合衆国、翌月開催予定の東京都八王子市の銀杏国、それにサミットはまだ開催していないけれど、全国的に有名だった吉里吉里国の6か国だったと思う。

会議のメイン議題は、ミニ独立国オリンピックの開催についてだった。

正式には翌月に予定されている銀杏国主催の「東京サミット」で決定されるべきだが、常任理事国でまず開催するかどうかを決めたいということだった。

もし開催することが決まれば、日本テレビが全面的にバックアップし、ゴールデンタイムで全国放送したいという。

具体的な場所や日程等は「東京サミット」で決定したいとのことだった。

反対意見はなかったように思う。ミニ独立国運動も農水省を動かし、日本テレビをも動かしてここまでやってきた。

全国のミニ独立国が一致団結し、オリンピックを開催。そしてさらなる独立国の発展を目指していこうという結論になり、常任理事国会議を終結した。

独立国づくりノウハウ10か条

このころシンポジウムや講演会に講師として招かれたり、あるいは直接独立国を作りたいとの相談を受けた際、私がアドバイスしていたものに「独立国づくり10か条」なるものがある。

実は1986（昭和61）年2月号に、実業之日本社の発行された月刊誌『オール生活』にも新邪馬台国総裁からのメッセージ【独立国の元首になるための国づくりノウハウ10か条】というタイトルで紹介されているのでここに載せておく。

「独立国づくり」ということで提唱していた10か条だったが、改めて読み直すと今のムラおこしやまちづくりにも、そっくり応用できるのではと自画自賛している。

その① わかりやすいテーマを国名にする

国名は、国づくりのテーマをはっきり打ち出したものがいい。わかりやすくて具体的で、個性的つまり、この国にしかないテーマを選ぶことです。

その② 国旗や国歌も意識高揚に役立つ

国旗はぜひほしいですね。

それに国歌もあったほうがいい。わが国では国旗は邪馬台国をあらわす金印と勾玉で、国歌は、「偲ぶ卑弥呼よ邪馬台国のコリャサ…」のソウチコばやしです。

その③　国づくりの指針を憲章に示す

国づくりの指針として、また建国の精神を忘れないためにも、憲法とか憲章をつくるといいですね。うちでも新邪馬台国独立憲章というのを定めています。

その④　女性を国のシンボルにする

わが国の象徴は女王卑弥呼ですが、うちが曲がりなりにもここまでやってこれたのは、卑弥呼様のおかげによるところ大ですよ。

村おこしの基本は家庭、村おこしに女性の参加は不可欠です。積極的に女性を誘いこむ努力と同時に、女性も魅力を感じるような国づくりが大事ですね。

その⑤　できるだけ多くの人を巻き込む

正直いって、うちの経済的基盤は弱いんです。弱いから、いろんな団体にコビルわけですよ。たとえば観光協会、婦人会、神宮、自治会、行政から学者のグループまで、市のあらん限りの団体を実行委員会に誘いこんで成功しました。

その⑥　大臣や長官は多いほどいい

国づくりの演出者、スタッフは多いほどいいですね。ポストは出し惜しみするな、と言いたいですね。

その⑦　パロディだから何でもできる

宇佐という保守的な土地柄で、ボクらのような若造がここまでやってこれたのは、パロディという形をとったからですよ。お遊びだから首相でも大統領でもなれるし、好きなことを言い、やりたいこともやれる。正攻法じゃ、おそらく嫉妬をかったり権力闘争に巻き込まれて途中で挫折していたでしょう。

その⑧　お金が目的では続かない

もしボクらの運動が、お金を目的としたものだったら、とっくに止めていたでしょうね。何か一つやり終えたあとの酒のうまさ、それが魅力でここまできました。

その⑨　国づくりは気長にやらなければ

いま全国にミニ独立国は九十余か国といわれますが、なかには一回イベントをやっただけの開店休業というところも多いのは残念ですね。

地域づくりは長期戦。子や孫の代までつなげる息の長い仕事です。牛の歩みでも、衆議をはかり、納得する形で進めていく。そうでなければ息切れしてしまうでしょう。

その⑩　サミットに参加しよう

国際法的にいえば、リアル独立国とは領土を持ち、国民がおり、政府がありといろいろな要件がありますが、一番重要なのは既存の独立国が新たな独立国を承認することだと思います。ですからミニ独立国もやはりお互い独立を承認し合うことが重要です。

そこで最後に、声を大にして言います。

国をつくっただけではだめ、ぜひサミットに参加しましょう。

第五回　後進国首脳会議「銀杏サミット」開催（1985年11月22、23日）

１９８５（昭和60）年11月22日から二日間にわたって、東京都八王子市の銀杏国で第５回後進国首脳会議「東京（銀杏）サミット」が開催された。

この国の誕生は三年前の１９８２年にさかのぼる。八王子市内には甲州街道沿いに見事なイチョウ並木があるが、この並木を守ろうと沿道住民の手で始めたのが「八王子いちょう祭り」

1985.11.23　第5回 後進國銀杏サミット

第五回 後進国銀杏サミット　1985（昭和60）年11月23日

だった。

　この祭りは毎年11月に行なわれるのだが、新味を出そうと三年前に地元町会が街道の並木を「銀杏（ぎんなん）国」と命名した。女王は旅行作家をなさっている杉田房子さん。そしてこの年はいちょう祭りにあわせてサミットを開催したという。

　参加国は全国から26か国が参加した。元首や閣僚、その他の随行員を入れると総勢約百人あまりが集合している。

　第一回のＵＳＡサミットが13か国の参加だったから、この二年間で参加国は倍になった勘定だ。確かに回を重ねる毎に盛大なイベントになっていく。

　またミニ独立国自体もこの頃になると確認できるだけでも、全国に約１００近くが誕生しており、本格的なミニ独立国ブームの到来を感じずにはいられなかった。

22日は翌日の本会議に先立ち予備会議が開催された。ＵＳＡ（うさ）サミットのときのような具体的なサミットのすりあわせより最初から〝晩餐会〟の様相だった。

最初に主催者の杉田女王が、「それぞれ個性的でユニークな方たちばかり。どうぞ意見の交換と友好の環を広げてください」と挨拶。

続いてニコニコ共和国の木村大統領の乾杯の音頭で幕が開き、各国代表者の挨拶や近況報告と続いた。

ミニ独立国を大別すると、新邪馬台国のようなムラおこし型やニコニコ共和国やアルコール共和国のような観光振興型がほとんどだが、この頃は個人や団体、企業のＰＲのために積極的にミニ独立国の形態をとり、活動しているようなものも出現し始めていた。

例えば新顔として参加している国として「琉球王国」が参加していた。当然、沖縄からの出席かと思いきや、東京都内の沖縄出身者を中心に建国されたのだという。

また同じく参列していた伊豆・大島に本拠地を置く「ぼけない国」は、社会問題になっているお年寄りの認知問題をなくすのが目的の国だそうだ。

期せずしてミニ独立国の多様性を改めて発見するサミットとなったわけだが、私はこの晩餐会でも後進国サミットの提唱者としてミニ独立国運動を進めるために必要な「独立の精神」と先進国が侵しているCO2問題をはじめとする環境問題を真正面に捉え「スロースタイル　スローライフ」の提唱をあえてしたが、少し場を白けさせてしまったようだった。

翌日23日はサミット本会議。高尾山頂の展望レストランで開かれた。

議長役は銀杏国雅楽卿・浜野浩子さん。

まず京都の「いきいきランド王国」から全国のミニ独立国を紹介する「資料館」を東京の原宿に設置したらどうかの提案があった。自分の知り合いが自分のお店の一角を無料で提供するとのことだった。これは「ただなら何の問題もない」ということで満場一致で採択された。

このあと、同じく京都の湯船坂王国から「国際見合い」の提案があった。「うちは過疎地域。男性ばかりなので、是非お見合いをお願いしたい」と銀杏国を名指しで申し入れた。

恐らく銀杏国が女性のみの統治国、いわゆる〝アマゾネス国家〟ということもあってこの提案を出したのだろうと思われた。

ほとんどの国が同じ悩みを抱いており、固唾をのんでこのやりとりを聞いていた。が、銀杏国側は「ありがたいことですが、今後、よく検討して参りましょう」とやんわり否決される場面も。

サミットの主要議題に入ることになった。主要議題はあらかじめ常任理事国会議でも決議されていた三項目である。

一つは第一回の「ミニ独立国オリンピック」の開催について。二つ目は来年1月に予定しているミニ独立国の「万博」開催について。三点目は国際連合の設置についてだ。

まずオリンピックについては来年5月23日から三日間、銀杏国内の運動場、体育館で開催される。北海道から沖縄まで30数か国から約千人の参加予定とのことだ。

このオリンピックの放映権については日本テレビが獲得に意欲を持っており、昨夜の事前会議にも出席し、具体的プランまで紹介していたほどだ。当然サミット本会議にも、オブザーバーで出席していた。

そやんか合衆国の北浦大統領は「このさい、おんぶに抱っこでどうでしょう」と発言。各国代表とも大笑いしながら、日テレ主導の五輪開催に歓迎の意向を示した。

日テレ側もサミットで放送権が決まったものの「まだ正式に（放送権の）契約を交わしていないし、（お金に強い）ＮＨＫの出方が怖い」とお茶目なコメントをしていた。

二番目の議題である「ミニ独立国万博」の開催については、そやんか合衆国の北浦大統領から提案があり、来年1月、大阪市で開催することが正式に決まった。

最後に「国際連合の設置」についての議題が話し合われたが、これも満場一致で採択され、国連事務総長に農林水産省のＯＢである小山智士さんが任命された。

そして第6回サミットの開催地も島根県出雲市の「いずもオロチ王国」に決まり、会議の幕を閉じた。

私は取材にきていたある記者から取材を受けた。今回のサミットの総括を聞かせていただきたいとのことだったので次のように答えた。

「単なる遊びでは面白くない。それだけで終わってしまうからだ。地域のためになると思うからバカな格好だってできる。片意地をはる必要はないが、意識を持っておもしろ真面目に遊ばないと、ひらめきも、新たな創造も生まれてこない」と率直に答えた。

主催国の関係者からは「お遊びに付き合ってる暇はない」とボイコットに回った独立国もあったと聞く。

たしかにだんだん独立の精神を忘れ、仮装大会のようになっている「後進国サミット」に対して、提唱者の私としてはこのまま続けていくことに少し限界を感じ始めた、そんな銀杏サミットだった。

これまでとは全く違う、重い足取りでサミット会場を後にした。

新邪馬台国国立宇佐大学開講（１９８６年１月25日）

毎年、桜が見頃になる頃宇佐商工会の観光桜まつりが行なわれる。

これに合わせて卑弥呼の戴冠式や園遊会、叙勲式はまだ型どおり続けられていた。

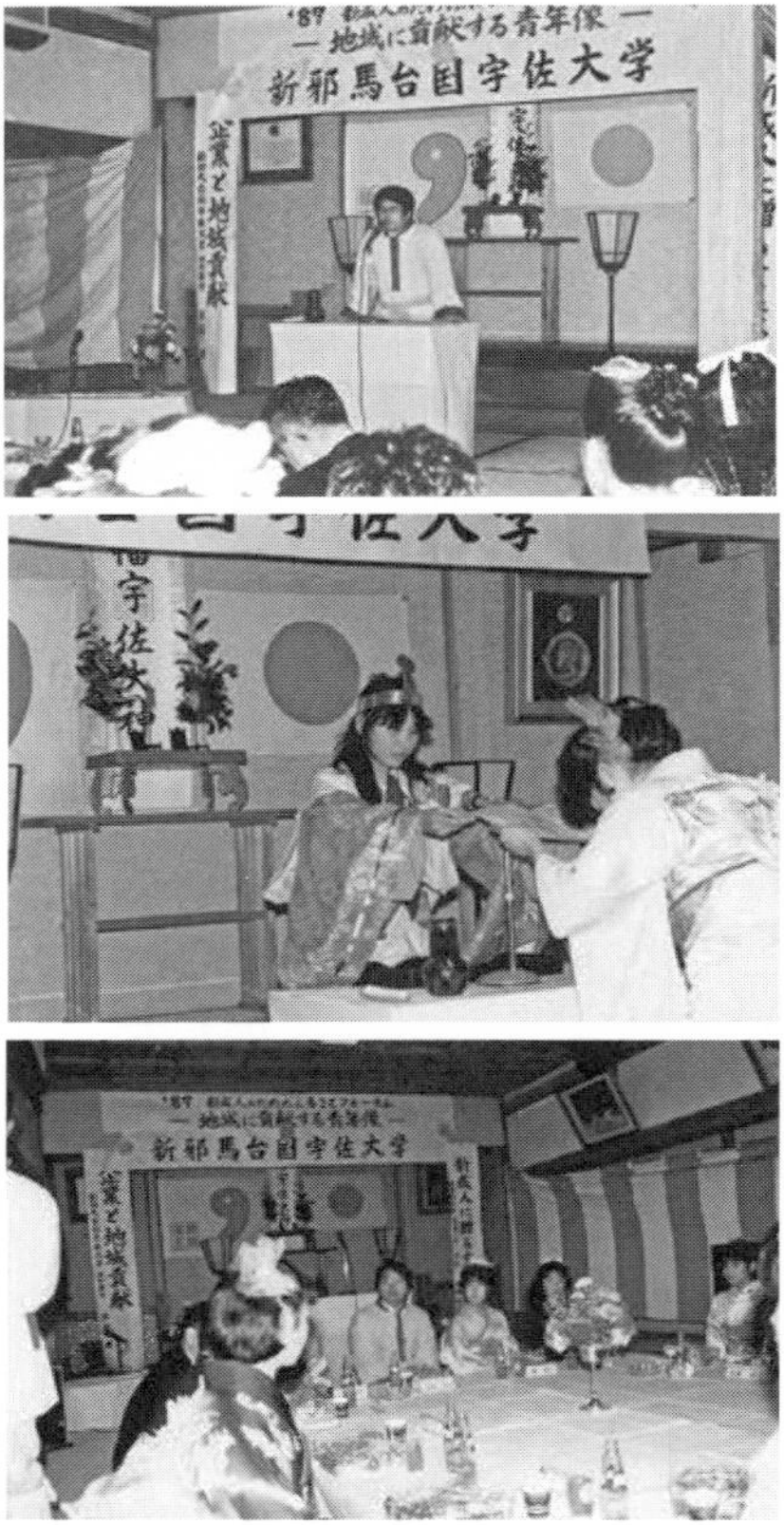

新邪馬台国宇佐大学の開講

1985年4月7日には、第六代目の是永美和さんから第七代目ミス卑弥呼が新しく選ばれ、相良みつ子さんが就任したことは前にも紹介した。

相良さんが地元の九州松下電器宇佐事業部（以下九松）に勤めていたこともあり、このよしみでこの年の秋だったと思うが、労働組合の幹部から九松へ講師として招かれたことがあった。テーマは「新邪馬台国の国づくり」。新邪馬台国のこれまでの歩みや町づくりの要諦についてお話しさせていただいた。

会場は組合員など数百人ほどで満席だった。

卑弥呼の相良さんが取り持つ縁で、これを境に九松との関係がより深まった。講演が終わってまだ間がない頃の12月初旬頃、こんな話がきた。

「来年成人式を迎える九松の新成人十七人（男性三人、女性十四人）に、なにか思い出に残る成人式ができないか」という。

当時新邪馬台国の構想のひとつに宇佐の〝松下村塾〟の設置があった。若い人たちにムラおこしのいろはというか、基本的な理念を分かっていただきたいということもあり、アイデアを温めていたのだが、その予行演習として開催することにした。

名称は「新邪馬台国　国立宇佐大学」。学長には私の恩師で宇佐史談会の事務局長、椛田美純先生に就任していただくことにした。

日時は翌年86年1月25日の午前10時からだった。場所は宇佐神宮の会議室。最初に入り口で〝入国手続き〟を済ませていただき、いよいよ国立宇佐大学の開講だ。

第一部は私の「新成人へ贈る言葉」。新邪馬台国の活動と宇佐への思いについて語った。

第二部は「邪馬台国と宇佐」のタイトルで、椛田学長による邪馬台国宇佐説の講演をしてもらった。

その後全員で宇佐神宮へ参拝。みんなで本殿前の回廊へ行き、昇殿参拝をして散会した。

この企画は九州松下電器事業部に評判がよかったとみえ、翌年も要望があり、89新成人のためのふるさとフォーラム～地域に貢献する青年像～のテーマで新邪馬台国宇佐大学を開講している。

第二回　安心院ムラおこし研究集会『…』おこしというけれど…」（1986年3月5日）

「ムラおこし」という言葉がはじめて使われたのが、80年の伝説のシンポジウム『豊の国ムラおこし研究集会』だった。

それから六年。同じ大分県安心院町で、おなじみの清成忠男教授を中心に第二回目のムラおこし研究集会が開かれることを私は新聞で知った。おそらく仕掛け人は、ひょうたん屋の溝口栄治さんだろうが、この頃は四バカの交流がほとんどなくなっていて、私は新聞を見るまで知らなかったのだ。

大分合同新聞の告知板に書かれた今回の趣旨は

「『現在の運動はその広がりがあまりにも急速だったため、目的と運動、本質と現象、各論と総論が混乱している』として、経済活動優先のムラおこし運動の現状を指摘。『地域が内発的にチエを出し、従来の行政依存から脱却し、新しい町づくりの思想を地域住民自らが認識し、実践する』という五十五年に同じ安心院で開かれた研究集会の原点に立ち返って、ムラおこしを再検討してみようと呼びかけている」とある。

そして参加者については「清成教授のほか、加藤憲一（鹿児島県・南方圏交流センター）、安藤周治（広島県・過疎を逆手にとる会）、秋山眞和（宮崎県・綾の手紬染維工房）、溝口薫平

（湯布院町・旅館経営）の各氏らをゲストに、行政と住民の役割、国際化時代への対応、地域の自立などについて議論する」という。錚錚たるメンバーで、各氏は今でも各方面で活躍している。

中身については研究集会が開催された翌日の大分合同新聞に詳しく載っているので、少し抜粋することとする。

「『…』おこしというけれど…ふたたび安心院から」と副題のついた研究集会は、当日は約二百人が参加した。県内各地や福岡、宮崎、鹿児島をはじめ遠くは島根、愛媛などの各県からも地域づくりに取り組む若者が多数参加しており、活況を呈したようだ。

集会はいつもの通りで、まず清成忠男法政大教授の基調講演があり、その後パネラー各氏に事例報告をしてもらい、その後参加者と講師、パネラーが自由に論じ合うといった形式だったという。

同新聞によるとこのときも約四時間余り、「ムラおこしと一村一品運動、内発的振興、行政とのかかわり、リーダーの在り方などをテーマに、これまでの経過や問題点、今後の課題について突っ込んだ意見交換があった」そうだが、新聞に付された写真を見るだけでも口角泡を飛ばし、熱心に議論し合った様子がうかがえるし、会場の熱気が伝わってくる。

具体的には清成氏が「ムラおこしの現状について、一村一品運動に代表される県の施策に大きな影響を与えたことを評価しながらも、一方ではイベントや特産品づくりが先行して、〝心おこし〟の側面が忘れられていると批判した」という。

またムラおこしブームに乗って、この頃、国も村おこし事業に乗り出してきていることについて、「ここまでやられると、もういい加減にしてくれ、といいたくなると述べ、ムラおこしの原点をもう一度見直す時期にきていることを強調。今後の課題として、ハイテク化や情報化、国際化など、六年前と違った状況を踏まえて、ムラおこしの新たな方向付けの必要性を訴えた」そうだ。

パネラーで参加していた湯布院の溝口薫平さんは「ムラおこし、地域づくり運動が各地で盛んになっているが、先進地のやり方をそのまままねする、コピー的な取り組みが目立つ。地域づくりに教科書はない。地域の風土、特性に合わせた地域づくりの工夫をすべきだ」とコメントしたという。実に傾聴に値するコメントだと思った。

同新聞は最後に清成氏が言ったことを次のように伝えている。

「『いまは地方が考えたアイデアを国がまねする時代。中央官庁は〝アイデア貧乏〟に陥っている。逆にいえば、それだけ地方にチャンスが生まれてきている』として、地域が主体的な意思をもってやれば、行政を使いこなすことも出来ると述べ、まず自らのことは自らで決める〝地方の主体的意思〟を固めるよう呼びかけた」。

ミニ独立国運動にしても農水省のイベントにミニ独立国の常任理事国が招かれたり、「ミニ独立国国際連合」に農水省ＯＢが事務総長に名乗りを上げたりと、国の機関がこの運動に近づいてきているような気配のある頃だった。

この研究集会の結論として「時流に流されず、自分たちのことは自分たちで決める」という地域の主体性と意思を確立し、お仕着せでない運動、とりわけムラおこし運動の理念である〝内発的な地域振興〟を改めて再確認するものとなったようだ。

ここで私が知っているもう一つ重要な問題を指摘しておかねばならない。

実は私たちがじっ懇にしていた読売新聞西部本社の参与・鈴木敬一氏も、この研究集会にきていたのだが、清成教授が散会後の親しい人たちの打ち上げで思わず口を滑らせたことを、大きな見出し付きで翌日の新聞にすっぱ抜いたことだ。

そのタイトルは今でも鮮明に覚えている。

「平松知事は裸の王様だ！」

当時、清成教授は大分県のムラおこし運動のシンボルでもあったし、平松知事も清成教授も持ちつ持たれつの関係だったが、これを境に大きな溝ができてしまった。

またそのとばっちりか、宇佐のムラおこしのリーダーで、平松知事が塾長をしていた豊の国塾の運営副委員長だった溝口栄治さんと知事の間もギクシャクし始めたと、のちに溝口さん本人から聞いている。

第五回　春の園遊会、第六回　春の叙勲式（1986年4月6日）

ミニ独立国関係のイベントとしては1986（昭和61）年1月3日から6日間、大阪の「そやんか合衆国」の北浦浩大統領の肝いりで、第1回ミニ独立国万博が開催されている。場所は大阪の近鉄アベノ店。

このミニ独立国万博は前年の銀杏サミットの議題にも上がり、満場一致で可決されたことは東京の銀杏サミットの項で書いた。もちろん私も賛成していた。

Tシャツやステッカーなどの新邪馬台国グッズや宇佐市の特産の「いいちこ」やひょうたんなどはPRのため送ったが、新邪馬台国の総裁として私は出席しなかった。

理由の第一はまず私の本業と関係する。サミットは1月3日から始まるのだが、お正月の超多忙なこの時期に遊び事（私以外は皆さんそう確信している）で大阪へ行くなんて、許してもらえるはずがない。第二は第1回の後進国サミットの際の合同大使館や宇佐神宮参道で行なわれた「一村一品縁日万博」でも、同じような発想で開催していたこともあり、新味が感じられなかったことだ。また私自身、この頃からパロディ手法によるムラおこし運動に、少しずつ限界を感じ始めていたことは偽らざる気持ちだった。

第六回 春の叙勲式　1986（昭和61）年4月6日

さてこの年もまた春がやってきた。春といえば心がうきうきして抑えがたい衝動を覚える。

春の恒例行事である宇佐観光桜まつりが、この年は4月5日、6日の両日、宇佐神宮境内で盛大に開催された。

祭りに彩りを添えるミス桜九人が決まり、その中の一人がミス卑弥呼に任命され、新邪馬台国の春の園遊会、叙勲式をはじめ、さまざまな行事のホステス役となる。

新しい八代目の卑弥呼に選ばれたのは、当時ＮＥＣに勤務の坪根寿恵さんだった。

七代目卑弥呼の相良みつ子さんから坪根さんの頭へ、金ひょうたんをあしらった王冠が載せられうやうやしく戴冠の儀が行なわれ、いよいよ春の園遊会が始まった。

園遊会も回を重ねるごとにオープン度を増し、この頃は誰でも参加できる形態になっている。それはそれで庶民的で平等なのだが、その分、格調は当然低くなってくるし、パロディ度も下がっていることは否めない。

ただこの手のイベントの宿命だが、マスコミ頼みの私たちの手法には限界があった。だんだん飽きられ情報発信力も落ちてくる。宇佐商工会の恒例行事といっても、四バカの基盤自体が全体からすると盤石ではなく、薄氷を踏みながらかろうじて前進している格好だった。

園遊会でのメインイベントは叙勲式だ。

政治勲章は姫島村村長の藤本昭夫さんへ差し上げた。理由は車エビ養殖で村の経済を活性化させた功績。産業経済勲章は三和酒類。昨年度の麦焼酎の生産が日本一だったことを記念しての受賞だ。

ボランタリー勲章は別府市の「国際都市別府を考える会」で、観光ガイドや通訳奉仕を続けていることが認められた。

スポーツ勲章は、昨年、全国大会で優勝し日本一に輝いた大分市の明野中学校サッカー部へ。婦人勲章は、大分市の「日本有職婦人クラブ大分支部」会長の津田露さんへ、働く婦人の地位向上を目指して努力を続けている功績で差し上げた。

また特別勲章には、宇佐高校相撲部員として活躍した豊後高田市出身の水之江浩さんへ授与した。

この年の目玉といえば、やはり文化勲章の受章者片岡長次郎さんだった。彼は宇佐市出身で大衆演劇の座長をしており、九州演劇協会の会長もされていた。

『新撰芸能人物事典　明治〜平成』によると、「戦後、旧満州から引き揚げ、初代片岡長次郎の一座に弟子入りした。その後一座を辞めて転々とさまざまな職に就いている。昭和41年に病床の初代片岡長次郎に呼び戻されて二代目を継いだという。以来、九州や関西の芝居小屋で大衆演劇一筋に生き、42年衰退の一途をたどっていた大衆演劇を糾合して九州演劇協会を結成、54年には全国座長大会を企画するなど大衆演劇の振興に尽くした」とある。

この片岡氏の半生は、１９８５年のＮＨＫ朝の連続テレビ「いちばん太鼓」のモデルともなっており、タイムリーな授章になったと思う。

片岡氏を熱烈に推薦したのは、当時新邪馬台国の主要閣僚で大蔵大臣をやっていただいていた堂本光男さんだった。

堂本さんは片岡氏と小学校時代の同級生とのことで、文化勲章を授与してくれれば必ず叙勲式にきてもらうと確約済みだというので一も二もなく決めた。

毎年の叙勲式の受章者を見てみると、結構シリアスな人選をしていることがわかる。改めてしたためるが、新邪馬台国はパロディ仕立てであるけれども、その内実はやはりどこまでも真面目なのである。

県内に6番目のミニ独立国「ハイハイ連邦」誕生す（1986年4月7日）

第五回春の園遊会、第六回春の叙勲式の終わった翌日の大分合同新聞朝刊「内の目　外の目」のコーナーに、編集委員の末久義氏が書いた、「挾間町にハイハイ連邦」というタイトルのコラムが目に入った。

「挾間町に誕生したミニ独立国『ハイハイ連邦』は、町を支える青年たちが始めた〝若者主導〟の新しい町づくり運動といえよう。

国名の『ハイハイ連邦』は行政に頼らず、住民自らの力で歩き出そうという意味で、まずハイハイ歩きからはじめ、将来はハイレベルの町づくりと取り組むといった決意もこめられている。

（略）

このような町づくり運動に乗り出したのには、それなりの理由がある。

一つは前町長らの汚職で傷ついた町の暗いイメージの払拭だ。これには若者が主役となり、明るい町づくりに取り組むことが必要ではないかということだ。

もう一つは県都大分市へのベッドタウンとして町内には新しい団地が急増しており、明るく住みよい町づくり運動を全町に押し広げていくためには一にも二にも団地住民との心の触れ合いが不可欠と考えたことである。

いずれも挾間町にとっては大きな課題だが、注目されるのは町の若者たちがこれらの問題を行政任せにせず、自分たちでできるものは自分たちで解決しようと、率先して行動を起こしたことだ。

（略）

小さな取り組みでも、これが広がっていけば町を変えることができる。その意味で人口の急増などで多くの課題を抱えた同町にとって、町づくりの前面に若者たちが登場してきたことは〝百万の味方〟といえよう。若者たちの粘り強い活動を期待しよう」。

下で六番目のミニ独立国という情報もあり、当時のミニ独立国の状況がわかる。末氏のこのコラムに書かれた内容で重要なのは、無責任・無関心・無軌道といわれた若者たちが立ちあがったことと、ものづくりやイベント中心の町づくりに一石を投じ、主眼を「地域の連帯づくり」に置いている点だ。そして行政の手の回らぬ点に目を向けていることだ。

町づくりは何も大上段に振りかぶることは必要ない。身の丈にあった、やれるところから始めることが肝要なのだとつくづく思う。永年町づくりに携わってきて、ようやくそう思うようになった。

ところで県下のミニ独立国でもう一つ気になったクニがある。実は二年前の１９８４（昭和59）年、これも地元紙に紹介されていた「剽軽国（ひょうきんこく）」だ。

新聞報道によると、この国は津久見市内の中学生たちがつくっているパロディ国家で、四年前の１９８０年の11月に建国した。

四年前といえば彼らが小学5年生の時だが、努力遠足で遠出したときに担任からパロディ王国のことを聞き、その場で国づくりがまとまり、「剽軽国」が誕生したという。大統領は久次良俊二君で政府の所在地は彼の自宅。そのときは首相や大蔵大臣、文部大臣ら主要メンバーを決めただけにとどめたようだ。

その後彼らが6年生になるとき、担任が転任したこともあり、国家の機能はすべて停止した。このままでは国家存亡の危機になるとの思いで、中学一年生になった１９８２（昭和57）年の秋、憲法草案を起草するなど、国家の再興に立ち上がっている。

以来国民の数も増え、１９８３年8月には国家誕生の由来、憲法の制定、そして何故だか将棋をさすときの禁じ手をうたった〝非角三原則〟など十二章からなる「国史」も編纂している。

１９８４年11月に建国4周年を迎えるため、久次良大統領ら主要メンバーたちは国のシンボルの国旗の制定に取り組んでおり、音楽教師の作詞作曲した国歌「剽軽国よ永遠なれ」とともに4周年記念式で披露するという。

この記事を読んで感動したのは、この頃全国で数え切れないほどのミニ独立国ができては消え、消えてはまたできるといった、まさに〝雨後のタケノコ〟状態だったが、その中で中学生主導はたしかに初めてだったこと。しかも建国はその四年前の小学5年生のときだから驚きだ。

子どもたちが国家の独立とは何かを考えてくれて、それを地域を考えるよすがにしてくれているというのがうれしかった。

第十二章　ミニ独立国オリンピック

第一回　ニッポン「ミニ独立国オリンピック」開催（1986年5月23日～25日）

昨年、東京で開催された第5回後進国「銀杏サミット」のときに、第一回ニッポン「ミニ独立国オリンピック」の開催日（5月23日～25日）と、開催地（東京・銀杏国）が決まったのだが、実はそれまでにオリンピック開催に積極的だった日本テレビと新邪馬台国の間に、さまざまな駆け引きがあった。

私としてはミニ独立国の第1号としてのプライドがあり、最初の開催は他へは譲れなかったからだ。

実はこの大イベントについて、地元とは全く話し合いも根回しも一切していない段階だったが、開催が決定すれば何とかなると考え、一か八かで開催誘致に手を挙げていたのだ。

名乗りを上げたのはうちと東京都八王子の「銀杏国」、島根県出雲市の「いずもオロチ王国」、それに大阪市大正区の「そやんか合衆国」の4か国だったと思うが、全国からの参加やタレントや取材陣を総動員させなければならない日本テレビの取材のことを考えると新邪馬台国の地の利は悪く、とりわけ東京の「銀杏国」には到底勝ち目がないと思っていた。

全国から集まるミニ独立国の選手団及び随行員、また取材陣やタレントなどを入れると、千数百人はくだらないという。交通機関や宿泊施設、それから大会の選手及び随行員のサポートをするスタッフ等々、解決しなければならない問題が山積している。

案の定、日本テレビから銀杏国での開催が局内で内定したとの連絡を受けた。手を挙げてはみたものの、まかり間違って宇佐で開催なんてなったら、恐らく途中で空中分解してしまい、ただ事ではすまなかったと思う。かつてのように、四バカに頼るわけにもいかないからだ。

だから開催国招致には失敗したのだが、内心ほっと安堵していた。

しかし、転んでもただでは起きないのが信条で、銀杏サミットでミニ独立国オリンピックが正式決定した後に、日本放送に粘り強く交渉していたことが二点あった。

新邪馬台国はミニ独立国の発祥の地でもあるし、後進国サミットの提唱国でもある。またミニ独立国オリンピック開催の道筋をつけたということで、新邪馬台国の宮殿である宇佐神宮で採火式を行ない、聖火台へ点火することにしてほしいということがまず一点だ。

通常のオリンピックが、オリンピック発祥の地ギリシャで採火式を行なうのと同じである。もう一点は、これもリアルオリンピックで毎回行なっているが、入場行進は新邪馬台国をオリンピア発祥のギリシャになぞって、一番最初にして欲しいという要望だった。

もし聞き届けてもらえなければ、参加しないとまで言明した。

日本テレビとしては、ミニ独立国の象徴としての新邪馬台国が不参加となれば、痛手は大きいだろうと足元を見ての交渉だった。

一方で私は旅行会社と提携し、旅のプランを計画し、宇佐市の商工観光課とも交渉していた。新邪馬台国の〝偉容〟を見せつけたいプライドもあり、私の交友関係を中心に参加者を募っていった。

地元紙にも募集記事を載せていただいたりもしたお陰で、総勢四十二名の参加が決まった。

それから私から日本テレビに要望していた二点の件だが、まず宇佐神宮での採火式については丁重な断りがあった。聖火リレーを行なう予算も日程もないというのが理由だったと思う。もう一点のオリンピックスタジアムの入場行進は、新邪馬台国を先頭にすることは会議で決定したことを知らせてきた。

この決定で私は一層やる気が出てきた。

新邪馬台国と宇佐市を全国にＰＲする絶好の機会。宇佐市を売り出す画期的なアイデアを持っていた。それは神輿発祥の地である宇佐神宮の神輿を八王子まで持って行き、新邪馬台国入場のときに会場で練り歩くという大胆な構想だ。

今でこそ「神輿発祥の地・宇佐」ということを知らない宇佐市民はいないけれど、当時は誰も知らなかった。

実は私も知らなかったのだが、ある日、たまたま平凡社の『大百科事典』を見ていて、神輿の欄に目がいった。それにはこのようなことが書かれていた。

「749（天平勝宝元）年、東大寺の大仏建立の際、宇佐八幡神が紫の輦輿により奉遷されたのが歴史上の初見とされる」。

私の人生で心が高ぶって震えるほど感動したことはそうたくさんはないが、このときは興奮して心が静まるのにだいぶ時間がかかったことを覚えている。

二十代半ばから、ムラおこし運動にのめり込み、絶えず宇佐市を全国に売り込む材料を探していたものだから、この歴史的事実の発見は、当時の私にとって僥倖というか渡りに船だったのだ。

調べると、八幡神が神輿に乗り東大寺の大仏開眼式に臨んだことは『続日本紀』に書かれているが、宇佐神宮へ伝わる『八幡宇佐宮御託宣集』には神輿にまつわるさらに古い逸話が出てくる。

それは大仏開眼式に遡ること二十九年前の養老4（720）年、大隅半島で隼人の乱が勃発し、朝廷はこれを鎮圧しようとして宇佐八幡に神託を仰いだ。このとき八幡神は、「我（われ）、征（ゆ）きて降し伏すべし」と輿に乗り、自ら征討に赴いたという。なお、この際多数の隼人を殺したことから、その慰霊を行なうため宇佐神宮の最も古い祭祀である放生会が催されるようになったという。

いずれにしても神輿の発祥は宇佐である。これをＰＲしない手はないという思いがあり、いろいろ根回しをした。

まず肝心要は宇佐神宮だ。本殿に祭る八幡神、比売大神、神功皇后といった主祭神を載せる神輿はムリでも、若宮の神輿があることをその当時聞いており、この神輿を借りることはできないかを神宮関係者と交渉した。

最終的には到津宮司の判断を仰ぐことになった。到津宮司は、これまで私たちの活動には本当に協力的だった。本殿前や神宮会議室、能舞台などでのイベントは無償でやらせてくれたし、テント張りやイスの配置、衣裳、小道具の貸し出しなどもすべて無料だった。ときにはスタッフまで動員してくれたし、宮司本人もさまざまなイベントに参加してくれてもいた。

ただ、今回は最後まで首を縦に振らなかった。私自身も神様の乗り物を、そうやすやすとこのようなイベントに使用するのは恐れ多い気持ちもあり、強くはお願いしなかった。

そこで一計を案じ、次なる善後策を考えた。

文福の横玄関に小さな「卑弥呼神社」がある。校倉風造り、杉皮ぶきで、横１・５ｍ、高さ、奥行き各1メートルのミニ神社だ。ミステリー列車卑弥呼号のときに建立した社で、祭神は卑弥呼。朱塗りの八幡造というよりは、むしろ伊勢の神明造に近い建物だ。

神輿は神様の乗る鳳輦といわれるが、むしろ小さな社殿なのだ。その意味では卑弥呼神社を担いでいく方が、正しいのかも知れない。

若宮の神輿は最低でも三十人程度の駕輿丁（神輿を担ぐ人）が必要となる。その点、卑弥呼神社は小さくて、しかも軽いといったメリットがある。十人そこそこでも担ぐことができるので重宝だ。

宇佐をＰＲするもう一つのアイデアは、大相撲で不滅の69連勝の金字塔を打ち立てた双葉山の顕彰だった。今でこそ宇佐市には双葉山の生家や資料館、漫画本や企画展などさまざまな顕彰イベントがあるが、当時は往年のスーパーヒーローも歴史の中に埋もれてしまい、戦前の活躍を知っている親世代からたまに聞かされる程度だった。

だから入場行進に是非、双葉山に扮した人を歩かせたいと考え、近所の友人井本裕明さんに相撲取り用のカツラと化粧まわしを付けて入場して欲しいとお願いしたのだ。

幟も「神輿発祥の地、宇佐」、「不滅の69連勝、双葉山のふるさと宇佐」と大書された二枚をなじみの看板屋に依頼して作成。また横断幕もつくった。

先頭を行く新邪馬台国国旗を掲げた旗手の次が横断幕だ。横８ｍほどの横断幕には「卑弥呼の里のユートピア・ミニ独立国元祖　新邪馬台国」と目立つように文字を入れた。名誉国民証にも記されている卑弥呼のマークも大きく入れてもらった。

さてこうした準備をしている最中、3月の中旬頃だったろうか、ミニ独立オリンピックの大会事務局から「オリンピックまで…あと69日」と書いた広報誌が届いた。この段階で参加国が42か国となっている。北海道のアホーック共和国から鹿児島のみやんじょ竹林村まで幅広いが、知らない国もずいぶん多い。

ただ さすがキー局の企画はユニークでパロディ満載。感心させられる内容が盛りだくさんだ。これによると正式名称は「第一回　ニッポンミニ独立国オリンピック大会」。大会事務局はIOCの向こうを張ってかIMO。これはINDEPENDENT　MINIKOKU　OLYMPICの略号で、呼称は「イモ」なんだそうだ。だからポテト君がIMOのペットマークとなっている。

五輪マークもまた面白い。何と横一列に五輪が並び串が一本刺さっている串刺し風だ。これにも深い哲学があるという。

つまり「近代オリンピックのシンボルマークである五輪は位置的に上下の関係がある。この上下関係を一掃し、一列、平等に並ぼうじゃないか。僕も君も、わたしもあなたもみんな一緒になって楽しもう」というのがこのマークの由来という。

大会のスローガンは１９６４年のＩＯＣのスローガン「より速く、より高く、より強く」のパロディで「より本気。より呑気。より元気」。

そして理念もなかなかのものだ。

「オリンピックは、参加することに意義がある」と言ったのは、近代オリンピックの父と称せられるピエール・ド・クーベルタンだが、栄光の第一回ミニ独立国オリンピック大会の理念は「参加することに〝異議はなし〟」。

広報誌にはさらにこんな記事もあった。大会を大成功させるために大勢の有名人・芸能人が参加を表明しているというのだ。

総合司会はお茶の間のアイドル徳光和夫氏、アシスタントにはマリアン嬢。審判には「いやぁ、映画って本当にいいもんですね～」の水野晴郎氏や往年のスター歌手・近江俊郎氏。解説者には「エースのジョー」こと宍戸錠氏とバレーボールの松平康隆氏。その他律儀にも選手として参加したいと、わざわざ独立国を建国した林家木久蔵師匠（現在は木久扇師匠）をはじめ、レオナルド熊氏、荒瀬氏、ケントデリカット氏、チャックウィルソン氏など競技参加に意欲を見せる方々もおり、今後さらにタレントの参加者は増えそうとの情報も。

またオリンピック賛歌歌手には民謡歌手の金沢明子さんに決定の見出しもあった。

それから「続々誕生！　新しい国」の見出しでこんな記事もあった。

オリンピックに出たい！　でも、国がない――こういう人たちが集まって、新しい国をつくってしまったというのだ。まあ、これはテレビ局のやらせなんだろうが、新たに誕生した国をみてみると、まずラーメン共和国、ユートピア王国、甲賀の里忍術村などがある。ラーメン共和国は「まずい」「食べたら腹を壊した」などと茶化される、木久蔵ラーメンを売り続けている林家木久蔵師匠（現在木久扇師匠）が大統領。師匠自らオリンピックに出場するとの由。

こりゃあ、とんでもない大イベントになるとの予感があり、私自身ももう後には引けない覚悟を決めて、さらにエンジン全開でこのイベントの準備に取りかかった。

さて用意万端整えて5月23日、新邪馬台国オリンピック選手団の総勢四十二人は、大分空港を飛び立った。

八代目卑弥呼の坪根寿恵さんをはじめとする新邪馬台国の閣僚が数名、市役所の商工観光課からは、のちに総務部長になった稲積義久さんと建設水道部長や議会事務局長を歴任した麻生公一さんの二名が、当時は若手職員として参加してくれた。

アドバンス大分からは、豊の国編集局（参照1）のディレクター甲斐明さんと池田隆文さんの二名、私の主宰していた血液型サークル「ＡＢＯの会大分県支部」（参照2）の幹部である甲斐智恵子さんや下川逸代さんら数名、それから大分市の行きつけの小料理店「おいせ」の名物おかみや、口から先に生まれたような日出町の画商・大西利勝氏も参加してくれた。

そうそう東京のイベントということもあり、テレビ大分東京支社からも、豊の国編集局で〝左遷〟させられた二宮浩さんや若手の岩田誠さんも応援に駆けつけてくれた。

岩田さんは応援にきてくれただけではなく、新邪馬台国を代表して、何とあられもないレオタード姿に身を包み、仮装マラソンに出場もしてくれているのだ。

そしてありがたいことに「『ミニ独立国オリンピック』は私の一生の思い出だ」とも語ってくれている。

ただ参加した人の感想は悲喜こもごもといった感じで、高橋にノセられた、だまされたと悪態をつく人たちもいた。特に厳しかったのは大分組の口さがない女性たちだった。

またそれを煽ったのが日出の大西利勝さんだ。まあ、いつもながら半分私に対するからかいもあるので甘んじて受けなければならない。

でも彼らの言うのももっともで、確かに八王子に着いてからの私たちの置かれた状況については悲惨極まりなかった。

女性の中には合間に銀座を散策、原宿で買い物、青山のレストランで食事をと考えていた人たちもいたようなのだが、そんな悠長なスケジュールではなく、誰かが言っていたように、まさに〝エキストラの扱い〟だったのだ。三度の食事も毎回格安な弁当だし、宿泊施設もお寺やユースホステル。私自身も内容は知らされておらず、参加してくれた皆さんに申し訳ない気持ちでいっぱいだった。

ただ一方で、受け入れる八王子の「銀杏国」や日本テレビの立場に立てば、全国52か国から選手団や関係者が総勢千二百人もきているのだから、いちいちＶＩＰ並の待遇は到底できやしないというのも理解できる。

その狭間で私は責めを一身に受けて、耐え難きを耐え、忍び難きを忍んだ。

この悲惨な独立国オリンピックの随行記は、月刊アドバンス大分で３ページに渡り、ライターの奏芳子さんが書いている。公平を期す意味でこれも「ミニ独立国オリンピック異聞」に載せようと思う。

（参照1）１９８４年10月から始まった「LET´S LOVE　市町村『豊の国編集局』」。アドバンス大分の持ち込み企画で、放送はテレビ大分で。朝８時30分からＣＭを入れて15分の番組だった。オモシロ真面目に県下58の市町村（平成の大合併後に18の市町村に統合された）を紹介しようという番組だった。ディレクターはアドバンス大分の甲斐明さん。カメラと音声は映像新社のスタッフ2名。美術兼小道具兼アンケート係りに同じくアドバンス大分の原岡久美子さん、そしてレポーターで編集局長の私の合計5名だった。番組の金看板は、冒頭で紹介する自治体のネタや素材を生かしたパロディ仕立てのコント（寸劇）だった。そしてそれを首長はじめ自治体幹部に演じてもらうのだ。恐らく全国のキー局でもローカル局でも自治体の幹部をオールスターキャストにコントを演じさせる番組なんて前代未聞だった。もう一つ画期的だったのは番組の中で流すヤノめがねのＣＭだ。現地の人たちにヤノめがねのＣＭソング、「♪めがねはヤノ～めがね」のフレーズを伝え、この通りに歌ってくださいとお願いする。それをぶっつけ本番で収録するから味が出て面白い。そして放送の時にそのまま流すのだ。いろんな意味で話題性があり、ローカル番組としては評価が高かった。

（参照2）私の趣味の一つに血液型人間学がある。高校時代に、中津の古本屋で出会った東京女高師（現お茶の水女子大学）教授古川竹二著の『血液型と気質』（三省堂・昭和7年刊）を読んだのがきっかけだった。大学時代には能見正比古氏の『血液型でわかる相性』（青春出版社・昭和46年刊）を読み深く感動した。その後同氏の血液型に関する著作はすべて読了し、すっかり血液型人間学と能見氏のファンになっていった。

80年の12月に、新邪馬台国の取材である雑誌の女性記者がいらっしゃったのだが、彼女は偶然にも私淑していた能見正比古氏の〝弟子ナンバー2〟だった。その場で能見氏へ電話し、彼の主催する「ＡＢＯの会」に入会した。大分県支部を立ち上げて欲しいとの氏の依頼を受け、自ら支部長に収まり行動に移していった。いつもの調子で地元紙に会員募集をしたのだが、この情報から大分合同新聞の文化部から執筆の依頼があり、翌81年4月から大分合同新聞の日曜版『ＢＡＫＵ』で月一の連載が始まった。さらに翌82年1月からはテレビ大分の看板番組『土曜スタジオ　ハロー大分』で「高橋宣宏の血液型入門」が始まり、毎週土曜日に生で出演することとなった。トントン拍子でことが運んでいった印象を今でも抱いている。その後『シティ情報おおいた』、『アド経』、『ミックス』等々にも連載を持つようになり、ピークの頃は３００名ほどの大分支部の会員がいた。

5月23日は選手村の開村式と、夕方からメインスタジアムにて前夜祭があった。

そして24日は、午後2時から開会式のリハーサルがあり、日が暮れるといよいよ開会式。放送席には司会の徳光和夫さんとアシスタントのマリアンさん、そしてゲストにバレーボールの松平康隆氏がいる。まず懐かしい今井光也作曲の東京オリンピックファンファーレが鳴り、古関裕而作曲のオリンピックマーチが流れはじめ、五輪旗が入場した。

「北海道、本州、四国、九州、沖縄のニッポン五大陸を象徴し、五輪が一列に並んでおります」と徳光さんが言えば、「五輪の串刺しってのはすごいアイデア。上下の隔てがないというのがいいですね」と松平氏。

〝金玉旗〟を掲げ持つ旗手を先頭に卑弥呼以下新邪馬台国選手団・関係者の入場行進

私たち52か国の独立国の元首はロイヤル席に陣取っている。私の横では岩手県の「万世の里」の大統領、宇野千代さんも優しい笑顔を振りまいている。

宇野千代さんといえば大正・昭和・平成にかけて活躍した美貌の作家。恋多き人で『人生劇場』の著者・尾崎士郎や梶井基次郎、昭和の美人画家・東郷青児、作家の北原武夫など多くの著名人との恋愛や結婚遍歴で知られる。

当時八十九歳だったと思うが、気品があり往年の美貌の面影があった。お聞きしたいことが山ほどあったが、イベントの進行が慌ただしく、そんな時間的余裕はなかったのが実に残念だった。

さていよいよ選手団の入場だ。

徳光氏の軽妙な実況が始まった。

「先陣を切っての行進は、いま姿を現しましたミニ独立国オリンピック実現への道を切り開いた、ミニ独立国サミットの提唱国、九州大陸は新邪馬台国であります。大分県宇佐地区こそ邪馬台国発祥の地と致しまして新邪馬台国を宣言致しました。女王・卑弥呼が着用しております衣裳は、この日のために四十万円かけてつくられた見事な衣裳でございます」。

ゲートから最初に目に入ったのは白地に親魏倭王の金印と赤の勾玉の新邪馬台国旗。日本国の日の丸もきれいだが新邪馬台国の通称「金玉旗」もなんと素晴らしいんだろう。

「～卑弥呼の里のユートピア・ミニ独立国元祖～新邪馬台国」の横断幕を持ったカラフルな古代衣裳に身を包んだ女性陣のあとに、新邪馬台国の閣僚が続く。みんな威風堂々と行進している。

次に赤の野天傘を従者からかざされた第八代卑弥呼の坪根寿恵さんが玉杖形の木でつくられた杖を持って厳かに歩いてくる。徳光アナからも四十万円かけてとの実況があったが、その通りで、この日のために私の虎の子から奮発して作った衣裳だった。日本の伝統的な衣裳・装束を江戸時代から作り続けている老舗の「井筒」のいわば〝芸術作品〟だ。

双葉山に扮した井本裕明さんが「不滅の69連勝、双葉山の出身地宇佐」の幟を持って行進している。そして「神輿発祥の地・宇佐神宮」の幟とともに卑弥呼神社の神輿がオリンピックスタジアムを所狭しと練り歩く。何と勇壮な入場行進だろう。

１９７６年に新邪馬台国建設構想を発表し、永岡光治宇佐市長から市長室でケンモホロロにあしらわれて以来、苦節十年が流れたわけだが、これまでを振り返ると新邪馬台国の選手団の誇らしい行進は、頬をつねらなければ信じられないような光景だった。ロイヤルボックスから声援を送りながら、私はこれまでに味わったことのない大きな高揚感を感じた。

次の25日はいよいよ国威発揚をかけた競技が始まった。

まず粘着相撲に出場したアドバンス大分の池田隆文さんだが、体重１００kgの肉体派で、大会でも〝大分のジャンボ鶴田〟と呼ばれ、ベテランの味を出して勝ち進み、なんと決勝戦に進出する快進撃だった。

土俵いっぱいに強力な両面の粘着テープを貼り、運動靴を履いた選手が取り組むわけだが、仕切り線まで行くのに、つんのめる光景に会場が爆笑するシーンも何度かあった。

池田さんは銀メダルを獲得し、新邪馬台国初のメダリストとなった。

続いて手作り竹馬スピードレースに同じくアドバンス大分の甲斐明さんが出場。予選を勝ち抜き決勝へ進出した。

決勝戦はダート80ｍレースで、甲斐さんは8枠に入っての出場となった。

さていよいよゲートが開き、各馬疾走し始めた。写真判定となる激しい争いとなったが、甲斐さんは途中で足を負傷し惜しくもメダルを逃してしまった。

結果は金メダルと銅メダルがこれまたみやぎ北上連邦の選手。そして銀メダルはニコニコ共和国だった。

ただテレビの視聴者からすると、恐らくミニ独立国オリンピックの華は次の「ミス独立国対抗競艶ゴム縄とび」だったのではないだろうか。

競技場に声援者がやたら多くなった。その他の競技場ではあまり見かけなかった一般カメラマンも最前列にぎっしり陣取っている。しかもカメラの位置は小津安二郎監督作品のようなローアングル。

各国のミス独立国、約百人が色とりどりのミニスカートをはいてゴム縄とびに参加している。新邪馬台国からはヒミコの坪根寿恵さんとなぜか五十四歳の小料理「おいせ」のママ、伊勢輝江さんがいた。各国のミスがパンチラやたまにあられもない大股開きでゴム縄を跳ぶたびに男どもの「ウォー」といった大きな歓声が上がる。

審判団に歌手の近江俊郎さんや映画評論家の水野晴郎さん、エースのジョーこと宍戸錠さんがいたが、皆さん鼻の下を伸ばしっきり伸ばして、コメントもハイテンション。

水野晴郎さんなんかは「いやぁ、ゴム縄とびって、本当にいいもんですね」などとやに下がっている。

男性にとっては古き良き時代といえなくもないが、アスリートの性的画像問題が社会問題化している昨今では考えられない競技だったと思う。

ところで私たち新邪馬台国の応援団も、この競技にはこれまでよりいっそう熱が入り、私の三三七拍子の掛け声にあわせ、全員で二人に熱い声援を送った。

戦いの神・八幡神と鬼道につかえた卑弥呼様に願いが通じたのか、何とミス卑弥呼の坪根さんとおいせのママは、共に決勝の四人の中に残ったのだ。

静まりかえった競技場にアナウンスが流れた。

「決勝戦。新邪馬台国のもうお馴染み、伊勢輝江さん、五十四歳！」

ママの出で立ちは、競技場でもひときわ注目を浴びたえらいド派手なものだった。頭には赤地に白の水玉模様のターバンを巻いている。決勝戦で気合いが入ったのか、これをハチマキに締め直しての出場だ。

助走というよりドタドタ歩いて行くという感じだったが、ゴム縄のところで逆さに直立不動状態となって、何と156cmのママが180cmのゴム縄を飛び越えたではないか。

卑弥呼の坪根さんをはじめ、残る二人も二度のチャレンジを行なったが、残念ながら越えることができなかった。

三人に比べると一番背の低いママが、なんと金メダルを獲得したのだ。

ママは宮尾ススムのインタビューに大喜びで答えている。審査員団ものけぞり、新邪馬台国の応援団席もバンザイ、バンザイの連呼だった。

プレゼンテーターは、ラーメン共和国大統領の林家木久蔵師匠。「おいせ」のママに金メダル、残る坪根さんら三人に銀メダルが授与された。

そしてメインポールに新邪馬台国の〝金玉旗〟が揚がり、音頭調の国歌「ソウチコばやし」が流れたのである。

最後に「各国別メダル獲得数」が発表された。みやぎ北上連邦（宮城）が金3銀3銅2で第一位。新邪馬台国は金1銀5銅1の第5位だった。

42か国の参加中、第5位なので全国に新邪馬台国と宇佐の名を大いに高からしめた。

そして最後の最後に、このI・M・O・から大会全体の「敢闘賞」が「おいせ」のママ、伊勢輝江さんに授与された。どこまでも悪運の強い人である。

私ときた日には、「高橋さんにノセられた、だまされた」とママから一番ひどく糾弾されていたので、他の誰よりママに金メダルを取らせてくれたことに対して、八幡様と卑弥呼様に心よりの感謝を申し上げた次第だ。

ミニ独立国オリンピック異聞

ミニ独立国オリンピックが終わった直後の月刊『アドバンス大分』に「独立国オリンピック派手でヒサンな仕出し弁当　エキストラの3日間」のタイトルで参加者の一人、秦芳子さんの手記が載っていた。ペンネームは何と池上クマ。

◇独立国オリンピック
「派手でヒサンな仕出し弁当　エキストラの3日間」　池上クマ
『月刊・アドバンス大分』（1986年6月号）

天国から地獄へ

「八王子までオリンピックに行きましょうよ。ねぇ、皆さん」

春爛漫の4月、宇佐の新邪馬台国高橋宜宏総裁が明るく友人知人に声をかけまくった。これが今回の地獄旅のそもそもの始まりである。

5月に東京都八王子市で第一回独立国オリンピックがある。その模様は日本テレビが特別番組として後日全国放送する。よってTV局から金も出るので参加者は二泊三日ユーモアとパロディ精神にのっとり、楽しく遊んでなんと三万五千円の自己負担で東京見物もできるとのこと。

「物見遊山でパアッと行ってきましょうよ。絶対面白いですって」

かくして、5月23日、新邪馬台国オリンピック選手団総勢42人は大分空港を飛び立った。宇佐の新邪馬台国関係者ばかりではない。その半数以上は高橋総裁の言う「安い、楽しい物見遊山」というフレーズについ惹かれたという単純な手合いである。皆、いい大人であるから勤め先にはウソとマコトをこき混ぜた休暇届を出し、家業は放り出し、とにかくいいメをみちゃろうと思って、胸はずませて参加したんである。

銀座も見たい、青山のレストランで食事もしてみたい。女性たちはみんなウキウキと一番いいドレスに靴まで用意して行ったのだ。

ところが、八王子に着いてみたら、一挙に地獄の匂いがしてきた。まず重い荷物を持ったまま八王子の駅で1時間も待ち惚け。なにしろ千二百人もの参加者がいるからTV局も手が回らないらしい。空腹と怒りを抑えてやっと前夜祭の会場に運ばれると、食べるものはほとんどなくて、ビールとツマミだけ。

「腹ヘッたァ」「めちゃくちゃやな」とみんなブスくれ始める。腹立ちと腹空きと不安で迎えのバスに乗り込む。今夜の宿はどこかと到着してみれば、ガーン、日蓮宗のお寺だった。

テレビ局のバイト兄ちゃんが、風呂は歩いて5分の銭湯、五十人ずつ行って下さい。入浴タイムは二十分、競技に備えて早よ眠れ、という。大広間にザコ寝の一同、ア然呆然。なにが銀座か青山のレストランか。

ヒラキ直ったぞ

5月24日。

まっくらけのなかでゴイーンと鐘が鳴る。5時に叩き起こされ、本堂に集められてお経とお説教が30分。お経の題目は『天国と地獄は人の心次第』だった！

きょうは開会式。午後2時の開会式リハーサルまで行くあてもなく寺を出る。

「とにかく眠らねば」と、大分から参加組のシティ情報大分の宮崎和恵さん、デザイナーの中沢啓子さん、小料理屋「おいせ」の肝っ玉ママに私の四人はセッパ詰まって、フーテンの寅さんが泊まりそうな駅前の安宿に「昼まで寝させて下さい」と駆け込んだ。カーテン引いて精神安定剤を飲み下し、一分でも長く眠ろうと必死で布団に潜れば、しきりと前の道路をトラックが走り、建物がガタガタ揺れる。それでも執念で眠りこけた。

目覚めは1時。旅館の向かいのラーメン屋で炒飯とギョーザを食べて美味さに少し元気が出た。ラーメン屋の主人夫婦が「あらー、大分から来たの。遊び？　え、オリンピック？　そんなの八王子であってんの、まぁ驚いちゃうねぇ」と感心する。

金じゃ金メダルじゃ

5月25日。また5時起床。

競技場で一行は2時間ほど待たされた。しかし、もうこんな扱いにもヘコたれはしない。それより、このままオメオメ帰ってなるか。口には出さねど、皆の決意は固い。今日は殺気の勝負である。

高橋総裁がハデハデの古代衣裳に身を包み、応援の音頭をとる。これが功を奏したか、我が選手団は年齢別百メートルで銀メダル2、銅メダル1をかっ攫った。続く竹馬レースでもアドバンス大分の甲斐氏が予選2位で通過。一同たまらず阿鼻叫喚、あっ違った、歓喜狂乱。おなじアドバンスの池田氏は、粘着相撲で銀メダル！

そして、見よ。奇跡は起こった。午後の部の呼び物、ミス競艶ゴムとび。色とりどりのミニスカートの一団百人の中になぜか54歳、「おいせ」のママがいる。ゴムの高さは1メートル80。三人のギャルの頭一ツ分は背の低いママが、やおらターバンをむしり取り鉢巻きに締め直す。不屈のファイティング・ポーズだ。静まり返った競技場にアナウンスが流れる。

「決勝戦。新邪馬台国のもうお馴染みィ、伊勢輝江さん、54歳！」

ママは走った。ドタドタ走った。ゴムの真下で静止。スーと両手が上がり、次の瞬間、ママの体は一本の棒となり半回転した。逆立ちだ、逆立ち水車飛び。手も腰も伸びしこ伸んで、足は、足は……足はゴムを越えたッ。身長150センチきっかりのママが、180センチの高さのゴムに届いたのだ。

我々はスタンドで総立ち。抱き合い、踊り合い、涙と笑いの全爆発だ。メインポールに我らの国旗がはためき、国歌『ソウチコばやし』が流れる。

宮尾ススムのインタヴューに応えて、ママが持ち前の大声で言った。

「ハイッ。大分は良いとこですよ。人情があって、魚は美味しいし」、ここで一呼吸おいて「魚は、魚はねぇ、関アジー、関サバー、イサキー！」そして突然「しいたけもテクノポリスもあります」。と続けた。

「知事さんも日本一有名です。そして宇佐神宮のカミサマのおかげで、ワタシャ、今日、金メダルをとりましたッ」。

結局、八王子オリンピックで新邪馬台国はその名を一段と高め、ママには敢闘賞までつくという天晴れな戦いぶりで、一同、なんとか無事に大分へ辿り着いた。そして二日後。しぶとい新邪馬台国は、サントリー地域文化賞を受賞して、オリンピック疲れの我々はもう一度ノケゾって万歳の姿勢のまま倒れ込んでしまったのであった。

・・・・・・・・・

以上が月刊『アドバンス大分』に掲載された池上クマこと秦芳子さんの「ミニ独立国オリンピック随行記」である。

「おいせ」のママが金メダルを獲得したので、大分組の怒りは少し沈静化したが、それでも彼らに会ってオリンピックの話題が出たりすると「宇佐の高橋にだまされた、ノセられた」と詐欺師のように言われていたので、ほとぼりが冷めるまで、しばらく大分市界隈には近寄らないようにしていた。

第十三章　サントリー地域文化賞　受賞のてんまつ

新邪馬台国、サントリー地域文化賞を受賞す（1986年5月27日）

ひょうたん屋の溝口栄治さんとはイデオロギーや政治スタンスは真逆といっていいほど違う。彼は学生時代から共産党のシンパだし、私はむしろノンポリで、学生時代から日米安保は日本の安全保障には必要だと考えていたし、地方議員をしている今でも保守に軸足を置いている。ところがなぜか向こう見ずなところでは共通している。お互い正義感が強く、曲がったことが大嫌い。特に反権力というか威張った人間は大嫌いで、鼻をへし折りたい気分になり、蟷螂の斧でも抵抗したくなる。だからどうしても敵を作りやすいのだ。

平松知事との間も、溝口さんに先んじること5年前に関係悪化したことはすでに書いた。

こんな私に1985年11月16日に、豊の国づくり運動推進協議会長の平松大分県知事から「豊の国づくり活動選奨」をくれるという通知が大分県からあった。

今なら平松知事の気持ちがよく分かる。いろいろあったが水に流し、仲直りしようとのメッセージだったと思うのだが、当時私はまだまだ未熟で、そんな気持ちにはなれなかった。

1986（昭和61）年4月9日　サントリー文化財団専務理事　佐野善之氏訪問

さりとて断わるのもあまりにも大人げない。逡巡したが、結局、私は何かを口実に行かなかったものの、卑弥呼以下数人の閣僚には、受章式に行ってもらうことにした。

さて翌１９８６年の２月頃だったと思う。

大分合同新聞社の文化部長だった宮崎寛一郎氏から突然電話をいただいた。

サントリー文化財団から地域文化賞の候補者があれば推薦して欲しいとの連絡があり、今年度の候補者に是非「新邪馬台国」を推挙したいとのことだった。

ついてはメンバーやこれまでの活動履歴、その資料を送ってもらえないかという。

大分県では１９７９年に大分市の「大分県民オペラ協会」が、また１９８２年には中谷健太郎氏や溝口薫平氏らの「湯布院の自然と文化のまちづくり」が受賞していた。

町づくりを目指す個人、団体でこの賞は新人作家が芥川賞や直木賞を目指すように憧れの賞でもあり、この話をいただいたときに喉から手が出るように欲しい気持ちになった。

早速資料を作り上げ、大分合同新聞の旧社屋の文化部まで持参した。

この日からややあって、サントリー文化財団から連絡があった。3月末だったと思うが、昭和61年4月9日に新邪馬台国へ調査にくるという。

こりゃあ、大事じゃ。

何とか万全を期さなきゃならんとの思いでいろいろ準備を重ねた。この頃は四バカも〝各個撃破〟は名ばかりとなり、残念ながらほとんど没交渉だった。

まず宇佐神宮の到津公齊宮司、国民会議議長の秋吉太郎さんや外務大臣の今戸公徳先生他各閣僚、商工観光課や観光協会にも声かけして動員をかけた。

「幻影の邪馬台国・宇佐」「ロマン漂流邪馬台国ＵＳＡ」といったちょっと妖しげな幟を立て、当日、女王卑弥呼をはじめとする総勢約三十名で来客を出迎えた。

サントリー文化財団から調査に見えたのは専務の佐野善之氏だった。

後で知ったのだが、佐野氏は観世流の佐野光太郎氏のご長男で、昭和17年東京帝国大学法学部政治学科を卒業、住友海上火災保険に入社。神戸支店長、取締役。そして常務を歴任し、54

年よりサントリー文化財団の専務理事に就任。

驚くのはこうした仕事に精勤のかたわら、昭和37年父君の死後、観世流佐野光陵社の主宰者となっていることだ。そしてこのことにより、昭和44年に大阪文化祭賞、平成元年に大阪市民表彰を受賞している。

まず宇佐神宮へご案内し、到津宮司直々に説明をお願いした。祈祷殿でお祓いをすませたのち、巫女による浦安の舞。そして朱の漆塗りの回廊を歩き、昇殿参拝。

用意万端、新邪馬台国の最高位のおもてなしをこのときも行なった。

この後、文福で佐野氏を囲み主なものたちで新邪馬台国のこれまでの活動の説明を行った。

このとき件の秋吉太郎さんが、「よっちゃん、喉が渇いた。ビールをくれ」といって店員にビールを注文した。店員がビールを運んできたのはいいのだが、何とキリンビールだった。

この頃はキリンビールが九州では消費量NO．1だったので、文福もキリンビールを置いていた。

外務大臣の今戸公徳さんが気を利かせ「サントリービールはないの？」の声に、ハッとした私は周章狼狽、色を失った。

なぜならサントリービールを文福は置いていなかったからだ。

サントリーは、ちょうど１９８６年から麦芽１００％ビール「モルツ」を発売し、以降同社の主力ビールとなっていた。ＣＭでも、松田聖子の歌うペンギンのアニメＣＭなどが流れていたが、当時は九州でサントリービールはまだまだ多くの需要はなかったのだ。

佐野氏は笑いながら「構いませんよ。どうぞキリンビールを」と応じてくれたので、ホッと胸をなで下ろしたのを覚えている。

このあと佐野氏は真顔になり「どうして若い高橋さんの活動に市長さんや議長さん、その他多くの地域の人たちが付いてくるのですか」と核心を衝く質問をしてきた。

この質問には私が答えるわけにもいかず、様子を見ていたら国民会議議長の秋吉さんがすかさず「彼がやっているのは宇佐市のロマンなんです。だから永岡市長も、到津宮司もみんな協力をしているんです。ちょっと振り回されるけど…」と余分なことまで言ったが、お陰で一同大爆笑となり、緊張した気分もほころび、会場がいっぺんに和やかな雰囲気となった。

その後外務大臣の今戸さんがやおら口を開いた。

「高橋さんの企画力は抜群なんです。しかも行動力には目を見張るものがある。誰もやったことのない新機軸にいつも私は興奮させられる」と最大限の賛辞。穴があったら入りたい気分だった。

しばらく談笑し、新邪馬台国の活動に対する説明会は終了した。

佐野氏は今夜湯布院の亀の井別荘に宿泊するという。亀の井別荘といえば１９８２年にサントリー地域文化賞を受賞した中谷健太郎さんの経営する旅館だったので、久しぶりに中谷さんとも会いたいし、私が運転して行くことになった。

佐野氏もまだまだ新邪馬台国の内容について聞きたいようで、湯布院までの道すがら、いろんな質問をしてきた。

その中で「今日お見えになったメンバーの他にどういう方がいらっしゃるのか」との佐野氏の質問に私は「宇佐の四バカ」について話をした。

いろいろあったがやはり新邪馬台国の活動について溝口さん、西さん、谷川さんの存在は大きかったからだ。

最初、ひょうたん屋の溝口さんの話をし、次にちょうちん屋の谷川忠洋さんの話をした。

ただ宇佐の四バカについて語る上で西さんの話を詳しくすることははばかられた。

三和酒類のいいちこは1979年に発売を開始し、居酒屋ブーム、酎ハイブームの到来で1980年代初頭から徐々に売れはじめ、その後快進撃が始まり、実はこの年、本格焼酎（乙類）で全国の売り上げトップに躍り出ていた。

片やこの焼酎ブームにおされ国内ウイスキーの出荷量は1983年にピークを迎えて以来、人気は下降の一途だった。

そしてその後も続いた焼酎ブーム、ワインブームを背景に、二十五年という長い下降傾向が続いて、国産ウイスキーの出荷量はピーク時の5分の1以下にまで落ち込んだという。

焼酎ブームの代表的銘柄がこのいいちこ。だからいいちこを造っている会社、三和酒類の創業者の一人が新邪馬台国の主要メンバーであるということは、サントリー文化財団にはどうしても秘しておきたかった。

しかしながら溝口さん、谷川さんに続いて、話が西さんの順番になった。

宇佐神宮から国道387号線を通って院内町の円座を過ぎ、二日市の九人が峠の手前付近にさしかかったときだ。

佐野氏が「その西さんの職業は何ですか」の問いに「酒屋さんです」と私。「造り酒屋さんですか」と佐野氏は畳みかけるように質問してきた。

元来嘘のつけない性格の私。

いよいよくるべきものがきたと覚悟を決め、正直に告白しようと決心した。

「実は…」。

ところがである。

私のセドリックのボンネットから突然白煙が立ち上がった。

ウワーッと大声を上げ、車のハンドルを握りながらもどうしていいかパニックになってしまった。

すると目の前にウソのように自動車修理工場の看板がある。煙が出たままその修理工場へ車の頭を突っ込んだ。

結局ラジエーターから水が漏れており、冷却水が減っていてオーバーヒートを起こしていたのだ。

修理に一時間あまりかかったが、何とか修理できて佐野氏を亀の井別荘まで送り届けることができた。

お陰でとうとう西さんの詳しい話は、その後持ち上がらず事なきを得た次第。

私はこのときも人知の及ばない天佑神助を感じた。

この話は月刊『アドバンス大分』の「風の噂」にも紹介された。ウソのような本当の話である。

サントリー地域文化賞の合否に関する事前の通知は4月下旬頃だったと思う。○月×日何時頃、電話をするのでお願いしますとのことだったので、私は予定の日時に文福の事務所で連絡を待った。

予定の時刻を過ぎても電話がかかってこない。芥川賞やノーベル賞の受賞通知もかくあらんと待つ身の切なさを感じた。

突然電話のベルが鳴った。相手は佐野氏だった。「今年度のサントリー地域文化賞の受賞団体の一つに新邪馬台国が決まりました。受けていただけますか」という。

「ハ、ハイ。よろしくお願いします」。落ち着かなければと思いながらも、声がうわずっていたと思う。後のことは興奮していて何をしゃべったかよく覚えていない。新邪馬台国建設構想を発表してちょうど苦節十年。よくここまで頑張ってきたものだと感慨もひとしおだった。

発表は5月27日に大分県庁で行ないますとのことだった。ちょうどミニ独立国オリンピックが終わって二日後である。

それまでは一切口外しないようにとの箝口令も出されており、誰にもこのことは秘密にしておいた。

さて発表の記者会見当日がやってきた。

地元紙にそのときの感想が「高橋総裁の話」として具体的に載っているので、ここに引用することとする。

「思わぬ賞をいただき大変感激している。ちょうど十年前、楽しい町づくりをということでスタート、遊びの心、パロディ精神、ユーモア精神を大切にやってきた。日本人は遊びということに罪悪感みたいなものを持っており、地域の人に私たちの運動を浸透させることが難しかったが、権威ある賞をいただいたことで、今後は胸を張って活動できる。受賞を機に新企画なども考えていきたい」。

さまざまな紆余曲折があったが、よくぞここまでたどり着くことができたものだ。サントリー文化財団の評価にこれからも応えるべく、さらなる新機軸を考えなければならないとの気持ちがみなぎっていた。

授賞式は、発表の記者会見からちょうど一と月後の6月27日に決まった。このとき財団側から一つの希望が提案された。

もし授賞式に新邪馬台国の女王卑弥呼さんが出席して下さるのであれば、受賞者を代表して何かアトラクションをお願いできませんかというのだ。安請け合いの私はとりあえず「わかりました。何とか考えてみます」とその場しのぎに答えた。

アトラクションといっても、まさか卑弥呼にマジックとかバナナのたたき売りとかモダンダンスをやってもらうわけにもいかず、いろいろ頭を悩ました。

ずいぶん考えた末、ピンとひらめいた。

宇佐神宮の祈祷殿で参拝客がお祓いをする際、「浦安の舞」という巫女の舞がある。これなら一人でも舞える。

浦安の舞は１９４０（昭和15）年11月10日に開かれた「皇紀二千六百年奉祝会」に合わせ、当時の宮内省楽部の楽長、多忠朝（おおのただとも）が作曲作舞した神楽舞である。

昭和天皇御製の「天地（あめつち）の神にぞ祈る朝なぎの海のごとくに波たたぬ世を」がこの神楽の歌詞となっており、とても厳かでしかも優雅。また国の平穏無事を祈る舞として、授賞式のアトラクションとしては最適ではないかと考えたのだ。

ミニ独立国オリンピックの入場行進の際、司会の徳光和夫さんは卑弥呼の衣裳をオリンピックのために四十万円ほどかけて制作したとナレーションで言っていたが、本当はこの授賞式のために思い切って投資したのだ。

ただ「浦安の舞」の練習に残された時間はあまりなかった。

八代目卑弥呼の坪根寿恵さんにお願いし、宇佐神宮や巫女さんたちの協力もいただき、何日間か浦安の舞の猛特訓を始めた。

若い坪根さんの習得も早く、最後の頃は実践している巫女さんにくらべても遜色ないようなできばえとなった。

サントリー地域文化賞授賞式（1986年6月27日）

7月27日、授賞式当日。卑弥呼の坪根さんをはじめ、国民会議議長の秋吉太郎さん、それに血液型サークル「ABOの会 大分県支部」の甲斐智恵子さんら数名が大分から一緒に参加してくれた。

佐治社長から表彰状の授与
（写真提供：大分合同新聞大阪支社）

贈呈式は大阪市のホテル日航大阪だったのだが、うれしいことに会場には、大阪のそやんか合衆国の北浦浩大統領もお祝いに駆けつけてくれていた。

今回の受賞は全国から一個人、五団体だ。まず地域住民を巻き込んだ郷土史研究と自費出版活動で群馬県邑楽郡大泉町の細谷清吉氏が個人として受賞。

団体としては市民挙げての勇壮な凧揚げ祭の伝統と技術を保存・継承している静岡県浜松市の「浜松まつり」（受賞時は「浜松まつり凧揚げ保存会」）。山村生活の知恵と歴史的町並みをいかしたふるさとづくりを目指している愛知県豊田市「足助　ロマンの町づくり」。大阪文化の真の姿を地道な努力で映像に記録し、保存・継承している大阪市の「映画〝中之島〟製作グループ」。地域の若者文化を牽引する手作りのミュージカル劇団の和歌山市「ミュージカル劇団『ヤング・ゼネレーション』」。それにパロディ精神溢れる「ミニ独立国」活動と地域間交流を通じた町づくりに功績があったとして私たち宇佐市の新邪馬台国が団体として受賞した。

サントリー地域文化賞（贈呈式・記念パーティ）　1986（昭和61）年

まず財団の初代理事長・佐治敬三氏から授賞理由を延べ、それぞれに表彰状、盾と副賞の百万円が贈られた。

当時の毎日新聞大阪府版6月30日付けの夕刊から詳しい情報を抜き書きすれば、受賞者の感想として私のコメントも載っているのでここで紹介する。

「十年間に百を超すイベントを開催して若者のエネルギーを結集し、地域交流の輪を広げました」とある。

当時、まさに〝イベントの時代〟といわれ、得意げにイベントを成功させてきたことを話している。

ただガムシャラにこの十年間突っ走ってきたものの、単なるイベントやものづくりから宇佐の町づくりもそろそろ脱皮しなければならない

卑弥呼（坪根寿恵さん）による浦安の舞

浦安の舞を披露したあと人気の的となった
卑弥呼の坪根寿恵さん

ことを私自身もすでに感じていた。

　しかしながらこれから先、具体的に何をすればいいのかこの頃は少し悩んでいた時期だった。折角地域文化賞といった栄えある賞をいただいても主力メンバーが離脱し、気の晴れぬ気分も正直に言えばあった。

　さて受賞後、受賞者一同を代表して卑弥呼の坪根さんが「浦安の舞」を披露することになった。音源は宇佐神宮で実際神職の方に雅楽を奏でてもらい、私がソニーのカセット・デンスケ（録音機）で録ったものを使用した。

　受賞者や関係者でいっぱいの会場は、これから何が起こるのか固唾を飲んで卑弥呼を見つめている。

会場に曲が流れ始めた。「巫女鈴」（神楽鈴）を持った卑弥呼が晴れの舞台で厳かかつ華麗に舞う。シャーマン卑弥呼が坪根さんに乗り移ったかのような完璧な舞に、会場の皆さんは食い入るように見つめている。

この巫女舞が終わるとしばらく拍手が鳴り止まなかった。お陰で坪根さんは記念撮影などに引っ張りだこですっかり人気者になった。

佐治社長を囲んで記念撮影する新邪馬台国の関係者

このあと別室で、受賞者の激励に見えた阪大総長・熊谷信昭氏、同教授の山崎正和氏、作家の藤本義一氏、大阪府知事・岸昌氏らと懇談会があった。

私はこのとき、無謀にも知の巨匠とも言うべき山崎正和氏に近づき彼の本『柔らかい個人主義の誕生』の話をした記憶がある。恥ずかしながら氏の著書はこれ一冊しか読んだことがなかったが、氏は田舎のお兄ちゃんが自著を読んでくれていたのがよほどうれしかったのか結構話が盛り上がったのだ。たまたま読んでいたのだが、人生何が幸いするかわからないとつくづく思った次第。氏からその後何冊か著書を贈っていただいた。

余談だが氏の言葉で好きなのは「『政治的な保守』というものは存在しないし、存在しえない」。「もし保守というものが成立するとしたら、それは広い意味での『文化』の領域に限られるだろう」とし、自らを文化的保守であると説明していたことだ。

受賞から三十五年後の話になるが、後日談をひとつ。

２０２１年4月17日のある新聞のコラムに、北康利著『佐治敬三と開高健　最強のふたり』が紹介されていた。

何故だか無性にこの本が読んでみたくなって、早速ネットで取り寄せて読んでみた。

この本には、サントリー社長の佐治敬三氏とコピーライターの開高健の二人三脚で、トリスウイスキーを世に送り出した話や１９８０年、すでに四年前に世界一の売り上げとなっていた「サントリーオールド」をさらに世界の酒類史上空前の１２４０万ケースの売り上げに高めた話などが詳細に描かれている。

また昭和56年、59年の二度にわたる酒税引き上げは「サントリーオールド」を狙い撃ちされ、三割弱も値上げを余儀なくされ、さしもの人気に陰りが見え始めたことも。その後の焼酎ブームはご存知のとおりであるが、どっこいサントリーもさまざまな文化戦略によって再びよみがえっているのだ。

こうしてみると、サントリーは単に洋酒メーカーというより〝文化産業〟として企業戦略を考えていることがよくわかる。

今回この『佐治敬三と開高健　最強のふたり』を読んで改めて〝最後の大旦那〟佐治氏の偉大さを痛感した次第。

新邪馬台国へ地域文化賞の事前調査にこられた佐野善之氏に、いいちこの創業者の一人である西太一郎さんと新邪馬台国の関係をひた隠しにして、地域文化賞を受賞できたなんてケチなことを永年思っていたが、そんなことは絶対ないことをいよいよ確信した。

三十五年経ち、西さんにも佐治さんにも、そしてサントリー文化財団にも大変失礼なことだったと改めて反省している。

第四回　全日本邪馬台国論争大会（１９８６年６月29日）

６月27日のサントリー地域文化賞の授賞式に出席し、式典を終えると私や国民会議議長の秋吉太郎さん、卑弥呼役の坪根寿恵さんは慌ただしく宇佐市へトンボ返りだった。二日後の６

第四回 全日本邪馬台国論争大会も各新聞に大きく載った　画像は大分合同新聞
大分合同新聞
昭和61年6月30日　朝刊より転載

月29日は、第四回全日本邪馬台国論争大会が待っていたからだ。

宇佐市の名物となっていたアマチュア精神の論争大会は三年ぶりの開催だった。

論文募集を行なってのち、この論争大会が開催されるのだが、実は三年前の前回、応募の論文にあまりにも宇佐説が多いので、宇佐説にこだわらないとした主催者側の考え方を示すために、宇佐説の論者をあえて加えなかったことがある。

この件で、秋吉実行委員長や地元の邪馬台国ファンからお叱りがあったことは前述した。

それで嫌気がさして、三年ほど休眠状態になっていたが、今回、新規まき直しを図るものだ。

この手のイベントは少しずつリニューアルしないと皆さんにもマスコミにも飽きられる。

四回目の目玉は何といっても中3の少年だった。

この〝秘密兵器〟ともいうべき少年は、東京都日野市の岡田智博君、当時十五歳。

彼は小学生の頃から邪馬台国の研究に目覚め、古代史に関するいろんな書籍を読みあさったとか。その中に梓書院発行の『季刊邪馬台国』もあったようで、「新邪馬台国」の存在を知ったという。

たしか85年の夏休みを利用し、私を訪ねてきたように思う。

そのときに私が東京の八王子市で開催される「銀杏サミット」の話題を出したのだろう、開催当日、八王子市のサミット会場に応援と見学を兼ねて、岡田君が駆けつけてくれたことを覚えている。

目玉と言えばもう一つ。

この頃、全国あちこちに邪馬台国のイベントを行なう地域が多くなり、邪馬台国祭りやミス卑弥呼も花盛りといった感じになっており、それぞれがいろんなアイデアを出して催しを行なっていた。

邪馬台国候補地は研究家の数ほどあるのが実情で、パテントをとれる筋合いのものでもないので、まねをしたといってクレームをつけることもできない。

むしろミニ独立国と同じで、いろんな地域に影響力を及ぼしているというのが痛快で、いつかは全国のミス卑弥呼を呼んで、ミス卑弥呼コンテストもやりたいものだと考えていた。

ただこれには多額の予算もかかるので、今回はそれぞれの卑弥呼の衣裳をお借りして、宇佐市のミス桜に着せ、全国のミス卑弥呼の「衣裳コンテスト」を行なうことにしたのだ。

さて6月29日の当日がやってきた。このときの会場は新たに建設された宇佐神宮の参集殿での開催となった。

実は79年に宇佐史談会（中野幡能会長）の主催で韓国へ視察旅行へ行ったのが、この宝物館と参集殿をつくるきっかけとなった。

この視察のテーマは八幡文化の源流を求めてというもので、県下の歴史研究家や古代史ファンも大勢いた。また市議会議員の秋吉太郎氏や宇佐神宮の若手の神職たちも同行しており、韓国各都市の博物館などを見て回る際に、誰言うともなく…（恐らく中野先生が、折に触れてお話しされたと思われるが）、宇佐神宮にも、もう少し立派な宝物館が欲しいものだという声が日増しに大きくなった。そして帰りの頃には大きなコンセンサスとなっていたのを覚えている。

当時、上宮の祈祷殿前の地下室に宝物館はあったが、老朽化しており、雨漏りがするという苦情があったのも新たな宝物館建設に拍車がかかった理由である。

さていつものように午前9時30分に開場、そして10時に開会。今回も約百五十人程度の邪馬台国研究家の参加となった。

内容については当時の新聞記事があるので、参考にしながらここに記すこととする。

論者は大分市の無職、藤沢当さん（七十八歳）、東京都日野市の中学3年生岡田智博君（十五歳）、日田市の「天領日田を考える会」福本英城さん（五十四歳）、福岡県苅田町の歯科医小串寿次さん（五十四歳）、それに佐賀県北茂安町の大学助教授中尾泰博さん（五十三歳）の五人だった。

中尾さんは二年前の84年に卑弥呼以下新邪馬台国の一行が、北京・洛陽へ親善訪問をしたときに同行していただいた方で、久留米信愛女学院短大助教授。専門外だがやはり古代史が好きで邪馬台国考察も自説を持っていた。

論争を要約すると、藤沢さんは「記紀作文説を否定する」とのタイトルで、「最近の発掘調査で記紀の史実としての確かさが証明された」とし、宇佐説。小串さんも「八幡大神の謎を追究する」との題で「卑弥呼の墓は御許山の立石であり、八幡大神は卑弥呼の死後のおくりなである」とし、これまた宇佐説。

宇佐説のバーゲンセールのようだったが、たまには地元のファン向けのアピールも必要だとの思いで容認した次第だ。

福本さんは郷土新聞「天領日田」の主幹であり、ムラおこし運動の戦友でもあったが、彼はまた邪馬台国の民間研究家でもあった。病膏肓で『記紀が伝える邪馬台国』という著書まで自費出版している。意見発表のタイトルは「放生会の謎より邪馬台国をさぐる」で、筑後―日田説を展開した。

今回、私が秘密兵器として招聘した特別ゲストの岡田君は、「古代史に迫る少年の情熱」とのテーマで次のように自説を発表した。

「邪馬台国を含む倭国の範囲を決めるには武力、生産力、先進性の条件から考えて邪馬台国への道で最初の末路国は唐津だ。そして伊都国から放射線説が正しく、伊都国は唐津の東、糸島半島で、奴国は春日を中心とする地方で、不弥国は宇美地方だ。邪馬台国は水行十日または陸行一月で到着。つまり佐賀、鳥栖、朝倉、山門にかけての大規模地帯説を主張する」と堂々と述べたのだ。テレビの報道でも彼が一番脚光を浴びたのは言うまでもない。

最後の中尾さんは「降臨東遷〝肥邪馬台〟（ひのもと）とは」の題で「九州全体が邪馬台国で各地に遷都したもので、九州から東遷して大和地方に朝廷を樹立した」と九州から大和への東遷説を熱っぽく論じた。

昼食時のアトラクションは卑弥呼の衣裳のファッションショー。

地元の宇佐をはじめ、甘木、安心院、島原、大和郡山、徳島のそれぞれ個性のある衣裳を着た宇佐市のミス桜たちが目もあやに登場し、会場は大盛り上がり。やんやの喝采を受けた。

午後からはコーディネーターの安本美典教授の司会で、論者と一般参加者との討論が三時間にわたってくり広げられた。

ところでこれも後日談になるが、令和3年3月にこの天才少年、岡田智博君から突然連絡があり、文福で三十五年ぶりに再会を果たした。

事前に彼のことをネットで調べてみたらウィキペディアに次のような説明があった。

「岡田　智博（おかだ　ともひろ、1971年―）は、日本のメディア文化アナリスト、研究者、ファシリテーター、ディレクター、コーディネーター、編集者、一般社団法人クリエイティブクラスター代表理事、一般社団法人ブルーオーシャン代表理事、サイバー文化学者。（以下略）」

令和3年に35年ぶり文福を訪ねてきた岡田智博君（左）と筆者

ウィキペディアの記述は二、三十年先の近未来を描いたSF小説を読んでいるようで、彼が何者なのか、何をしているのか、私にはほとんど意味不明だった。

訪ねてこられたときのことはシッカリ今でも覚えている。

少年の頃のホッソリした体つきとは一変し、体格も大きくなり今流行のこじゃれた〝無精ヒゲ〃も生やしている。髪も長めでメディアアートの分野で活躍している雰囲気がにじみ出ていた。

懐かしくもあり、少年のときに宇佐へこられた当時の思い出話にひとしきり花を咲かせた。彼のその後の活躍ぶりもいろいろ聞いてはみたが、文化庁メディア芸術祭のディレクターなどを手がけていることはわかったが、その他は宇宙人と話をしているようでよくわからなかった。

この日は連れの方もおり、ゆっくりできないとのことだったので、再会を期し彼は去っていった。

春秋に富んだ彼に軽い嫉妬を感じながらも、大きく成長したことを誇らしくも思った。

西日本新聞の「西日本レポート」（1986年6月30日）

第四回の論争大会が終わった翌日の6月30日付けの西日本新聞の「西日本レポート」に「遊びから人・物づくりへ　転機迎えた宇佐の『新邪馬台国』」の見出しで新邪馬台国建設構想を発表して以来、十年目を迎え地域文化の向上に貢献した団体、個人に贈られるサントリー地域文化賞を受賞し、全国に急増したミニ独立国の元祖として今後どういう国づくりを考えているかという取材内容が掲載された。

「単なるパロディでは許されない『存在意義』が問われ始め、一つの転機に直面している。そんな中で、先進国の新邪馬台国は受賞を機会に、話題づくりから、人づくり、物づくりの第二段階へ大きく踏み出そうとしている」とある。

この「西日本レポート」を読むと当時の私の心境がさまざまに吐露されている。

私自身はサントリー地域文化賞の受賞がなければ、卑弥呼のコンテストや園遊会、叙勲式、論争大会など定期的な行事となったものだけをしばらく消化するだけで新たな新機軸を打ち出すことは行なうまいと心に決めていた。そして目立たぬようにフェードアウトの手法でこうした定期的なイベントも少しずつやめていき、最終的には活動を停止させようと考えていた。このことは正直に取材記者の質問に答えている。

ただサントリー文化財団から思わぬ賞をいただくことになり、そう簡単にやめられなくなった。

そこでこれまでの活動で考えていたさまざまなアイデアをこの取材に盛り込んだ。

まずこの頃私は、パロディ手法によるムラおこしに少し限界を感じており、この取材に対して「パロディの服を一枚ずつ脱いでいきたい」と答えている。

そして消費型イベントから、生産に結びついたイベントや物づくり、これらを通じての人づくりにも力を入れていきたいと答えている。

物づくりからスタートした「一村一品運動」とは逆パターンなのだが、ただスタートはどちらからでもいいと経験学的に学んでいた。

自治体主導か民間主導の是非論と同じで、嚆矢濫觴（こうしらんしょう）はどちらでも構わない。

ただいずれ官民が協力し合い〝官民一体〟となることが運動の大きな原動力となり、よりパワーアップする。

それと同じように、新邪馬台国のようにイベントから始まったムラおこし運動も物づくりや人づくりを考えていくことがより地域の振興にはバランスが取れ、地域が物心両面で豊かになっていくことになる。

単に理念・理想で参加者の賛同を得ても、消費型イベントでは子や孫の時代まで続けていく、持続可能なムラおこしとはならないだろう。やがては人が離れていく。

参加する人たちに少しでも経済的なメリットがあったり、多少のお小遣いが配当されるようになればそれはそれでいいことなのだと考えるようになった。

物づくりを行なっていく新邪馬台国の機関としては、早い段階から「新邪馬台国文化・産業振興公社」を構想していたことはこれまでも何度か述べてきた。

すでに実験的ではあるが、卑弥呼のステッカーやTシャツなどの新邪馬台国グッズをはじめ、民潮酒造の製造した「新邪馬台国秘蔵国酒」の販売を始めていた。また今後は宇佐の特産品を詰めた「ふるさと宅急便」も公社設立と同時に開始する予定もあった。当時、全国に大勢いた〝名誉国民〟の皆さんへ届けるためだ。

ただ私にはこれに踏み出す勇気がイマイチなかった。

「公社」は名称だけで、地方公社でも公益社団法人でもなく、利益が出れば配当も考えていく株式会社でやっていこうと考えていたのだが、それぞれ出資していただいた方に万一被害を与えたりしたらどうしようとの思いがあったからだ。全額自分が出資すれば失敗しても被害者を出さないのでいいではないかとも考えたが、今度は当然、高橋が新邪馬台国を私物化しているとの非難中傷が起こってくることも予想された。

ナイーブな問題でこれまで今一歩を踏み出せなかったが、そろそろ覚悟を決めなければとの思いもあった。

人づくりに関しては永続的な「新邪馬台国国立宇佐大学」の設置を予定していた。

受講者は一年での卒業だが、最長三年のクラスも考えていた。宇佐市を中心に募集するが、参加希望があれば地域や年齢男女は問わない。もちろん、ただでは運営不可能なので多少の受講料はいただくことにしていた。

たまたま今後の動向を知りたがっていた西日本新聞の取材記者に対し、こうした思いの丈を包み隠さず話させていただいたのだ。

こうした私の新邪馬台国にかける新しいビジョンだったが、残念ながら実現の日の目は見なかった。

理由はいろいろある。

一つは、一仕事終えて心に何もしたくないといった空疎な空間が広がっていたことだ。

第1回後進国USAサミットが終わった辺りから、四バカの三人がそれぞれ独自路線を歩み始めた。今となっては彼らに感謝こそすれ、批判する気持ちは全くない。

だが当時の私は一人はしごを外された思いが強かったのだ。あの当時は必死だった。あのまま

まみっともない大団円を迎えたくなかった。

名誉ある撤退というか、新邪馬台国の名前に恥じないストーリーを描きながらソフトランディングを図ろうと死に物狂いで新邪馬台国の活動を一人で引っぱってきた。

そういう意味で、サントリー地域文化賞の受賞は文化財団には申し訳ないが、42・195キロのフルマラソンを実力以上に全力疾走し、ゴール直前にもんどり打ってゴールのテープを切ったアスリートのように、すでに起き上がれない状態に陥ったのだ。それは体力というより、精神的なことが原因だったと思う。

今から考えると、あの頃私は、心の病にかかっていたのかも知れない。

だんだん周囲の重圧からくるプレッシャーを感じるようになり、また何とか現状打破を図ら

なければという気持ちがあり、考えれば考えるほど焦燥感がいや増し、空回りをし始めた。ムラおこし運動から一切手を引き、どこかへ身を隠してしまいたい思いでいっぱいになってしまった時期だった。

建設構想を発表して十年間、疾風怒濤のように後ろを振り返ることなく進んできたが、ここにきて初めて挫折感を味わうことになってしまったのだ。

第十四章　ミニ独立国運動のその後

ミニ独立国運動のその後

さてミニ独立国オリンピックで、そのピークを迎えた日本のパロディ王国やミニ独立国の運動だが、その後の変遷も見ておきたい。

86年の10月、島根県の「いずもオロチ王国」で、第6回のミニ独立国サミットが開催された。参加するかどうかずいぶん迷ったが、結局、不参加の通知を出した。

サミットの提唱者である私としては、ミニ独立国は単なるパロディではなく、自立自助の精神で行政に頼ることなく起こしていこうというムラおこし運動の象徴と考えていた。経済的にも文化的にもはたまた精神的にも独立した個性ある地域をつくろうという運動でもあった。

また一部には差別用語だとの批判もあったが、あえて「後進国サミット」の名称を使ってきたのも地球温暖化をはじめとする環境問題や経済格差、あるいは核開発競争等さまざまな問題を抱えている先進国に対する痛烈な批判であり、スロースタイルでいいじゃないかとのアンチテーゼを提供することも意義あることだと考えていた。

ところがこうしたムラおこしの理念やスローライフといったミニ独立国の掲げる旗がぼやけてきていたこともあり、参加する意欲を大きく損ねてしまった。

相も変わらず奇抜な格好をしてマスコミ受けを狙うことが、だんだん恥ずかしくもなっていった。

これ以降、新邪馬台国は特別なイベント以外は、表向き徳川幕府のように大きく国を閉ざす〝鎖国政策〟を採ることになった。

だから直接見聞きしたことではないが、新聞や雑誌、最近ではネットでその後のミニ独立国の活動は知ることが出来たので、ここに記録としてとどめておきたい。

１９８７年２月11日、12日に「第１回ミニ独立国冬期オリンピックみちのく大会」が開催されている。

また銀杏サミットの際、ミニ独立国国際連合が結成され、新邪馬台国をはじめとするサミット開催国プラス吉里吉里国ということになった。そしてこの国連総会もサミットを兼ねて、年一回ミニ独立国同士の交流を目的に開催するようになったようだ。

ネットでしか情報はないが、第６回のいずもオロチサミット以降のサミットは以下の通りだ。

１９８８年３月　第７回みちのくサミット（秋田県西仙北町秋田カエル村）、１９８９年７月　第８回よかトピアサミット（福岡県田の四箇共和国）、１９９０年　第９回忍術村サミット（滋賀県甲賀の里忍術村）、1991年10月　第10回イノブータンサミット（和歌山県すさみ町イノブータン王国）、1992年4月　第11回ツチノコサミット（奈良県下北村ツチノコ共和国）、1993年3月　第12回アルコールサミット（新潟県佐渡真野町アルコール共和国、二巡目）、1994年11月　第13回カニ王国サミット（兵庫県城崎町城崎カニ王国）、1995年5月　第14回いかんべサミット（栃木県南那須町大金いかんべ共和国）、1996年11月　第15回銀杏サミット（東京都八王子市銀杏国、二巡目）、1997年8月　第16回チロリン村サミット（京都府宮津市チロリン村）、1998年10月　第17回カエルサミット（秋田県西仙北町秋田カエル村、二巡目）、1999年10月　第18回さくら草サミット（埼玉県浦和市さくら奏合奏国）が開催されている。

それから2000年は、第19回サミットを京都府仁王村で、また2001年は、第20回大会を銀河連邦で行なうことが計画されていたが、開催されたかどうか不明だ。

これ以降のミニ独立国サミットの話題はネットにも全く載っていない。約十七年のサミットの歴史に幕を閉じ、恐らく消滅したのだと思う。

ところで第20回のサミットを予定していた「銀河連邦」。聞き慣れない国名だが、調べてみるとこれまでのパロディ王国とは全く異色で、特筆すべき国といっていい。

この連邦は宇宙航空研究開発機構（ＪＡＸＡ）の研究施設が置かれている日本の自治体で構成した交流組織で、銀河連邦共和国とも呼ばれている。

銀河連邦は相模原市へ宇宙科学研究所（ＩＳＡＳ）が移転してくるのを機会にＩＳＡＳの研究・観測施設が設置されている国内の他の自治体との交流を呼びかけ、当時ブームとなっていたミニ独立国の形態をとり、１９８７年に建国された。

相模原市の人口五十万人突破を記念して開催された市民祭典において建国式典が行なわれ、何とアメリカ航空宇宙局（ＮＡＳＡ）、ソ連宇宙科学研究所（ＩＫＩ）、欧州宇宙機関（ＥＳＡ）などからはメッセージや祝電が届いたという。さすがに自治体が中心となるとやることやスケールがビッグで、私たち一民間のやってきたことなどは足下にも及ばない。

銀河連邦をもう少しつぶさに見ていくと、現在以下の５市２町で構成されている。

タイキ共和国（北海道広尾郡大樹町）、サンリクオオフナト共和国（岩手県大船渡市）、カクダ共和国（宮城県角田市）、ノシロ共和国（秋田県能代市）、サガミハラ共和国（神奈川県相模原市）、サク共和国（長野県佐久市）、ウチノウラキモツキ共和国（鹿児島県肝属郡肝付町）である。

各共和国の大統領には各自治体の首長が就任している。

主な活動は当初、連邦を構成する自治体間の文化面・経済面での交流だったが、東北大震災以降は「災害時における相互応援に関する協定」を結び災害や防災の面でも連携を図っている。そして２０１２年には地方政治における自治体や市民の活動を顕彰する「マニフェスト大賞」において、銀河連邦が箭内道彦選による審査委員会特別賞を受賞している。

ミニ独立国の歴史でもう一つ書いておきたいことがある。

それは『サクラクエスト』（ＳＡＫＵＲＡ　ＱＵＥＳＴ）というミニ独立国をモチーフにした日本のオリジナルテレビアニメ作品のことだ。

このアニメは２０１６年12月7日に制作が公表され、２０１７年4月より9月まで2クール（全25話）で放送された。

これを書くにあたってとりあえず原作全5巻を取り寄せて読んでみた。

タイトルやかわいらしいキャラクターデザインからして、ファンタジー系の安物アニメと思って読み進んでいた。ところがミニ独立国の問題だけではなく、今、地方が抱えているさまざまな問題、例えばシャッター通り商店街や限界集落、嫁不足、廃校問題など地味で暗い課題にもこの物語は果敢に取り組んでいる。

ある田舎町の観光協会に就職し、国王になって町の振興に取り組む主役の由乃の成長過程が見逃せない。

「町づくりは人との信頼に基づくネットワークづくり」とか「住んでいい町が訪れてもいい

町」といった町づくりのイロハについて由乃が学んでいく。町づくりを実践してきた私にとっても、その成長過程は共感を持って見ることができた。

そして最も私が意外だったのはエンディングだった。

五十年前に池に沈んだお神輿が発見され、この町の人々はかつてこの池で行なわれた祭りを復活させる。伝統の祭りは、地域の誇りを取り戻す地域再生の象徴だ。

そして国王・由乃と大臣たちは町の人々に後事を託してこの町に別れを告げ、次のステップへ乗り出していく。

決してハッピーエンドとは言えない物語だったが、この町の観光協会に関わった五人の女性と、ここに暮らす人たちの意識の変化がこの作品を見終わったあとに、すがすがしい感動を呼び起こさせる。

それからもう一つ。この作品には地域づくりのヒントが満載で、将来町づくりのリーダーやフォロワーになってもらわなければならない子どもや若い人たちに、是非見てもらいたいアニメと思っている。

この町づくりをテーマにした「サクラクエスト」を制作したのは、富山県南砺市のアニメ制作会社ＰＡワークスだ。

「サクラクエスト」は地方のさまざまな問題を扱っているが、同じように地方に住み、町づくりを実践してきた者として共感できる部分が多かったのも、恐らく地方に拠点を置いた制作会社の作品だったからだろうと感じている。

新邪馬台国は永久に不滅です

私がこの『新邪馬台国建国50年史』を書こうと思ったきっかけは、私が人生の大半を費やして目指してきた「新邪馬台国づくり」をせめて孫たちに伝えたいと思ったからだ。

孫たちと今後どれほどの時間を共有できるかはわからないが、ゆっくり私の来し方を話す機会は恐らくこないかも知れない。また機会があっても、円熟した年格好にならなければ共感してもらえる自信もない。

だから今のうちに失敗も含めて正直にこの五十年の出来事を書き留めておいて、未来の孫たちに、良くも悪くも長い人生の指針にしてもらえればありがたいと思ってきた。

そうそう、書き始めた大きな理由がもう一つある。

それを考えるようになったのは、私が若い頃所属していた「宇佐史談会」のある経験からだった。

１９７７年のこと、会の事務局長をしていた中学校時代の恩師、椛田美純先生から史談会拡大のため一役買って欲しいとの依頼があった。

これまでのような研究家だけでなく、広く歴史ファンも巻き込んだ〝拡大宇佐史談会〟の創設だった。この会はその後いろんな活動をしながら情報発信を行なうようになった。

私も会に身を置きながら郷土史に本格的に関心を抱き始めた頃、あれはたしか昭和51年頃だったと思うが、小野精一氏らが発行してきた史談会の機関誌『宇佐史談』の第一号から第二十五号までの復刻版が三巻、国書刊行会から出版された。

のちに中野幡能先生から勧められて私も購入したのだが、その復刻版は大正11年から昭和2年までの五年間の機関誌をまとめたものだった。

3冊ともかなり分厚いものだったが、つれづれなるまま紐解き始め、だんだん面白くなって読了するのに多くの日数は必要なかった。この復刻版を読んで気付いたことは、郷土の四方山話と思われるような取るに足りない事件や出来事なども半世紀以上も時間が経過すると、郷土の新鮮な歴史の一コマとなるということだった。

そして、さまざまな文献を参考に書かれた学者先生の論文よりも、同時代人が同時代のことを包み隠さず書いたものの方が、時として歴史の真実により肉薄していて面白いと思ったのだ。

私は子どもの頃から収集癖があり、新聞などさまざまな活動の資料を保存していたので当時を回顧しながらあたかも「日記」を書くように記録をまとめてきた。

折も折、『新邪馬台国建国50年史』を書きためていることを知った企画編集ハヌマンの三浦祥子さんから一冊の本にしませんかとの話があった。三浦さんは、かつて私が文化的刺激を渇仰していた若い頃、入り浸っていた月刊アドバンス大分の元編集長である。

こんな取るに足りない雑文を一冊の本にするなんておこがましい気持ちはあったが、70年代、80年代の大分の町づくりを記録し続けた三浦さんに編集をお願いすれば何とか形になるかも知れないと思うようになり、お願いすることにした。

さてこの『新邪馬台国建国50年史』だが、ようやくここまでが十年分だ。

私の人生の中で怒濤の十年間だった。世間に有名になることが「成功」と言うのなら、いろいろあったが、この十年間はまずまず私にとってのサクセスストーリーが成立する。ただ残りの三十数年間は山あり谷ありの一筋縄でいかないさまざまな局面が待っている。

膨大な量の活動記録になるのだが、ここらでまず怒涛の十年をまとめて見ようと思った。

町づくりは短期間に完成できるものではない。一生を通じて行なうものだと思うし、何世代にもわたたって長期のスパンで成し遂げなければならないものだと思う。

いやそれどころか町づくりはそこに人が暮らす以上、そこに暮らす人間にエンドレスに課せられた大きな義務ともいえる。

それだけに面白おかしいだけではなく、さまざまな人間模様が縦横無尽に交錯し、ときには苦しく、ときには切ない思いもしなければならないことはある意味、自明のことである。

私はこの後も形を変え、表現を変え、さまざまな人間関係をつくりながら宇佐市の町づくりに関わって行くことになる。

ミニ独立国を扱ったアニメの『サクラクエスト』で知ったのだが、「クエスト」には冒険の旅の意味があるという。そうだとすれば、私の旅は「シンヤマタイコククエスト」なのだろう。

そして私にとって「新邪馬台国」は永久に不滅なのだ。

〔寄稿〕
地域振興の神髄を新邪馬台国が教えてくれた

喧騒渦巻く雑踏の中、老女が静かに頭を垂れて合掌していた。その真摯な姿に見とれ、近づいて言葉をかけた。「孫が大学生になって東京に出ちょっての。『出身は?』と聞かると、『九州』としか言わんかったんやと」「それが『一村一品運動で有名な』『豊の国ですね』と応えてくれるようになっち、『お・お・い・た』と胸を張れると喜んどるんじゃ」「こんな嬉しいことはない。あん人のおかげでな」。

ブン屋になりたての24歳の若造は、日頃の軽佻浮薄を忘れて、思わず背筋が伸びた。老女の合掌の先では、平松守彦大分県知事が破顔しながら手を振っていた。還暦過ぎた小生の人生の中で、鮮明に印象に残っている光景のひとつだ。ただ、歳月とともに、いつのことか判然としなくなっていた。それを本書が思い出させてくれた。１９８２年5月1日。宇佐神宮境内でのリアル。

高橋総裁率いる「新邪馬台国建設公団」が挙行した春の園遊会。平松知事は「隣国」を代表して臨席していた。就任から3年、「県は自ら助くる者を助く」を掲げた一村一品運動の開花期だった。相前後して大分県内各地で勃興した「ムラおこし」（志に溢れた里人たちの「内発的地域自立」「身の丈の挑戦」）が、一村一品運動と劇的に共鳴し、奇跡的で熱を帯びた幾つもの物語が同時進行で紡がれつつあった。

乏しい知恵を絞った末の後講釈だが、老女の言葉に若造が魅了されたのは、孫を思う素朴で素敵な心に、幸福な温風を吹かせたソフトパワーを実感したから、だった。お金や物量では測れない「心の豊かさ」。あの頃、故郷を離れて暮らしていた大分出身者の中には、郷里から吹く風に、老女と同じような高揚を感じた人が多かったのではなかろうか。無論、そこに暮らす県民も。ＧＤＰには表れないけれど、地域力の源泉になる熱い価値。行政主導だけでは果たせない地域振興の神髄を、新邪馬台国が教えてくれた。

本書は、この国が成長から成熟社会へと進んだ70年代に、「華の東京」で「男おいどん」的な大学生活を送り、宇佐の実家に戻った青年が、地域活性化に果敢に挑む自叙伝である。横糸として、宇佐、大分、日本、世界の時世の動向が編み込まれている。「梅栗つくってハワイへ行こう」を主導した大山の父子。ドイツの温泉保養地に未来を重ねた由布院の旅館経営者トリオ。都会世帯に目配りした商品で販路を広げた米水津の丸干しイワシ生産者。交通の便の悪さを逆手に情報発信力で挑んだ長湯温泉の老舗旅館ブラザーズなどなど。ムラおこしは先見性と行動力に富んだ、愉快な開拓者たちを輩出した。中でも、造り酒屋、ひょうたん屋、提灯屋、土産物店（総裁）と並んだ「新邪馬台国建設公団」の4賢人（自称では4バカ）は、全国に轟く地域資源・宇佐神宮と、ミステリー性を帯びた卑弥呼を駆使した多彩な洒落っ気満載のイベントを文字通り「おこし」、異彩を放った。

その無尽蔵のアイデア力、共感を広げる遊び心、郷土愛に満ちた文化志向、あきれるほどのスピード感に彩られたドラマの数々は、本書のハイライトである。おおいに堪能していただきたい。そして、ちょいと照れ屋で野次馬精神旺盛、根アカな人恋しがり屋で、猛進癖のある最年少の総裁が、多くの企て（騒動？）や情報発信の起点となり、具体化の旗手となって、源義経、藤波辰爾、パックマン、マーベリックばりに、八面六臂に躍動した。本書は、そんなジェットコースターのような地域づくり奮闘史としても貴重だ。

さて、拙稿に向き合っている2022年初冬、世界は不安定度を高めている。1989年の冷戦終結以降、自由主義勢力が掲げる自由・民主主義・人権・競争経済・法の支配という共通の価値感がグローバルに浸透し、国際秩序を安定させる、と思われた。ところが、人種や宗教を巡る衝突が散発する中で、ロシアのウクライナ侵攻が勃発。核兵器を大量保有する国連常任理事国の暴挙に、分断と迷走を深めている。中国では強面露わな権力の集中。加えて、コロナ禍の猛威。人流、物流、情報など多様な分野で進展したグローバル化は、利便さと裏腹の「不具合の連鎖」という21世紀地球の弱点を露呈して、視界不良感を濃くしている。元首相が銃撃される不条理が襲った日本には、輸入資材・エネルギー高騰、急激な円安など暮らしを揺さぶる荒波が広がる。その一方で人口減、少子化、超高齢化、人口の偏在という多重の構造変化が経済停滞を増幅させ、政府の地方創生のかけ声むなしく、長年培われてきた社会の礎である、コミュニティーや自治の劣化が進んでいる。

こうした危機的な閉塞状況をどう突破するのか。そして、自らの手で選択し、持続していける地域社会を、子や孫の世代にどうしたら手渡せるのか。家族→近隣→集落→基礎的自治体という「補完性の原則」を基本にして、安全で安心な暮らしの確かさ、足元の絆を大切にする多重に支え合う社会。そうしたベクトルへの再出発を目指すうねりが高まってくる。そう信じたい。そのうねりに「新邪馬台国建設公団」が挑んできた志や格闘の数々は重なり、得がたい実践的なメッセージを発信しているのではないか。

１９８０年に九州を拠点とする新聞社に草鞋を脱いだブン屋稼業のゴールに合わせるように、本書（しかも、５００ページ余りの分量で上巻。もしかして中、下巻も？）を「熟読し、補助線を引け」との総裁からのご用命を賜り、光栄の至りである。緊張する。

不安定、不確実、多様で複雑な視界不良の時代だからこそ、宇佐が、大分が、九州が、アウフヘーベンを図る座標軸として、「身の丈から」「生活の場を豊かに」という原点を噛みしめたい。朽ち果てるまで地域に貢献したいと念願する「若者」「馬鹿者」「よそ者」

「シルバー」の志士たちに向けて、総裁が「坂の上の雲」として本書に込めたであろう地域振興の巨星・清成忠男法政大教授（当時）の言葉を要約して筆を置く。

「ムラおこしのムラとは地域」

「外からの開発でなく、内発的に振興を図る下からの自立こそムラおこし」

新邪馬台国の「一般化の時代」（本書を読んでくださいネ。）に幸あれ。

ＰＳ　ムラおこしに終わりはない。あるのは始まりだけである。青春のように。

２０２２年ジャパンカップと有馬記念の間　遠望する油山の冬支度に癒やされつつ

元西日本新聞大分総局記者　山浦　修

参考文献

『邪馬台国の秘密』高木彬光（光文社）
『邪馬台国推理行』高木彬光（角川書店）
『甦る　脳梗塞・右半身麻痺と闘った９００日』高木彬光（光文社）
レポート『豊の国ムラおこし研究集会』ムラおこし研究集会実行委員会発行
『グッド・スピリッツ』本山友彦（西日本新聞社）
会報誌「青県協」大分県青年経営者自主研修活動連絡協議会発刊
昭和57年度『80年代のふるさとを考えるつどい』資料
『報告書　商業ムラおこし研究集会』商業ムラおこし研究集会実行委員会
『わたしの人生　ひょうたんや　地域ルネサンス　ムラを奔る』ひょうたんや本発行企画委員会
『ムラおこしシンポ・大分　地域づくり新戦略』西日本新聞社編
『地域産業政策』清成忠男（ＵＰ選書）
『発想が地域を変える』豊の国づくり運動推進協議会
『地域像をデザインする』豊の国づくり運動推進協議会
『奇跡のブランド「いいちこ」』平林千春（ダイヤモンド社）
『その発想いただき！　現状を打ち破る大分県・平松流発想法』小池亮一（講談社）
『流行学　文化にも法則がある』宮本悦也（ダイヤモンド社）
『ザ・ムラおこし』～地域自立への挑戦～　福岡通商産業局編　（財）九州商工協会発行

『レッツ・ラブ運動の展開』新地方の時代　扇谷正造編（ＴＢＳブリタニカ）
『歴史研究第１９８２年10月号　２６０号』
『一村一品のすすめ』平松守彦（ぎょうせい）
『世界画報１９８５　７月号』（国際情報社）
『論争邪馬台国』松本清張ほか（平凡社）
『邪馬台国　そのベールをはぐ』伊勢久信（大分プリント社）
『季刊邪馬台国６号』（梓書院）
『誰にも書けなかった邪馬台国』村山健治（佼成出版社）
『気候の語る日本の歴史』山本武夫（そしえて文庫）
『小説推理１９７４年７月号』（双葉社）
『愛と感動と性格の教育』藤原正教（第一法規出版）
『マンガ論争！』（別冊宝島13）
『陸行水行』松本清張（文春文庫）
『動物から推理する邪馬台国』實吉達郎（文化出版局）
『月刊アドバンス大分』１９８２年７月号
『私説古風土記』松本清張（平凡社）
『ビッグマン』昭和58年10月号（世界文化社）
『サクラクエスト』1-5巻 全巻（芳文社）
『柔らかい個人主義の誕生』山崎正和（中央公論社）

『佐治敬三と開高健　最強のふたり』北康利（講談社）
『記紀が伝える邪馬台国』福本英城（芸文堂）
『吉里吉里人』井上ひさし（新潮社）
『マブゼ共和国建国由来記』北杜夫（集英社）
『「邪馬臺」女王国』富来隆（関書院）
『にっぽん「独立国」事典』三省堂
『蓑虫山人絵日記』（上・下巻）
『豊後万歳』〈94（平成6）2月号〉豊後七福神会・会長岩下恒之氏

※本文の理解を深めるため、随所に（参照）を設け説明文を入れましたが、ウィキペディアやその他ネットから引用させていただいたものもございます。なお引用した新聞記事や雑誌記事等は新聞社名や雑誌社名は入れておりますが、この場をお借りし改めて御礼申し上げます。

新邪馬台国年譜

高橋 宜宏

西暦（元号）	月日	新邪馬台国
1976（昭和51）年	4月	高校の同級生と日本雑音会設立。
	10月	新邪馬台国建設公団設立、新邪馬台国建設構想発表。高橋宜宏が自ら建設公団総裁に就任。永岡光治宇佐市長へ建設構想の説明に行くもケンモホロロに断られた。
1977（昭和52）年	1月1日	第一回　うさ音楽祭。宇佐神宮の相撲場に特設会場を設け開催。雪のため惨憺たる結果に。
	3月	明日の宇佐観光を考える会（西太一郎代表世話人）のメンバーと会見。私もメンバーに加入。
	8月1日	宇佐神宮の相撲場に特設会場を設け、第2回新邪馬台国音楽祭（サンハウス、センチメンタル・シティロマンスetc）を開催。1部と2部の間にハーフタイムショーのように新邪馬台国建国式典を挟み込み、新邪馬台国が日本国から独立を宣言。初代女王卑弥呼、首相、各閣僚の就任。国旗、国歌、元号等を制定。
	9月	日中友好九州青年の船で北京へ。高橋総裁は〝遣中使〟として万里の長城で密かに隠し持っていた新邪馬台国旗を掲げアピールした。
	11月	四バカで湯布院へ。亀の井別荘の中谷健太郎氏を訪ね、研修。四人とも大いに刺激を受ける。
1978（昭和53）年	1月6日	「宇佐史談会」（中野幡能会長）の拡大準備委員会を文福で開催。これまでのように歴史の研究家だけでなく、広く市民にも参加してもらうため。椛田美純事務局長の下、私も事務局に参加。

	6月	名誉国民証の発行（車のステッカーと壁飾りの2種類）。
1979（昭和54）年	1月	湯布院町・湯布院ハイツで青県協主催の1泊2日の研修会に出席した。講師は法政大学教授の清成忠男氏。三和酒類の西さんが夜、遅れて参加。麦焼酎の試作品を持参し、みんなで試飲。これが後に「いいちこ」と命名され爆発的ヒット商品となる。
	2月1日	「いいちこ」が新発売された。
	4月	杵築市の住吉浜リゾートパーク（工藤弘太郎社長）と共同で国東半島のイラストマップを制作。宇佐・国東半島では当時イラストマップはまだまだ珍しかった。
	4月	平松守彦氏が大分県知事に初当選。この秋、「一村一品運動」を提唱。
	5月30日～6月2日	八幡文化の源流を求めて、「宇佐史談会」（中野幡能会長）が韓国へ研修旅行。
	8月1日	国東の盲僧琵琶法師、高木清玄氏を招いて宇佐神宮本殿前で奉納読誦。宇佐神宮神官にも立ち会ってもらい、神仏習合を再現。境内でも琵琶の公演会。
	12月8日	宇佐神宮の謎の石棺の目撃者・山本聴治氏の証言を聴く会開催。
1980（昭和55）年	1月16日	安心院町農協会議室にて第一回「豊の国ムラおこし研究集会」開催。県下の農林漁業、伝統工芸、加工業、地域文化の担い手など約２００人が集まった。
	2月2日	西日本新聞一面トップにミステリー列車卑弥呼号のことがスクープされる
	2月16日	1月16日に開催された「第一回ムラおこし研究集会」での論戦をもう一歩進めながら、大田村で開催予定の第二回研究集会につないで行こうという趣旨で、湯布院で「ムラおこし湯布院炉端討論会」が開催された。

5月10日〜16日	明治・大正・昭和「宇佐のふるさと写真展」。今戸公徳さんらが語り部となり、写真を解説。
7月22日	門司鉄道管理局が公募した「卑弥呼号の歌」の歌詞が、応募者92人の中から選ばれた。
8月1日	卑弥呼神社建立及び入魂式。
8月2日	ミステリー列車「卑弥呼号」、博多（奴国）から宇佐（新邪馬台国）へ。
12月3日	大分合同新聞で血液型人間科学学会「ＡＢＯの会」大分県支部設立と「日本マンガ祭」の開催の呼びかけをし、スタッフを募集した。
1981（昭和56）年	
4月5日	第一回新邪馬台国春の叙勲式開催
4月8日	5日の叙勲式に平松知事が出席できなかったので、この日新邪馬台国の卑弥呼以下首脳が県庁へ押しかけ、平松知事へ「一村一品に功績があった」と初の政治勲章を授与。
4月12日	第一回全日本邪馬台国論争大会開催。コーディネーターにはＳＦ作家の豊田有恒氏。
4月16日	松本清張氏、大正大学教授斎藤忠氏　猪群山へ巨石調査に。
4月17日	松本清張氏と大正大学教授斎藤忠氏、入江英親氏の案内で総裁を訪問。その後、「巨石遺跡と宇佐八幡」についての討論会が宇佐神宮の会議室で開催。
4月19日	漫画集団の富永一朗、杉浦幸雄、馬場のぼる、出光永、鈴木義司の五氏総裁を訪問。日本マンガ祭の協力を約束。その後、麻生豊の筆塚を訪れた。
4月26日	大分合同新聞の月刊「ＢＡＫＥ」に高橋総裁の「血液型活用レポート」の連載が始まった。３回目からタイトルが高橋宜宏の「血液型いろいろ」に変わったが、１９８９年１月27日号まで続いた。第１回目は「血液型基本気質」について。

4月29日	大分川ジョギング大会にPR大臣兼卑弥呼の使者豊田清孝さんが貫頭衣姿で参加。ユニーク賞を受賞。西日本新聞に写真入りで掲載された。
7月12日	「新しい魅力の創造と若者の定住をめざして」をテーマに、安心院で「地方の時代・文化の時代シンポジウム」開催。県下各地から５００人が参加。
7月26日	過疎からの脱却を合い言葉に、「大田村ムラおこし研究集会」が開催された。
8月1日	昨年のミステリー列車「卑弥呼号」に気をよくした門鉄局が第二弾を催した。六両編成（３５０名）で謎の邪馬台国へ向けて出発した。
8月21日	第四回うさ音楽祭。東京板橋区稲荷台小学校のジャズバンド「ニイニイゼミポップスオーケストラ」と地元の「宇佐小の雅楽クラブ」「北馬城小の楽打保存会」「和間小のお囃子クラブ」の和洋楽の競演。
10月	第一回日本マンガ祭（11月15日）に向けて、新聞等でストーリーマンガと一コマ、四コマ漫画の募集を行った。
11月8日	松本清張氏　宇佐風土記の丘　歴史民俗資料館にて講演。
11月14日	第六回県民の日「ふるさと祭り」で、邪馬台国祭り（卑弥呼行列が宇佐神宮境内を練り歩く）を開催。OBSテレビを通じ、ワイドサタデー（朝日放送をキー局に西日本の8局）で、午後3時から4時の間に放送された。
11月15日	松本零士氏を講師に　日本マンガ祭開催。「マンガはなぜおもしろいのか?」のテーマでシンポジウムを開いた。そのほか麻生豊の遺品展、マンガ教室などのコーナーも。TOS等テレビ局取材。
11月22日	テレビ大分「日曜サロン」に高橋総裁出演。30日に開催される〝おおいたの文化創造〟シンポジウムのパネラー4名で地域における文化活動や、当面する課題について話し合った。
11月30日	県立芸術会館で開かれたシンポジウム「おおいたの文化創造」（県、県教委主催）に高橋もパネラーとして参加。

12月11日	文福にて、人おこし普段着集会（8市町のリーダー参加）開催。
1982（昭和57）年	
2月7日	「商業ムラおこし研究集会」～商い人は生き残れるか～。高橋総裁もパネラーで参加。
2月21日	第16回青梅マラソンにPR大臣兼卑弥呼の使者の豊田清孝さんが貫頭衣を着て参加。読売新聞のコラム「いずみ」をはじめ新聞各社が豊田さんの記事を掲載。
2月27日	日本交通公社の「暖暖楽楽九州」ツアーの一行250人がバス8台で「新邪馬台国」に。宇佐市では「臨時園遊会」を開催し、永岡首相や秋吉国民会議議長、ミス卑弥呼の貞清かすみさんらが歓迎挨拶。会場では宇佐地婦連の皆さんらが手作りの郷土料理を用意して接待した。
3月	「新邪馬台国国民会議」結成。議長に市議会議長秋吉太郎氏就任。
4月	日本国天皇、アメリカの大統領、中国の国家主席、韓国大統領にも招待状送付。
4月4日	第4代女王卑弥呼（貞清かすみさん）即位。
4月18日	小説教室「別府文学学校」（主宰・志村泰治）の佐賀忠男氏ら会員10人が初の遠征取材。宇佐市で高橋総裁を囲んで、宇佐邪馬台国説の根拠などについて歓談。
5月1日	第一回新邪馬台国春の園遊会開催。岡山県から藤本和気町長出席。
	第二回新邪馬台国春の叙勲式。
	第二回全日本邪馬台国論争大会　予定の清張氏大会に参加せず。
5月13日	週刊新潮の5月13日号に、いつまで続くか？「邪馬台国ブーム」と題し、新邪馬台国の批判記事が。私たちが金儲けでやっていると曲解。